Je le ferai pour toi

Du même auteur

J'aurais préféré vivre, Plon 2007 et Pocket 2008.

Thierry Cohen

Je le ferai pour toi

Roman

Flammarion

www.thierry-cohen.fr

© Flammarion, 2009
ISBN : 978-2-0812-2359-2

À Gyslène
Mon souffle

À Solal, Jonas, Yalone et Amiel
Ma force

PROLOGUE

J'ai rien senti.

Enfin si, comme un gros souffle. Plus que ça même. Une sorte d'énorme coup de poing dans le ventre et sur le visage, mais qui ferait pas mal.

Quand cet homme est monté dans le bus 83, à l'arrêt Fleurus, j'ai tout de suite trouvé qu'il avait l'air bizarre. Il avait une tête d'illuminé. La tête du mec qui vient de rencontrer le diable et se demande s'il le suit toujours. Ses yeux étaient comme ceux des tueurs psychopathes, dans les films d'horreur, et il marmonnait quelque chose. Mais, des gens bizarres, y en a plein à Paris. Moi-même, des fois, j'ai l'impression d'être bizarre. Enfin, à ma manière.

C'est quand il a croisé mon regard que j'ai eu peur. Comme s'il était surpris et pas content de me trouver là. J'ai cru qu'il allait me parler. Me dire un truc genre : « Ça va pas de prendre le bus tout seul, gamin ? Allez, descends de là avant que je t'en mette une ! » Mais bon, je voyais pas en quoi ça le dérangeait que je sois là. Alors je me suis dit que s'il me regardait comme ça, c'est qu'il aimait pas les enfants ou... les aimait trop, si vous voyez ce que je veux dire. Maman m'a toujours mis en garde contre les fous qui font du mal aux enfants.

D'habitude, je suis pas un peureux. Bon, c'est vrai : quand je suis dans le noir et que mon frère joue les fantômes, je fais semblant de m'en foutre et il le fait tellement bien que je finis par avoir la frousse ! Mais là, ce type... J'ai commencé à regretter de pas être rentré à pied. Si j'ai pris le bus, c'est que papa et maman veulent pas que je fasse le chemin tout seul. Trop de rues à traverser. Trop dangereux.

Dangereux : marrant, non ?

Non, même pas drôle.

J'ai pensé à appliquer la règle numéro trois du « code de l'enfant seul en ville », comme dit papa. Règle numéro trois : « Si tu te sens menacé, tu t'approches d'une vieille dame et tu lui demandes assistance. » Mais, premièrement, dans ce bus bondé, la seule vieille dame qui était à côté de moi, elle s'était endormie. Deuxièmement, elle me faisait presque aussi peur que l'homme avec ses rides et ses poils sur le menton. Troisièmement, j'étais pas vraiment menacé. J'avais juste la trouille parce que ce mec avait des yeux bizarres, qu'il parlait tout seul et me regardait.

Alors, vu que de toute façon j'allais pas réveiller la vieille femme et qu'il me restait encore quelques arrêts de bus, je me suis lancé un défi : « Tu comptes jusqu'à trois et tu regardes ce type droit dans les yeux jusqu'à ce qu'il baisse les siens. Si tu y arrives, t'es un homme ! » J'aime bien me lancer ce genre de défi. Après tout, pourquoi avoir peur d'un mec juste parce qu'il marche comme un zombi et parle seul ? Alors j'ai gonflé la poitrine et j'ai respiré très fort avant de le regarder. 1, 2, 3. Trop tard, il s'était retourné. Il faisait plus attention à moi. Il s'était placé face à la porte et j'ai cru qu'il parlait à son reflet dans la vitre.

Le bus est arrivé à l'arrêt Assemblée nationale. Et là, peur totale ! Quand les portes se sont ouvertes, l'homme a hurlé quelque chose. Je sais pas quoi. Un truc du genre « ou ! là, là, Carambar ! » Oui, je sais que c'est pas ce qu'il a réellement crié, je suis pas nul ! Tu vois le mec en train d'assassiner tous les passagers d'un bus pour une histoire de Carambar ?

Marrant, non ?

Non, même pas drôle.

Son cri m'a foutu grave la trouille ! Les autres passagers aussi. Ils l'ont tous regardé. Je crois que certains ont compris, parce qu'eux aussi ont ouvert des yeux comme dans les films d'horreur. J'ai eu le temps de voir tout ça parce qu'il a pas déclenché sa bombe tout de suite. Il a dû laisser passer une seconde ou deux. Une seconde ? Deux ? Je sais pas, c'est difficile à dire et en plus on s'en fout.

En tout cas, si j'avais pu, j'aurais bien aimé voir à quoi elle ressemblait, cette bombe. Je suis curieux de nature, maman me le dit tout le temps ! On a pas l'occasion de voir une bombe tous les jours, non ? Remarque, on a pas l'occasion de s'en prendre une dans la tronche tous les jours non plus.

Marrant, non ?

Oui, je sais...

En fait, c'est pas du tout comme dans les films. Y a pas de gros boum, pas de fumée, pas de cris de douleur. Enfin, pas pour ceux qui meurent. Juste une incroyable lumière et un souffle très fort qui coupe la respiration... Pour toujours.

En tout cas, même s'il m'a fait peur avec ses yeux de psychopathe et son cri que j'ai pas compris, et même s'il m'a tué, j'aurais bien aimé le regarder en face, comme un homme, et lui dire : « Eh ! mec, même pas mal ! »

Ma vie a pris fin le jour où mon fils a été déchiqueté. Sur chaque lambeau de sa chair se trouvait un moment de ma vie, porté par le souffle de la bombe, brûlé par le feu. Autant de bribes d'existence collées à l'asphalte et l'acier, perdues parmi d'autres.

Les rassembler m'est impossible. Ils ne m'appartiennent plus, ou si peu.

Pourtant, il me faut en exhumer certains, tenter de reconstituer l'histoire qui m'a échappé.

La raconter pour lui, pour ceux qui resteront et qui devront composer avec notre absence. Pour ceux que j'aime et que je ne reverrai jamais. Pour moi aussi. Pour éviter que la folie finisse de gangrener mon esprit avant que j'accueille ma fin.

Je vais donc affronter ces souvenirs épars avec le peu de lucidité encore en moi et raconter ma vie et ma mort.

Ma vie : ces années qui ont précédé ce jour maudit. Une histoire au passé qui, aujourd'hui, semble n'avoir pas existé.

Ma mort : ces instants de douleur qui continuent d'agresser mon esprit avec la même violence.

Ceux qui, un jour, me liront trouveront peut-être un sens à cette histoire. Pour ma part, j'en suis incapable.

DANIEL

Il est assis au bord de la piscine, les jambes dans l'eau. Dos courbé, tête penchée, il se ronge l'ongle du pouce. Il est seul. J'ai envie de courir vers lui, de le prendre dans mes bras.

J'avance lentement, la gorge serrée. Sa silhouette se détache progressivement de l'obscurité. Je m'assois près de lui, dos à la piscine. Il ne dit rien, continue de mordiller son doigt.

— Tu es triste ?

Il esquisse un léger mouvement d'épaules.

— Je vois bien que tu es triste.

— C'était l'anniversaire de maman aujourd'hui, me répond-il.

— Je le sais. Mais nous n'avions pas tellement le cœur à...

— Elle n'a pas soufflé ses bougies. Si on ne souffle pas ses bougies, ce n'est pas vraiment un anniversaire.

— Elle avait mal à la tête. Elle est montée se reposer. Elle a dû s'endormir.

Il fronce les sourcils.

— Elle a pleuré. La tête enfouie dans l'oreiller pour ne pas que vous l'entendiez.

— Je l'ai entendue.

Il regarde son doigt, puis le remet dans sa bouche.

Mon amour.

La lumière qui éclaire le salon projette un halo jaune sur la terrasse, créant derrière lui une impression trompeuse de chaleur et de bien-être.

— Ce n'était pas un véritable anniversaire. Tout le monde était triste. Pas de bougies, pas de gâteau, énonce-t-il, affecté.

— Tu nous manques.

Il sourit. Un sourire gentil, pour dire qu'il comprend.

— Je n'aime pas quand maman pleure. J'aimerais pouvoir ne pas l'entendre. Ce ne sont pas des pleurs, mais des cris, comme un animal qui a très mal.

— Elle a très mal, Jérôme.

— J'aimerais ne pas l'entendre. Au début, elle sanglote. Après il y a un silence, très long, comme si elle ne respirait plus... et puis son cri.

— Une plainte.

Il acquiesce d'un mouvement de tête.

— Ça me fait peur, des fois. C'est comme le cri d'un fantôme.

Il se tait un instant, puis son visage s'illumine.

— Tu sais, quand je jouais avec Pierre, il poussait des cris comme ça. Je tremblais de peur et lui riait.

Je revois la scène et souris. Un peu d'air pénètre mes poumons.

— Je m'en souviens. Je le grondais parfois.

— Oui. Ce n'était qu'un jeu. On jouait bien avec Pierre.

— Ça te manque de jouer ?

Il hausse les épaules.

— Non. Je joue encore maintenant. Enfin, un peu. Je n'en ai pas tellement le temps, tu sais. Je suis encore avec vous. Ce qui me manque, c'est de jouer avec lui, Pierre.

— Ah ? Vous vous disputiez pourtant si souvent !

— Non ! clame-t-il.

— Si, tout le temps en train de vous quereller !

— C'est pas vrai ! Pas si souvent.

Il redresse la tête, gonfle la poitrine.

— On passait des heures à jouer, dans notre chambre, dans le jardin. On se marrait bien. Il arrivait qu'on se dispute, c'est vrai, mais rarement. Mais, pour des parents, une ou deux disputes dans la journée et on est insupportables ! Alors que toi et maman, les derniers temps... toujours en train de vous gueuler dessus.

Ses mots m'ont touché.

— Tu as raison. Maintenant, même vos chamailleries me manquent.

Pierre continue à jouer au foot. Il lance le ballon contre le mur. Il a l'air d'aller mieux. Il est plus fort que nous.

— Tu ne vois que ce que tu veux voir, papa. Pierre ne va pas bien. Il sort jouer pour échapper à l'ambiance de la maison. Et quand il shoote contre le mur, c'est pour se défouler.

— Comment sais-tu cela ?

Il me regarde, désappointé.

— Papa, je t'en prie, ne me pose plus ce genre de question.

— Excuse-moi. Je suis étonné. Je pensais... Pierre a l'air tellement solide.

Il hoche la tête pour exprimer son dépit.

— Solide... (Il ricane.) Comme avant, il joue au dur. Il fait comme toi : il pleure en cachette. Dans la cabane, au fond du jardin.

Cette image me lacère le cœur.

— Et dans son lit, le soir. Il vient vous embrasser souriant, ensuite il se couche, met la tête sous les draps, m'appelle, me parle, m'appelle et... pleure.

— Pourquoi me dis-tu cela ? Ça me fait tellement mal...

Il hoche à nouveau la tête.

— Parce que tu viens pour l'entendre.

— Pas du tout ! Je viens te parler.

Son regard flotte encore sur l'eau.

— Tu viens saigner parce que tu cherches d'autres moyens de pleurer. Tu te jettes sur les barbelés mais pas pour t'échapper, pour te blesser et saigner.

La remarque me laisse perplexe. C'est un enfant qui me parle. Le mien. Et ses mots sont ceux d'un adulte. Sa maturité m'a toujours étonné. Jeux d'enfant, paroles d'enfant, rires d'enfant et réflexion d'homme. Parfois ses paroles me paraissaient incongrues. J'étais admiratif mais inquiet. « Ce gosse n'est pas de ce monde » disais-je parfois à Betty. Ironie. Il était juste en transit.

— Jérôme, je ne sais pas s'il faut... Je pense que tu ne devrais plus revenir.

Je regrette aussitôt ma phrase, ne pouvant me résigner à son départ. Pas encore.

Il ne répond pas. Il a compris.

— Rentre te coucher, papa.

Je ne dormirai pas. Pourtant, je suis son conseil et me lève.

— Et toi ? Tu ne vas pas rester ici, quand même ?

— Pourquoi ?

— Seul dans le noir et... cette piscine.

Il esquisse un sourire.

— Je ne suis pas dans le noir. Il n'y a ni jour ni nuit, ni clarté ni obscurité.

— Sans doute. Mais cette vision de toi, assis ici, tout seul... Je ne peux pas...

— D'accord, je vais partir. Allez, rentre maintenant.

Je fais quelques pas en direction de la maison. Il m'appelle :

— Papa ?

— Oui, mon fils ?

— J'aimerais... que tu embrasses maman en rentrant. Dis-lui que je l'aime. (Il hésite.) Non, ne lui dis rien. Dépose juste un baiser sur sa joue.

— Je le ferai.

— Merci.

— Tu reviens quand ?

— Quand tu auras besoin de moi.

— J'ai toujours besoin de toi.

— Je serai là quand il le faudra.

Betty frémit quand je pose mes lèvres sur sa joue. Les somnifères l'ont plongée dans un lourd sommeil au fond duquel elle se débat.

Je m'allonge à ses côtés et fixe le plafond.

Jérôme nous regarde-t-il en ce moment ?

Sait-il à quoi je pense ?

Sait-il ce que je vais faire ?

Sullivan et Associés, agence de conseil en communication. Je reste un instant figé devant cette enseigne en aluminium brossé, aussi prétentieuse que cet immeuble situé à l'entrée de l'île de la Jatte. Je respire profondément à la recherche de la sérénité nécessaire pour affronter l'épreuve qui m'attend. Je pousse la porte du bureau et le temps s'arrête une seconde. Pourtant, rien ne m'échappe : la gêne, la compassion, la curiosité, l'avidité morbide. Puis les mouvements reprennent sur un rythme trop rapide, comme pour rattraper l'instant perdu. Les regards glissent maintenant sur moi, feignant la routine : indifférence puis plaisir de me découvrir, petits signes de têtes, gestes de la main, sourires. Jeux de rôles. L'effort est perceptible.

Ils savaient que je reprenais ce matin, voulaient me voir, chercher sur mon visage, dans mon comportement, les traces du drame. Ils sont les collègues du *père de la victime*. Cela leur donne des privilèges.

Celui de pouvoir commenter, de raconter : « J'ai vu Daniel. Sale tête », « Complètement abattu », « Je trouve qu'il donne bien le change », « Quel courage ! », « Il a maigri, pauvre homme »...

Je reste stoïque. Leur donner le moins d'informations possibles. Sourires en retour, saluts discrets. Mais le temps me piège encore et le couloir me semble interminable. Avancer, sourire, avancer, saluer, avancer, respirer... La porte de mon bureau, enfin. La poignée, j'entre. L'odeur du quotidien est comme un uppercut en plein ventre et je me laisse tomber dans mon fauteuil, desserre ma cravate. Rien n'a bougé. Mes dossiers sont là où je les avais laissés.

Sur le *paper-board*, un *mapping* et des mots. La scène est irréelle. Je la contemple comme si elle appartenait à une autre époque, si ancienne qu'elle m'aurait oublié. J'ai un instant l'impression d'être revenu en arrière. Un jeudi du mois de mars. Le téléphone ne va pas sonner. La journée va se terminer et je vais rentrer chez moi, retrouver ma femme et mes fils.

Mais le rêve me rejette aussitôt et j'observe à nouveau mon bureau. Je ne lui appartiens plus. Je suis comme un comédien sur une scène, face au décor, quand le spectacle est terminé. Quelqu'un qui me ressemble a travaillé ici, s'est démené pour faire valoir ses idées, pour atteindre ses objectifs, pour être apprécié par certains et craint par d'autres. Quelqu'un qui jouait à la vie. Pas moi. Je n'ai pas vécu ici. J'étais juste l'élément d'un système qui aurait pu fonctionner sans moi, qui a ensuite fonctionné sans moi. Je suis le survivant d'un naufrage, visionnant les images d'une épave. Oui, il y avait une vie et j'en faisais partie. Oui, il y a eu un drame. Oui, je m'en suis sorti. Non... ce n'était pas moi. Celui que j'étais est mort ce jour-là.

Je n'ai plus rien à faire ici. Je devrais me lever et sortir. Ne pas revenir. Mais je ne le peux. Je dois reprendre mon travail, faire semblant d'aller mieux. Cela fait partie de mon plan.

Un léger bruit derrière la porte. Bérangère entre, une tasse de café à la main.

— Bonjour, Daniel.

Elle a dû hésiter un moment avant de se présenter, se composer une expression, chercher mentalement à poser sa voix sur un registre neutre. Ses mains la trahissent, comme ce petit rictus qui coince sa lèvre supérieure.

— Bonjour, Bérangère.

— Je suis contente de vous revoir.

— Merci.

Elle pose la tasse devant moi et renverse un peu de café. Sa maladresse lézarde son fragile aplomb. Elle panique un instant, n'ose pas me regarder, me regarde, baisse les yeux, rougit.

— Comment allez-vous ? demande-t-elle, à la recherche d'une nouvelle contenance.

Elle regrette aussitôt sa question, se mord la lèvre, n'attend pas la réponse.

— Je vous ai mis un peu de crème, comme d'habitude.

— Merci.

Elle se redresse, s'éloigne, prête à sortir. Soudain, elle se retourne. Elle a les yeux pleins de larmes.

— Je suis désolée, Daniel. Je voulais faire comme si... tout était normal. Mais... nous sommes tous tellement...

— Merci, Bérangère.

Le ton froid de ma voix la surprend. Je veux qu'elle s'en aille. Je souhaite qu'elle disparaisse avant que ma colère me submerge. Je la hais de pleurer. Je n'ai pas besoin de ses larmes !

Je vais reprendre ce putain de boulot, vendre les produits que l'on me confiera, trouver des concepts créatifs, inventer des publicités géniales, marrantes même, déjeuner avec des clients, sourire... je jouerai MON rôle !

Je regarde mon planning. Pas de comité de direction. Mon patron, Sullivan, m'a fait grâce de cette épreuve. Il a préféré un rendez-vous plus intime, un déjeuner. Je l'imagine prenant cette décision. Il aura préparé deux ou trois formules destinées à me faire apprécier son humanité. Des sentences ouvragées, à sens multiples, qui le positionneront loin des mortels et de leurs platitudes et me démontreront, une fois encore, la légitimité de sa position hiérarchique. Il a répété mentalement la scène : attitude paternaliste, propos réconfortants puis, rapidement, embrayer sur l'avenir, la vie qui continue, les bienfaits thérapeutiques du travail, les enjeux qui m'attendent, sa confiance renouvelée, les budgets à gagner.

J'ai toujours vu clair dans la futilité de ces hommes obnubilés par le pouvoir et le fric. Sans doute est-ce le seul héritage positif de mon passé chaotique. Il m'a permis d'évoluer plus rapidement que les autres, de distinguer les véritables motivations de chacun. Jeunesse difficile ou dorée, physique ingrat, carence d'amour, complexe d'infériorité ou de supériorité et besoin de reconnaissance, volonté de pouvoir, désir d'être aimé, admiré. Schémas types rapidement décodés. La plupart n'ont pas eu faim. Ils n'ont jamais eu peur de manquer, n'ont pas craint les coups. Ils ont calculé leur vie comme j'avais rapidement appris à le faire : avancement, confort, statut, collection de mots, de connaissances, d'objets de distinction et, parfois, de lectures.

Moi, contrairement à eux, j'avançais pour ne pas tomber. Comme un funambule sur un vélo à cinquante mètres du sol. La peur, je l'avais endurée avant de me lancer.

Petits chefs, ambitieux, orgueilleux avec pour seul horizon la preuve de leur pouvoir dans le regard de leurs subalternes. J'avais fini par conclure un accord avec moi-même : trouver le moyen de les respecter, suffisamment en tout cas pour avoir envie de les vaincre. Et, imperceptiblement, je me suis mis à leur ressembler, jusqu'à devenir un des leurs. Jusqu'à ce jour où...

Sur mon bureau, une photo dans un cadre.

Je me souviens du jour où Betty me l'a tendue. Elle y avait mis assez d'ironie pour que je ne puisse refuser.

« Un bureau, une photo de famille », avait-elle dit sur le ton de l'humour. J'avais hésité à la sortir de mon attaché-case, puis le regard de mes deux fils m'avait réchauffé le cœur. Je m'étais rallié à la position de ma femme. L'ironie. Encore de l'ironie pour négocier un arrangement avec ma conscience. Je n'étais pas un de ces idiots exposant ses trophées. J'étais un père de famille heureux et ironique.

Sur l'image, Jérôme semble vouloir capter mon attention. Son sourire est travaillé. Il l'a figé dans l'expression qu'il pense la plus avantageuse. Une mèche de ses cheveux châtains tombe élégamment sur ses yeux. Il a des traits gracieux, une bouche tendre, une beauté presque féminine. Pierre paraît plus sûr de lui. Il affiche un air conquérant. S'il ressemble beaucoup à son aîné, ses traits, plus durs, laissent apparaître l'esquisse du visage de l'homme qu'il deviendra. Je réalise alors n'avoir bizarrement jamais pensé à Jérôme adulte.

Derrière Pierre et Jérôme, la douceur de la beauté de Betty transparaît à travers son regard enveloppant. Betty est la femme idéale, la mère idéale. Rien ne paraissait pouvoir l'atteindre.

Aucune force ne semblait capable de voiler son regard tendre et fier, de flétrir son sourire de mère comblée.

La photo d'une famille modèle.

Un trophée.

Qui étais-je donc pour me croire si différent de mes confrères ? Quel orgueil insensé m'a laissé penser que l'ironie constituait un mode de vie ?

Cette photo sur mon bureau racontait mon échec.

Jean

L'homme pointa le canon de son pistolet entre les yeux du vagabond. Au contact de l'acier froid sur son front, celui-ci se réveilla. Il
crut d'abord qu'il s'agissait d'un cauchemar. Celui déjà fait tant de
fois. Mais son mal de crâne, la pression du sang contre ses tempes,
sa bouche pâteuse, toutes ces sensations étaient celles qui l'accueil-
laient à chacun de ses réveils.

Il esquissa un petit mouvement de recul.

— Ton nom ? questionna l'homme.

Le vagabond fronça les sourcils. L'homme qui lui faisait face était
grand, massif, vêtu de noir. Une cagoule dissimulait son visage.
Derrière lui, deux autres individus : le plus petit, plutôt chétif et
pareillement accoutré, surveillait fébrilement la rue. Le second, de
taille moyenne, observait la scène avec calme, une main sur la portière d'une camionnette

— J'ai plus de nom, répliqua le sans-abri en se redressant avec
calme.

— Ton nom ! répéta l'homme, en avançant le canon de son
arme.

Le vagabond l'observa un instant et offrit un sourire comme début
de réponse.

— Le Poète. C'est comme ça qu'on m'appelle dans le coin. Juste
parce que, quand je suis arrivé, j'parlais seul et pleurais. Et un
homme qui pleure dans la rue en parlant, pour peu qu'il ait un
regard bleu délavé et se montre docile, on le croit poète. Les gens
ont pas d'imagination.

— Ton nom ! ordonna l'homme.

— Jean Larrive. Vous voulez mes papiers ? C'est ça ?

D'un mouvement de tête, il indiqua une pochette posée près de lui. L'homme armé la saisit, l'ouvrit et en sortit une pièce d'identité. Il parut hésiter un instant et se retourna pour consulter son compère. Celui-ci haussa les épaules et interpella le type du camion. Il s'approcha, regarda la carte d'identité puis braqua une lampe sur le visage décharné et barbu de Jean.

— Allez, arrêtons de jouer. À quoi bon, c'est bien moi que vous cherchez, laissa tomber ce dernier, redevenu grave.

Un court instant, l'homme à la torche scruta Jean puis valida son identité d'un petit geste avant de retourner vers le véhicule dont il ouvrit la porte arrière.

— Il vous en a fallu du temps pour me retrouver ! ironisa le vagabond, histoire de se donner une contenance. Vous êtes déçus, non ? Un ivrogne !

— Lève-toi, ordonna le plus grand.

Jean ne bougea pas. Il voulait mourir là, sur ses cartons sales.

— Où voulez-vous m'emmener ? Je ne vous suivrai pas. Tuez-moi ici.

— Tu vas fermer ta grande gueule et te lever, aboya l'homme armé.

— Je n'irai nulle part. Abattez-moi sur place.

L'homme parut hésiter. Fébrile, il jeta un rapide coup d'œil vers la rue.

— Ne t'inquiète pas. Personne ne passe jamais dans le coin, ricana Jean. Enfin, pas à cette heure en tout cas. Tu peux me descendre, aucun gus ne t'entendra.

L'autre fulmina.

— Si tu ne te lèves pas, on s'en prendra à ta famille !

Jean tressaillit. Sa famille ?

— Je n'ai plus personne dans ma vie, avança-t-il, perdant un peu de son assurance.

— Ce n'est pas parce que tu l'as quittée qu'elle n'existe plus. Les tiens habitent toujours à l'adresse où tu les as laissés. Faciles à retrouver.

Jean se sentit pris d'un vertige sans rapport avec son taux d'alcoolémie.

— Ne les touchez pas, hurla-t-il. Ils n'y sont absolument pour rien.

— Nous ne leur ferons rien... si tu nous suis.

Jean se leva.

Je le ferai pour toi

Le troisième homme attendait déjà au volant de la camionnette. Le sbire armé fit avancer Jean, lui passa des menottes autour des poignets, puis le projeta violemment sur le sol avant de lui enfoncer un chiffon dans la bouche et de lui enfiler une cagoule sur la tête.

— Fin de l'histoire, pourriture ! marmonna-t-il.

DANIEL

Mes yeux glissent sur les pages du journal. Je n'ai pas envie de lire. Pas envie de boire mon café. Pas envie de rencontrer le visage ravagé de fatigue de Betty. Depuis l'enterrement, nos regards ne se sont jamais croisés.

Ses cheveux lâchés, ses traits tirés, sa robe de chambre défraîchie racontent son abandon. Elle ne s'habille plus, ne se maquille plus. Elle sonde l'ampleur infinie de son malheur, s'y noie.

Devant la cuisinière, les bras croisés, elle fait mine de surveiller le lait.

Elle me lance parfois quelques regards furtifs, cherche dans mes costumes, mes habitudes retrouvées, un nouveau feu à sa haine. Elle me déteste de ne pas afficher ma douleur, de ne pas sombrer avec elle. De reprendre mon travail. J'aimerais lui raconter ma décrépitude, lui confier la parodie que je suis obligé de jouer, mais la seule chose que je peux encore faire pour elle est de ne rien lui dire de tout cela. Pour la protéger.

Elle comprendra plus tard.

Je tourne une page et la rage me monte soudainement à la gorge. Le monstre est là, le doigt levé, fronçant les sourcils, menaçant. La photo est plus précise que celles déjà vues. Mes mains se crispent et je retiens ma respiration. Mon regard se tend comme pour pénétrer la page, entrer dans cette photo, me retrouver près de lui. Face à lui. Chacun de ses traits m'est déjà familier. Je ne connais que quelques photos de lui et pourtant, dans mon esprit, il existe. Je lui ai prêté des expressions, une démarche, un cri, des mots, des colères. Je suis certain de ne pas être loin de la réalité. Je ne l'insulte pas, ne le maudis pas. Je ne veux rien perdre de ma colère. Je veux la contenir, la concentrer. La lui réserver.

La porte de la cuisine s'ouvre et Pierre apparaît, m'arrachant à mes méditations tourmentées.

— B'jour p'a, lance-t-il d'une voix traînante.

— Bonjour.

Je l'embrasse. Je lui caresse le dos, tente de l'attirer vers moi, mais il m'échappe.

— B'jour m'an.

Il attend un instant qu'elle se retourne, feint de chercher quelque chose dans le tiroir, près d'elle, puis, résigné, s'assoit et fixe la table.

Un sentiment de colère et de tristesse m'envahit. Comment peut-elle l'ignorer à ce point ? Il m'évite et la cherche. Il a sans doute entendu les reproches que Betty m'a adressés, juste après les faits, dans un accès de fureur et de souffrance. Pense-t-il également que je suis responsable ? Il voudrait faire bloc avec elle. Pour la consoler peut-être. Mais, elle, l'ignore, incapable de la moindre affection.

La douleur nous a séparés. Elle nous a projetés dans des univers parallèles et nous existons les uns à côté des autres, incapables de nous entraider, de nous consoler. La souffrance dévore nos forces, notre énergie. C'est pourquoi je tiens Betty à distance du mieux que je peux. Je dois maintenir ma volonté au bout de mon esprit, à fleur de muscles.

Ma femme pose le chocolat chaud devant Pierre. Elle lui passe rapidement la main dans les cheveux et lui tend une tranche de pain. Pierre reste figé, le regard posé sur le bol. Je pense un instant qu'il boude. Betty le considère avec agacement.

Soudain, je comprends son trouble. Betty aussi. Sur la faïence, le prénom de Jérôme s'étale en lettres arrondies. Betty saisit brusquement le bol, entreprend de le transvaser dans celui portant le bon nom mais les tremblements de sa main l'en empêchent. Elle jette alors les deux bols dans l'évier et regrette aussitôt son geste. En larmes, elle ramasse les éclats de celui de Jérôme, désespérée, les lâche puis s'enfuit.

Pierre est resté immobile, les joues mouillées.

Je me penche et tente de lui poser une main sur l'épaule.

— Ce n'est rien, Pierre.

Il évite mon geste et se lève pour se diriger vers sa chambre.

Sur le journal posé devant moi, le cheikh Fayçal semble me désigner du doigt.

« Nouvelles provocations » annonce le titre de l'article. Puis les mots se diluent dans les larmes que je contiens.

J'ai rencontré Betty lors d'une soirée d'anniversaire à laquelle mes amis et moi n'étions pas invités.

Son anniversaire.

Nous nous étions sapés pour sortir : costume trois pièces, chemise col montant et mocassins en cuir vernis. Petites frappes de banlieue parties pour une virée nocturne.

Nous venions de quitter Lyon pour nous rendre à Villefranche, dans une discothèque où nous avions l'habitude de fêter la réussite de nos larcins. En voulant éviter le périphérique, nous nous étions égarés dans les Monts d'Or et la voiture était tombée en panne. Nous étions sortis pour laisser à Rémi le temps de plonger sous le capot.

Notre vieille Peugeot faisait injure au paysage et aux somptueuses demeures. Nous avions allumé une cigarette, adossés au muret d'une villa installée au cœur d'un jardin paysager. L'air était doux, empli de l'odeur d'une nature généreuse et déjà verte en ce début de printemps.

— Putain, ça sent la fraîche, les mecs, a lancé Bartholo.

— Il ne faudrait pas qu'on reste trop longtemps dans le coin, a répondu Vitto, son cousin. Si quelqu'un nous aperçoit, sûr qu'il appelle les *chtars*.

— Et alors ? a répliqué Nabil. Nous n'avons rien à nous reprocher.

Rémi s'est alors relevé.

— Je pourrai pas réparer : le joint de culasse a pété.

Nous étions en train de commenter notre déveine et de deviser sur les moyens de poursuivre la soirée lorsque Vitto nous a indiqué une maison située au bout de la rue.

— Regardez là-bas. On dirait qu'il y a une fête.

En effet, deux voitures venaient de se garer devant un portail aux dorures ostentatoires et des garçons et filles en sortaient en riant. Rémi a coupé l'autoradio et le son sourd des basses d'une musique disco nous est parvenu, porté par la légère brise du soir.

— On pourrait essayer d'entrer, a proposé Vitto.

— Aller danser chez les bourges ? Aucune chance qu'ils nous laissent franchir la porte, a décrété Bartholo, pessimiste.

— On va pas demander l'autorisation ! On se pointe et on se la joue « habitués ». Comme on est bien fringués, ça donnera le change. Allez, quoi ! On tente le coup !

L'idée nous a paru absurde. Nous, les petits voyous du quartier Le Totem, tentant de nous immiscer dans une fête de riches ? Qui plus est en passant par la porte principale, alors que nous avions l'habitude de découvrir les belles maisons uniquement par effraction ?

Salomon, comme a son habitude, a tranché.

— Qu'est-ce qu'on risque ? Au pire, une bonne bagarre. On y va !

Personne ne discutait jamais une décision de Salomon. Son ascendant sur la bande s'était d'abord établi sur son incroyable force physique mais, par la suite, la solidité de ses sentiments envers nous avait fait de lui, implicitement, notre chef. Nous étions sa famille, ses frères et sentions dans son regard qu'il aurait été prêt à donner sa vie pour nous.

Devant la demeure, discutant et riant pour mimer la décontraction, nous avons franchi le portail sans encombre.

Nous avons salué ceux qui se retournaient sur notre passage

et, très rapidement, à notre étonnement, nous sommes retrouvés dans la salle où se déroulait la fête.

Le lieu était magnifique : de hauts plafonds ornés d'imposants lustres, des meubles en bois précieux, des tableaux aux murs, une sculpture aux formes indéfinies.

La fête aussi l'était : des garçons élégants apostrophant des filles parfaitement habillées et coiffées, un buffet somptueux, quelques serviteurs en livrées, de l'alcool et une musique mélangeant les accords disco et les classiques du rock.

Ce luxe, cette aisance, cette bonne humeur insouciante, je les découvrais avec l'émerveillement de l'enfant pauvre lâché dans un magasin de jouets. Une scène surréaliste pour les petites frappes que nous étions.

— Putain, Vitto, ferme la bouche, a lancé Bartholo. Tu vas nous faire repérer !

Mais nos costumes et notre comportement nous avaient dénoncés. Quelques invités commentaient déjà notre présence avec étonnement.

— On tente d'aller vers les chambres, voir s'il y a quelque chose à tirer ? a proposé Vitto.

— Laisse tomber, à la manière dont ils nous regardent, je pense que les flics sont en route pour venir nous sortir, lui a répondu Nabil.

Les regards des autres étaient dédaigneux. Nous n'appartenions pas à leur milieu et notre prétendu bon goût vestimentaire, au lieu de nous noyer dans la masse, avait suffi à nous trahir.

Vexé de nous voir si vite découverts, j'ai senti une bouffée de colère m'envahir et l'envie de défier ces petits péteux, de leur faire baisser les yeux. Mes copains avaient dû éprouver le même sentiment car ils lançaient maintenant des regards mauvais aux invités qui avaient progressivement cessé de danser pour se concerter.

C'est à ce moment que Betty apparut. Magnifique. Elle portait une petite robe qui soulignait sa fine silhouette et ses cheveux noirs encadraient son visage parfaitement dessiné. Ses deux yeux verts me fixaient avec défiance.

— Je crois que vous n'êtes pas invités, a-t-elle dit, d'une voix qui se voulait ferme mais dans laquelle je pus remarquer une légère tonalité d'appréhension.

Vitto allait se lancer dans une explication hasardeuse et mensongère quand je l'ai devancé.

— En effet. Nous sommes tombés en panne dans la rue. Nous avons vu qu'il y avait une fête et nous pensions passer inaperçus.

Hypnotisé par ses grands yeux verts qui paraissaient fouiller mon âme pour y trouver des raisons d'être apaisée, je me calmai d'un coup. Elle m'a d'ailleurs avoué plus tard être tombée amoureuse de moi à cet instant, de mon air crâne et de cette assurance qui contrastaient avec le sourire enfantin que je lui proposais en guise d'excuse.

— Inaperçus ? a-t-elle répété. Habillés comme ça ?

Pour ma part, c'est lorsqu'elle a promené son regard sur mes vêtements avec un air hautain que j'ai eu, soudain, envie de la posséder. Elle représentait le plus beau joyau de ce décor et, voleur invétéré, je voulais me l'approprier, la convaincre que je valais mieux que ses copains prétentieux à la peau rose et aux attitudes empruntées.

— Quoi ? Qu'est-ce qu'ils ont, nos costards ? C'est de la marque ! Un costume à 50 sacs ! s'est offusqué Rémi.

Elle a esquissé un léger sourire sans me quitter des yeux.

J'ai compris qu'il n'y avait aucune hostilité dans son attitude. Juste la volonté de s'imposer.

— C'est vrai, nous ne sommes pas du même monde, ai-je reconnu avec un sourire. Dans le nôtre, nous sommes très bien habillés. Dans le vôtre, nous... faisons tache. Si vous souhaitez que nous partions, il n'y a pas de problème.

Surprise par ma voix douce et conciliante, elle a hésité un instant, sans me quitter des yeux, jaugeant mes intentions.

— Écoutez, si vous me promettez de ne pas foutre le bordel, il n'y a aucun problème, a-t-elle fini par lâcher, à l'aise face à nous. Vous pouvez boire un verre, appeler une dépanneuse et rester en l'attendant.

— Appeler une dépanneuse ? a murmuré Rémi, s'adressant aux autres. Pourquoi pas un taxi, tant qu'elle y est.

— Ne vous inquiétez pas. Nous sommes de bons garçons, ai-je répondu.

— Oui, nous ne volons rien chez ceux chez qui nous invitent, a cru bon d'ajouter Nabil.

— En effet, nous avons de l'éducation, ai-je vite repris afin de faire passer ses propos pour de l'humour.

Betty a froncé les sourcils, adoptant l'air charmeur propre aux actrices américaines quand elles se trouvent devant un public de journalistes riant de toutes leurs plaisanteries.

— Quel genre de bande êtes-vous donc ?

— Une bande d'amis unis par un serment : agir comme des frères les uns envers les autres, pour la vie, a lancé Vitto, toujours prêt à en faire trop, en posant ses larges mains sur mon épaule et celle de Vitto.

— Attendrissant, s'est-elle contentée de commenter.

Malgré son ironie, j'ai perçu de l'intérêt pour ce que nous représentions.

Elle nous a quittés pour s'occuper de ses invités. Nous avons bu un verre, en commentant leurs tenues, leur manière de danser, leurs grands airs et la beauté de certaines filles. Quand les premiers accords d'un rock ont retenti, mes amis se sont pré-cipités vers celles qu'ils avaient repérées afin de les inviter. Il y a eu un mouvement de recul, des hésitations, de sombres regards lancés par leurs cavaliers. Mais il a suffi que l'une d'elles, grisée par la situation, accepte, pour que d'autres l'imitent.

Très rapidement Rémi, Bartholo, Nabil et Vitto ont fait le spectacle. Les autres couples, se sentant ridicules (certains l'étaient) ont rapidement formé un cercle autour d'eux. En une danse, nous étions devenus l'attraction et Betty paraissait ravie de la tournure de sa soirée. Elle s'est alors approchée de moi.

— Vous m'invitez ?

La contradiction entre la préciosité de son vouvoiement et la banalité de la proposition me parut désuète et très belle à la fois. Moi, j'étais habitué aux filles au franc-parler, au tutoiement rude et aux insultes faciles.

— Non, désolé, je ne danse pas, ai-je rétorqué.

— Vous pourriez faire un effort, j'en meurs d'envie ! a-t-elle dit avec une mine faussement boudeuse.

Elle m'apparut d'un coup comme la petite fille gâtée qu'elle devait être.

— En revanche, repris-je provocateur, je meurs d'envie de vous faire l'amour. Mais je comprendrais que vous refusiez.

Elle a éclaté de rire. Et son rire fut comme un vin sucré me réchauffant le corps. Je désirais plus que tout prendre son visage entre mes mains et poser mes lèvres sur les siennes. Je voulais que ce rire, cette bouche, ces yeux m'appartiennent. Une porte s'était ouverte au fond de moi et l'air qui s'y engouffrait balayait tout pour dévoiler ma vraie nature. J'étais fait pour l'aimer, je l'avais compris, et je ne pourrais jamais accepter qu'il en fût autrement.

— Élisabeth ! a-t-elle déclaré en tendant sa main.

— Daniel, ai-je répondu en la saisissant et en l'attirant à moi.

— Vous en faites trop, a-t-elle murmuré quand son visage s'est trouvé face au mien.

— Le problème est que je ne sais pas comment me comporter avec vous. C'est la première fois que je rencontre une Élisabeth. Je connais des Betty mais pas d'Élisabeth.

— Voyez-vous, je déteste mon prénom, a-t-elle rebondi, mutine. Betty ? Voilà qui ne me déplairait pas.

Elle entrait dans la séduction.

— C'est aussi la première fois que je vouvoie une fille qui me plaît, repris-je. Nous n'avons pas grand-chose en commun, pourtant vous et moi ressentons... une attirance.

— Quelle prétention ! Êtes-vous toujours aussi direct ?

— Souvent. Mais là, le cas est particulier. Si je ne vous dis pas ce que je ressens, je laisserai passer ma chance. Car une fois la soirée terminée, vous retournerez à vos amis, à votre monde et m'oublierez.

— Qui sait ? a-t-elle ri.

Et sa question résonnait comme une promesse.

— Allô ? Qui est à l'appareil ?

Sa voix, restée la même, dupe le temps et m'offre le visage que je connaissais il y a plus de vingt ans.

— Salomon ?

— Qui le demande ?

— Daniel.

— Je pense que vous devez faire une erreur.

Je reconnais la précaution du voyou.

Silence. Il attend encore une information.

— Daniel Léman... La cité du Totem.

Je devine son étonnement au court silence qui, un instant, nous rapproche.

— Salut, Dany. Ça fait longtemps... Comment as-tu eu mon numéro ?

Question de voyou.

— Il faut que je te voie.

Il marque un temps d'arrêt.

— J'ai appris ce qu'il t'est arrivé, Dany.

Il a compris l'objet de mon appel.

Quand je raccroche, le rendez-vous est pris. Je sens mon corps lâcher un peu de la tension qui l'enserre comme dans une camisole. Un léger mieux.

J'entre enfin dans l'action.

— Papa, regarde !

Il esquisse quelques pas de danse. Quelque chose entre le jerk et le hip-hop.

Mon fils est doué. Sa maîtrise corporelle m'a toujours bluffé. Aucune épreuve physique, aucun geste technique ne lui a jamais paru insurmontable. Je me souviens de l'avoir vu monter sur un vélo et se mettre à rouler immédiatement sur deux roues, sans aide, juste parce qu'il l'avait décidé. Il fait partie des rares personnes qui n'ont pas à composer une attitude pour être élégantes. Chacune de ses poses semble travaillée.

— Qui t'a appris à danser ?

Il ne répond pas, s'assoit.

— Un jour, il y a trois ou quatre ans, tu nous as demandé quel sport nous voulions pratiquer.

— Oui, je vous questionnais à chaque début d'année scolaire.

Il remue la tête.

— Tu m'avais répondu football, comme ton frère.

— Oui, c'est ce que j'avais dit.

Il hausse les épaules

— J'avais dit ça pour ne pas te décevoir. En fait, j'avais envie de faire de la danse.

Je reste saisi par la confession.

— Tu aurais dû m'en parler !

— Tu aurais accepté ? s'enquiert-il, surpris.

— Bien entendu ! Je n'apprécie pas particulièrement le foot, tu sais. Je ne regarde jamais de match à la télé ! Ou juste les rencontres importantes.

Il réfléchit un instant.

— C'est marrant. On s'imagine des choses parfois... Je me disais que tu trouverais ridicule qu'un garçon fasse de la danse. Bon, je ne voulais pas aller vers la danse classique, j'étais plutôt attiré par le hip-hop... mais je n'ai pas osé.

Nous nous taisons un instant. Il est adossé au mur de la maison.

— Et toi, papa, tu écris ?

Je tressaille.

— Pardon ?

— Je sais que tu as toujours rêvé d'écrire.

Il me dévisage et répond à la question que ma stupéfaction muette exprime.

— Je sais certaines choses sans jamais les avoir apprises. Et je sais que tu as toujours souhaité devenir écrivain.

— Pas devenir écrivain. Écrire, simplement.

— Pourquoi tu l'as jamais fait ?

Je me revois alors dans ma chambre avec Betty l'estomac vide, dévorant des romans et imaginant un jour, à mon tour, prendre un stylo, du papier et raconter une histoire. Mon histoire.

— J'ai commencé. J'ai écrit... des bêtises. Et j'ai dû travailler, gagner ma vie. Ou plutôt la perdre sur des agendas surchargés. Voilà. Le temps passe et nos rêves avec. Sûrement n'avais-je rien de suffisamment intéressant à raconter. Pour écrire il faut souffrir, je crois.

— Et maintenant ?

Je ne sais pas si je comprends le sens exact de sa question. Il attend quelques secondes ma réponse, puis enchaîne.

— J'aimais bien quand tu inventais des histoires. Le soir, parfois, ou dans la voiture, quand nous partions en vacances.

— Je n'inventais pas. Nous inventions.

— Oui, tu commençais et nous devions continuer. Maman, ça l'ennuyait. Elle n'avait jamais d'idées. Tu te souviens comme nous riions ? À la fin, c'était n'importe quoi !

J'ai soudain l'impression que sa voix m'arrive de loin. Comme dans ces rêves fiévreux où des images et des sons syncopés tentent de se rattraper. Je réalise alors l'étrangeté de la situation. Pourquoi est-il à mes côtés ? Pourquoi vient-il me parler, de temps en temps, à la nuit tombée ? Pourquoi ne suis-je jamais surpris par ses apparitions ?

Je comprends soudain que la barbarie, l'inhumanité des faits m'a porté au-delà de la vie. Je ne suis plus vraiment de ce monde. L'impossible est arrivé, a déchiqueté la trame sur laquelle j'avais construit la logique de mon existence. Et les mots, porteurs d'images, de valeurs, de sens, se sont mis à flotter. Peut-être se poseront-ils un jour. Mais sans doute jamais à l'endroit où je les avais placés.

A-t-il deviné mes pensées ? Il se lève.

— Il faut que tu rentres te coucher, papa. Tu travailles demain.

Je souris.

— Tu ne vas tout de même pas m'interdire de veiller, non ?

Il sourit à son tour.

— J'ai parfois l'impression que les rôles sont inversés. Comme si je devais te protéger.

Sa remarque me fait frémir.

— Me protéger ? De quoi ?

— Entre et prends un livre, se contente-t-il de répondre. Ça fait longtemps que je ne t'ai pas vu lire. Les écrivains lisent.

Il me fait signe de la main et disparaît. Je sens encore sa présence, près de moi, un instant, et je tente coûte que coûte de m'en emplir l'esprit.

Lorsque je me résigne à entrer, la lumière du salon est éteinte. Betty est allée se coucher.

J'avance à tâtons, cherchant l'halogène. Ma main gauche s'approche de la table et bute sur un objet, manquant faire tomber la lourde lampe. J'actionne l'interrupteur. L'objet est un livre. John Fante, *Demande à la poussière*. Mes premiers émois de lecteur.

Il était jusqu'ici rangé dans la bibliothèque. Betty l'aurait-elle parcouru et abandonné là ? Non, Betty ne laisse jamais rien traîner.

Dans la lumière pâle, je crois discerner le sourire de Jérôme.

JEAN

La chambre était austère : un lit, une table, une chaise, un coin W.-C. et une minuscule cabine de douche. Ils avaient roulé pendant près de quarante-cinq minutes avant que la voiture s'arrête. Ils lui avaient fait grimper plusieurs escaliers sans ménagement, étaient entrés dans un appartement et l'avaient conduit dans cette pièce avant de lui enlever sa cagoule et le chiffon obstruant sa bouche. Deux des hommes l'ayant enlevé se trouvaient avec lui.

Le plus fort le projeta sur le lit, s'assit à califourchon sur son corps et enleva ses menottes.

Puis ils ôtèrent leurs cagoules. Comme Jean s'y attendait, ils étaient de type oriental.

Le plus grand devait avoir près de vingt ans, des yeux sombres, d'épais sourcils et une bouche fine. Il paraissait nerveux, agressif. Le second, du même âge, était plus petit, presque malingre, avec un regard doux. Il évitait de poser les yeux sur son otage, semblant presque regretter sa présence dans cette chambre.

Ils s'interpellèrent en arabe. Jean releva leurs prénoms. Le plus grand se prénommait Akim, l'autre Lagdar. Il ne put identifier leur accent.

Akim s'adressa à Jean :
— Déshabille-toi. Mets tes vêtements dans ce sac. Va te laver. Tu pues le chien errant !

Lagdar lui tendit un sac-poubelle pendant qu'Akim le menaçait de son pistolet.

Jean n'avait nulle envie de résister. À quoi cela servirait-il ? Il devait aller au bout de son histoire, docilement.

Pendant qu'il se déshabillait, Akim l'observait avec dégoût. Lagdar, lui, fixait le linoléum.

La peau de Jean était couverte de tâches sombres, d'escarres, de croûtes et dégageait une odeur pestilentielle. Akim détourna un instant les yeux pour ne pas le voir ôter son caleçon. Jean en profita pour dégrafer la pochette de cuir qu'il portait entre son tee-shirt et son pull-over puis, d'un geste rapide, la glissa sous le matelas. Il retint sa respiration, craignant d'avoir été vu.

Quand il fut nu, Akim lui fit signe de se diriger vers la douche.

La chaleur de l'eau, la douceur et l'odeur du savon lui firent du bien. Les douches municipales dans lesquelles il se rendait parfois n'offraient pas ce confort. L'eau y était souvent froide et se laver réclamait une vigilance de chaque instant.

Lorsqu'il sortit, Lagdar lui tendit une serviette. Le sac de vêtements avait disparu et sur le lit attendaient un caleçon, un jean et un tee-shirt blanc.

Jean sourit à l'idée qu'il mourrait propre.

Une fois habillé, Akim lui menotta un poignet aux barreaux du lit.

— Repose-toi, dit-il, moqueur. Tu vas avoir besoin de force pour affronter l'enfer.

Et ils l'abandonnèrent à l'obscurité de la pièce.

Jean ne craignait pas la mort. Elle faisait partie de son histoire, était presque devenue une intime. Pas suffisamment pour qu'il lui cède volontairement, mais il s'était préparé à l'accueillir si elle se présentait. Et quand, durant ses années d'errance, il se saoulait avec méthode, ce n'était pas pour noyer son funèbre avenir mais plutôt pour engloutir son passé et ses fantômes.

Il savait donc que surgiraient un jour les anges de son apocalypse. Il lui suffisait de les attendre, sur le pavé, face au ciel. Et de boire, pour duper le temps et confondre les heures et les litres, les jours et les nuits, les cauchemars et les hallucinations. Boire pour oublier ce jour maudit où il aurait dû...

Il refusa de se laisser à nouveau happer par le sempiternel refrain : il n'avait pas sous la main l'alcool nécessaire pour l'accompagner.

DANIEL

Je l'aperçois assis près de la porte, face à la salle. Salomon a minci, s'est dégarni. Ses traits sont plus lâches et, pourtant, il conserve le même air volontaire et dur. Tous les voyous savent reconnaître la vraie force sous des traits en apparence communs, ne se fiant jamais aux signes extérieurs. La véritable force se cache dans le regard. C'est une lueur intense qui raconte la détermination, la violence, parfois l'enfer, qui apparaît aux premiers signes d'adversité, évacuant toutes les émotions, gommant les sourires, les rides et les rictus. En une seconde, le visage se ferme et compose le masque de l'invincibilité. Deux vrais voyous se battront seulement s'ils y sont contraints. Dans tous les autres cas, d'un seul regard, ils auront évalué leur autorité, leur puissance, leur histoire et l'un d'entre eux acceptera le repli, sans honte, ou la promesse d'une défaite.

Nous nous serrons la main et il me tire vers lui pour m'étreindre. La vigueur de son corps, sans raison, me rassure.

Il commande deux cafés. Nous nous observons un instant, silencieux. Comme moi, il prend le temps de laisser défiler les images que son esprit ravive.

Je finis par parler, histoire de dissiper l'embarras.

— Tu n'as pas trop changé.

Salomon accepte le compliment en m'adressant un clin d'œil.

Dans une situation normale, nous aurions beaucoup de choses à nous raconter et toutes nos phrases auraient commencé par « Tu te souviens du jour où »... Pas cette fois.

Ses traits se durcissent subitement.

— Ça m'a rendu malade, Daniel.

J'esquisse un mouvement de tête.

— Ce ne sont pas des hommes, continue-t-il. Un homme, ça regarde son adversaire en face, ça se bat à armes égales. Ça ne s'attaque pas à des innocents, à des enfants. Putain, le monde a tellement changé ! Nous étions des voyous mais nous avions des règles. Un sens de l'honneur. J'éprouve plus de respect pour mon pire ennemi que pour le plus grand de ces salauds.

Il parle de « notre monde », de « nos règles » comme si je n'avais jamais lâché la bande. Ses mots me font du bien car ils tissent rétrospectivement une trame, fût-elle fragile, à ma vie. Ses mots me font du mal aussi, tant ils mettent en abyme mon amnésie et mon ingratitude. J'ai abandonné Salomon et la tribu pour m'inventer une nouvelle vie. Je les ai gommés de mon histoire. Pourtant, lui accepte d'être là comme s'il s'agissait du lendemain de notre dernière rencontre. Et je me sens à nouveau appartenir à cette autre famille, plus ancienne, solide. Il existe donc une structure, tangible, impalpable, capable de tenir ma dépouille putride dressée face au soleil ?

— Je n'ai jamais eu d'ennemi, Salomon. À l'époque, on s'amusait. Nous étions fous, épris de liberté, portés par notre jeunesse, sans adversaire désigné. Aujourd'hui, j'ai un véritable ennemi.

Il opine du chef, pensif.

— Je devine pourquoi tu es là. Et je pense que tu vas faire une connerie, Dany. Ces gens-là ne réfléchissent pas comme nous. Comprends-moi bien : je t'aiderai. Je suis même à ta disposition, totalement, sans conditions. Mais, quelle que soit ton idée, c'est une folie. Que sais-tu d'eux ? As-tu des informations ? Les polices du monde entier les traquent sans succès, pourquoi toi tu y arriverais ?

Hier, nous étions amis, frères et complices. Prêts à nous sacrifier l'un pour l'autre. Avec Rémi, Nabil, Vitto et Bartholo, nous constituions un petit clan. Autour gravitaient d'autres voyous, associés à nos mauvais coups par nécessité ou affinités opportunistes. Salomon se montrait le plus déterminé, le plus intelligent, le plus professionnel également. Lorsque nous préparions un vol ou une bagarre contre une bande adverse, il nous laissait nous opposer, souvent sur des détails, puis nous interrompait pour exprimer un avis que nous ne discutions jamais.

— J'ai besoin de... matériel.

— C'est tout ?

— Oui, juste du matériel.

Il hausse les sourcils.

— Tu es seul ?

J'acquiesce.

— T'es taré ! clame-t-il. Ils sont sans doute nombreux, puissants, organisés...

— Ne t'inquiète pas, je sais ce que je fais, dis-je fermement.

— Et tu penses que je vais te laisser t'engager seul dans une histoire aussi tordue ? Je n'ai jamais laissé l'un d'entre vous prendre des risques sans assurer ses arrières !

— C'était avant, Salomon. Maintenant, il n'y a plus de bande, plus de chef. Juste moi et toi. Et je te demande de me rendre ce service.

En le réduisant à un simple rôle de fournisseur, je l'ai vexé. Il plante son regard dans le mien et sonde mes pensées. Il ignore encore quelle décision prendre. Il évalue les risques, ma détermination, sa capacité à me faire changer d'avis.

Il porte la tasse à sa bouche et avale lentement le café en continuant à me fixer.

— De quoi as-tu besoin ? dit-il enfin.

La bande d'amis est née aux pieds des immeubles que nous habitions.

Je vivais seul avec mon père, un brave fonctionnaire qui tentait de m'élever entre deux dépressions. Nous parlions peu. Il m'observait souvent, se demandant comment établir une relation avec cet enfant débrouillard mais secret. Je voyais ses efforts pour traduire son affection, comprenais ses silences, mais je ne savais pas si mes sentiments relevaient de l'amour filial ou de la compassion. Je m'en sortais mieux parce que je n'avais connu que l'absence, ma mère ayant été emportée par un cancer alors que j'avais deux ans. Lui traquait sa tristesse dans la comparaison entre la vie d'avant et celle que nous menions.

Petit, je me levais seul le matin, prenais seul mon petit déjeuner, allais seul à l'école, déjeunais à la cantine, faisais mes devoirs à l'étude et rentrais préparer seul le dîner avant de descendre rejoindre mes amis en train de palabrer sur les escaliers de l'immeuble. Nous étions nombreux à nous retrouver là, mais c'est avec Salomon et Rémi, plus tard Vitto, Bartholo et Nabil, que j'ai noué de vrais liens. Tous les six, nous nous isolions pour jouer ensemble, discuter, fumer nos premières cigarettes. Comment cette affinité est née, comment elle est devenue si forte, pourquoi eux et pas d'autres ? Je peine à l'expliquer. Je me souviens seulement que notre amitié s'est forgée sur des moments partagés, sur les confessions que nous osions doucement, au fil du temps, faire du bout de notre pudeur d'enfants jouant aux hommes, sur ce que nous connaissions de nos difficultés respectives et de notre volonté d'en sortir.

S'en sortir signifiait pour nous trouver des occasions de rire, de ressentir des émotions fortes et de gagner de l'argent. Car l'argent et les filles étaient les principaux sujets de préoccupation.

Les filles du quartier, il suffisait de savoir leur parler, de les charmer avec des airs de mauvais garçons, des attitudes d'hommes précoces, une mobylette et, plus tard, une voiture permettant de sortir du quartier, de « descendre » en ville, d'aller boire un verre.

L'argent, il fallait le chercher là où il se trouvait. Nous avons commencé par voler dans les magasins des objets revendus ensuite à notre entourage : disques et vêtements, principalement. Puis nous avons sillonné les beaux quartiers, ouvrant les portes des allées à la recherche de vélos imprudemment abandonnés dans les jardins ou rangés dans les cages d'escalier. C'était tellement facile.

Quand, surpris, nous finissions au commissariat, nous avions droit à une franche engueulade ou, pour les conneries les plus sévères, à être raccompagnés chez nous par les flics. Salomon et moi nous dénoncions systématiquement, sachant n'avoir rien à craindre de nos parents, alors que Bartholo, Vitto, Nabil et Rémi risquaient, dans les meilleurs cas, quelques bonnes baffes et, dans les pires, des coups de poing, de pied ou de ceinture. Frère aîné d'une famille de six, dont le père et la mère ne travaillaient pas et profitaient du fruit de ses petits larcins, Salomon ne risquait donc pas grand-chose. Quant à moi, absent pendant la journée et refusant de répondre au téléphone le soir, mon père était rarement prévenu. Et s'il lui arrivait d'apprendre que j'avais passé une heure ou deux au commissariat, il s'attribuait la responsabilité de mes déviances et se perdait dans une culpabilité l'empêchant de me réprimander.

Je me souviens de la fois où la police l'a appelé sur son lieu de travail. D'habitude, lorsque je disais que je n'avais plus de mère, les policiers, compatissants, se contentaient d'un sermon ou me raccompagnaient chez moi pour vérifier l'information. Mais ce jour-là, un flic m'identifiant comme récidiviste avait demandé à mon père de venir me chercher dans l'heure.

Il était apparu paniqué, le pas court et hésitant, les cheveux en bataille. Et le policier l'avait pris à part, lui rappelant son devoir de père.

Sur le chemin du retour, je voyais ses yeux s'agiter, ses mains caresser nerveusement son menton mal rasé. Il cherchait des mots, des phrases à prononcer pour ce genre de circonstances.

Arrivé devant l'immeuble, il s'était arrêté, avait planté ses yeux perdus dans les miens.

— Je suis désolé, bredouilla-t-il en prenant un air apitoyé. Je sais que je ne fais pas ce qu'il faut... mais je ne sais pas ce qu'il faut faire.

Reprenant sa marche et haussant les épaules il avait ajouté :

— Ça ne devait pas se passer comme ça.

Je crois que j'aurais aimé qu'il me gifle, me punisse. Mais lui, le petit fonctionnaire, ne pouvait concevoir la moindre sanction. Il avait planifié une autre vie, une existence dans laquelle il aurait incarné le père ramenant l'argent à la maison et confiant l'éducation de son fils à une femme dévouée. Hélas, en partant trop rapidement, celle-ci avait contrecarré ses plans.

J'ai quitté l'appartement à seize ans pour vivre dans un squat avec Salomon. En vérité, pour moi, rien ne changeait : je me débrouillais toujours seul et voyais toujours mes amis.

Pour mon père non plus, rien n'avait changé, si ce n'est qu'il devait désormais préparer son dîner.

J'ai maintenant tout ce qu'il me faut. Et je suis au pied du mur. Je sens l'excitation me gagner, se mêler à mes autres sentiments, les diluer, les pervertir. Je me suis rendu au *Petit Paris*. Une vieille et inutile habitude à laquelle j'aimais sacrifier avant chaque grande décision. Je n'ai pas réfléchi, mes pas m'y ont guidé. Pourtant, je n'ai aucun doute sur ce que j'ai à entreprendre. Il n'y a pas d'autre issue.

L'odeur de graillon mélangée à celle de l'alcool et de la cigarette, le bruit des chaises contre le carrelage, l'éclat du zinc du bar, la surface bosselée des tables en bois, le brouhaha des conversations... mes sens sont en éveil pour chercher au fond de mes pensées celles qui sauront faire revivre un moment d'émotion.

Dans un coin, je reste à guetter l'éveil d'une sensation, cherchant en moi celui que j'étais autrefois, celui qui pourrait me dire si mes choix sont les bons.

Mais aujourd'hui le charme n'opère pas. Je suis étranger à la scène, hors du temps. Délesté de mon passé, de tout sentiment capable de me rattacher à l'instant, déjà ailleurs.

J'ai perdu mon identité le jour où mon fils a été déchiré par la bombe. J'ai perdu la raison aussi. Rien de ce qui m'arrive ne me surprend.

Je le vois, il me parle et je trouve ça normal. Je suis sans doute devenu fou ce jour-là. Mais cette folie maintient mes dernières forces.

J'ai un autre fils et une femme qui attendent mon retour, guettent un signe, un mot qui pourraient encore leur faire croire en l'avenir, mais je demeure silencieux, prostré, concentré sur mon objectif. Il me porte, me fait avancer chaque jour, dessine mes lendemains. Je me consacre à la mort. Je ne suis plus de ce monde, déjà.

JEAN

Ses maux de tête s'étaient atténués. Ils renaîtraient bientôt, autrement plus pernicieux, quand son organisme exigerait avec plus de véhémence encore sa dose d'alcool.

Il pensa à sa famille. Les geôliers connaissaient son adresse. Les siens étaient-ils en danger ? Il se rassura en imaginant qu'ils étaient sans doute protégés. Et, de toute façon, quel intérêt les kidnappeurs avaient-ils à leur nuire ?

C'était lui qu'ils voulaient.

C'était lui qu'ils recherchaient depuis maintenant dix ans.

Jean envisagea sereinement sa mort. Il avait toujours su que cela se terminerait ainsi. Il s'interrogeait simplement sur la manière dont ils l'exécuteraient. Lui trancheraient-ils la gorge ? Préféreraient-ils l'arme à feu ? Et comment se débarrasseraient-ils du corps ? Jean aurait voulu qu'ils se contentent d'une vengeance froide et fassent disparaître sa dépouille afin d'épargner à sa famille une macabre et inutile réapparition. Mais la compassion n'entrait pas dans leurs habitudes. La mort relevait pour eux du mode de revendication, le sang était l'encre avec laquelle ils rédigeaient leurs pamphlets. Ils allaient sans doute mettre en scène son exécution, l'utiliser au-delà du seul châtiment.

Jean glissa sa main libre sous le matelas et fut rassuré de toucher la sacoche de cuir du bout des doigts. Elle renfermait les derniers objets auxquels il tenait. Une photo, quelques articles, un carnet de notes, des pièces d'identité. Il se demanda ce que ces reliques deviendraient lorsqu'ils l'auraient abattu. L'hypothèse que ses ravisseurs les trouvent le troublait. C'est le viol de son intimité qui le dérangeait, bien plus que la découverte des détails d'une vérité qu'ils connaissaient déjà en partie. Il espérait qu'ils demeureraient à jamais sous le matelas.

Quand Akim entra dans la pièce Jean était allongé sur le côté, tentant de réprimer les tremblements qui l'agitaient.

— L'alcool te manque ? railla Akim, sardonique.

L'otage l'ignora.

— Tu pourrais me regarder quand je te parle ! cria l'autre, menaçant.

Jean resta focalisé sur ses douleurs, essayant de les canaliser pour les concentrer en un seul point de son corps.

— C'est au ventre que tu as mal ?, interrogea alors Akim, feignant la sollicitude.

Il lui décocha un coup de pied au plexus qui le priva de souffle.

— À la tête peut-être ? renchérit-il en le giflant.

Jean parvint à aspirer quelques bouffées d'air avant de sentir un spasme lui serrer le ventre. Il ne put le réprimer et vomit sur son lit.

Akim s'emporta.

— Putain de connard ! Pas capable de se tenir ! Un coup au ventre et il dégueule tout ! Tu crois que l'on va changer ton matelas ? Non, espèce de chien, tu vas rester dans ta gerbe, dormir le nez dedans !

Il saisit ses cheveux et trempa son visage dans la flaque de vomi. Jean crut qu'il allait étouffer mais son tortionnaire lâcha sa prise, appuyant ses genoux contre son dos pour le maintenir allongé.

— T'es plus un homme. Tu es un chien. Regarde-toi, Kelb !

Akim tendit un miroir, mais Jean détourna le regard. Il avait évité d'affronter son image durant toutes ses années d'errance.

— Tu ne veux pas te regarder ? Tu as honte ? Sais-tu encore ce qu'est la honte ? Non, tu es un chien, comme tes semblables. Vous

vous croyez libres et vous vous accouplez comme des chiens, vous fouillez l'urine et la merde puis, l'instant d'après, vous redressez la tête et faites les beaux pour un morceau de sucre, un peu d'argent ou de pouvoir.

Jean tenta de se redresser pour s'opposer à son geôlier, mais l'autre accentua sa pression et le maintint à genoux.

— Tu te rebelles ? Il te reste encore un peu de fierté ?

La remarque le fit souffrir et la brûlure de sa colère se confondit avec celle de son estomac. Il était d'accord pour mourir, mais sans être humilié de la sorte.

— Pourriture ! cria Jean. T'en sais quoi de la fierté, de la honte ou de l'honneur ? Tu cognes un mec attaché.

Akim le gifla puis se pencha sur lui.

— Je ne frappe pas un homme, je frappe un animal. Peux-tu te dire encore homme après ce que tu as fait ? C'est un animal que nous avons trouvé, dormant sur des cartons, crasseux et saoul. Un homme ne se comporte pas comme ça.

Lagdar entra dans la pièce et découvrit la scène. Furieux, il s'emporta contre Akim, dans leur langue, releva Jean, le fit asseoir sur le lit et lui tendit une serviette.

Akim haussa les épaules et se pencha sur l'otage.

— Kelb, murmura-t-il à son oreille avant de s'en aller.

DANIEL

Le plus dur pour moi est de concilier chaque univers dans lequel j'existe : la maison, imprégnée de l'odeur du drame qui m'impose de baisser la tête, d'éviter les regards ; le bureau, où la quotidienneté éthérée scande son rythme et me contraint à l'effort du jeu ; mon esprit, perturbé et hanté de visions.

Pourtant, la nécessité m'imposant de faire coexister ces multiples personnages, je trouve les ressources nécessaires pour composer.

Il me faut rester coupable aux yeux de Betty. Participer à la création de nouveaux liens de famille, de nouveaux équilibres intégrant l'absence d'un membre, compter sur la complicité du temps et la lassitude de la souffrance qui gagnent un jour ceux ayant perdu l'un des leurs. Moi, je le refuse. Car je ne veux rien reconstruire. Pas maintenant. Aussi je multiplie les stratégies d'évitement. Je pars tôt, rentre tard, m'isole pour manger, me cache derrière un journal. Mon attitude exaspère Betty et Pierre, les éloigne de moi un peu plus chaque jour. Et il me faut recourir à des efforts insensés pour ne pas me jeter à leurs pieds, les serrer dans mes bras et pleurer avec eux. C'est de cela que nous aurions besoin : pleurer ensemble, nous abandonner à l'hystérie de la douleur afin de bénéficier de ses vertus cathartiques. Mais je m'y oppose.

Je ménage Pierre, toutefois. J'essaie de lui manifester de la douceur, de la tendresse. Or c'est lui qui m'évite, imitant sa mère et me facilitant la tâche.

Au travail, il est plus facile de me dissimuler derrière les différentes facettes de mon personnage. Celle de l'homme meurtri me permet de rester silencieux, de refuser de participer à des réunions, de m'isoler dans mon bureau et, ainsi, d'éviter certains contacts et situations que je ne pourrais supporter. Je peux aussi, et surtout, échafauder des plans, me préparer à l'action. Ce job de businessman m'autorise des sorties, des rencontres. Je suis même encore capable de jouer le rôle du cadre dirigeant intéressé par les projets qui lui sont proposés. Je dois montrer que la douleur n'a pas affecté mes compétences. Pour agir j'ai besoin de mon statut et des moyens qu'il m'offre.

C'est mon esprit qui me pose le plus de problèmes. Il est traversé d'images terrifiantes et de souvenirs tendres, d'éclairs de vie et de souffles de mort, de sentiments violents rapidement étouffés. Il est agité de spasmes convulsifs qui produisent confusion et paniques soudaines. Je serais devenu fou s'il n'abritait pas un îlot de lucidité sur lequel je me hisse afin de me reposer et d'élaborer l'action qui me libérera.

Mais cet îlot n'est-il pas plutôt le récif tranchant sur lequel échoue ma raison ?

Ne suis-je pas *déjà* devenu fou ?

Les deux années passées dans le squat ont renforcé les relations qui me liaient à mes amis. Ensemble, nous devenions des hommes. Nous partagions une histoire composée d'anecdotes, de silences, de coups donnés et reçus, de rires et de peines, de filles partagées. Un avenir aussi, même si celui-ci n'allait pas plus loin que les deux ou trois vols qui suivraient.

Nous étions une famille.

Vitto identifiait les lieux où nous sévirions. Car nous étions rapidement passés du chapardage au vol d'autoradios dans les rues calmes des banlieues lyonnaises.

Rémi, Vitto et Bartholo conduisaient des mobylettes dont nous avions gonflé le moteur pour atteindre les 80 kilomètres à l'heure. Ils se positionnaient au bout d'une rue pendant que Salomon et moi, à l'aide d'un cintre en acier habilement tordu, faisions sauter les sécurités des portières avant d'arracher les autoradios. Puis nous les rejoignions sur les bécanes pour rentrer chez nous, phase où nous courrions le plus de risques : les bandes de jeunes en mobylette étaient la proie des patrouilles de police croisant dans les quartiers.

Un autoradio se vendant entre 50 et 150 francs, selon le modèle, notre activité s'avérait suffisamment rémunératrice pour nous permettre de subvenir à nos besoins et payer nos sorties.

C'est Vitto qui a proposé le premier cambriolage. Une maison isolée, abandonnée par ses occupants durant les vacances. L'idée ne nous a pas surpris. La dynamique qui nous avait portés jusque-là possédait sa logique. Il fallait abandonner les petits larcins, réservés aux gamins, pour nous essayer à une activité plus risquée, plus lucrative aussi, réservée aux hommes. Devenir vendeur de shit et d'herbes signifiait travailler à la solde d'autres, or nous tenions à notre indépendance. Et comme le cambriolage occupait une place honorifique dans la hiérarchie des voyous...

Ce vol par effraction a contribué à asseoir notre vocation, tant il nous a paru facile. Il a suffi de casser un volet, puis un carreau pour entrer. Vêtus de noir, cagoules sur le visage, nous avons ressenti une excitation nouvelle, euphorisante, à découvrir un intérieur cossu et accueillant, à nous promener à pas de loup dans des pièces aménagées par d'autres. Les enfants que nous étions encore ressentaient une ivresse jubilatoire à participer à cette course aux trésors, courant de pièce en pièce, ouvrant les placards, les tiroirs, nous interpellant pour montrer une découverte. Notre butin, quelques bijoux et une belle somme en liquide, a fini par nous convaincre : nous étions faits pour cela.

Il me faut partir. Rejoindre Londres, le plus vite possible. Me rapprocher de ma cible. C'est sur place que je pourrai continuer mon action. En outre, je crains que ma volonté s'effrite à force de contenir mes sentiments, de les travestir. L'atmosphère à la maison m'est devenue insupportable. Tout comme celle de l'agence.

J'ai longuement étudié les moyens de justifier un déplacement qui m'autoriserait un séjour dans la capitale britannique. Une analyse de marché m'a permis de repérer les entreprises potentiellement intéressantes pour l'agence. Comme je sais que Sullivan rêve d'un développement européen, je compte m'appuyer sur ses ambitions pour justifier mon subit engouement anglais.

Sullivan me couve encore d'une attention paternaliste qui me fait l'effet d'une caresse obséquieuse. Je connais trop l'homme pour savoir qu'il se fout de mon malheur. Mon drame est un incident qu'il doit gérer et qui lui donne la possibilité d'exprimer la dimension humaine lui ayant trop longtemps fait défaut parmi les salariés de l'agence.

Les valeurs : il n'a que ce mot à la bouche. L'agence aurait une éthique. La « communauté de destin » qui lie les hommes et les femmes de l'entreprise serait nourrie de sa vision éclairée et vertueuse du monde des affaires. Et mon statut de martyr l'aide à faire valoir ce tout nouveau positionnement. Je sais qu'il parle de moi à tous ses contacts, cite ma bravoure en exemple et glisse avec malice le rôle de consolateur qu'il croit tenir. Devenu la figure emblématique de Sullivan et Associés, je représente toutes les valeurs qu'il aimerait voir édifiées en charte de conduite : le courage, la volonté, la capacité à dépasser l'épreuve, l'ambition...

J'ai appris qu'avant mon retour, il s'est même fendu d'un discours auprès des salariés. Des sanglots dans la voix, il a appelé mes collègues à faire bloc autour de moi, à devenir mon autre famille, à m'épauler. Il était crédible, paraît-il. Non pas qu'il fût sincère mais simplement, en homme de marketing expérimenté, il répondait à l'attente émotionnelle de ses équipes. Et tous étaient prêts à oublier que Sullivan était un patron sans scrupule s'il se montrait capable de leur offrir une posture valorisante, de les guider dans la manière d'exploiter cet événement dont eux aussi étaient propriétaires, ne serait-ce que par procuration, de devenir à leur tour des sortes d'anges bienfaiteurs. Oui, ils allaient m'aider à m'en sortir, du mieux qu'ils pourraient, seraient présents lorsque je faiblirais ! Oui, ils étaient mon autre famille, une armée de saints hommes et saintes femmes pressée de me manifester sa sollicitude.

Mais la compassion est le masque de l'inertie, l'expression de l'incapacité à agir, à être utile, et de l'hypocrisie des hommes qui préfèrent une solidarité de bon ton à l'engagement.

Je le sais puisque j'étais ainsi, il n'y a pas si longtemps.

Pour notre premier rendez-vous, j'avais passé près d'une heure à me préparer, rageant de me découvrir fébrile devant des choix vestimentaires puérils.

J'essayais de me convaincre de rester fidèle à moi-même et d'aller la rejoindre en jean, tee-shirt et blouson de cuir. Mais l'amour brouillait mon discernement et j'hésitais à me déguiser en garçon de son monde. J'optai donc pour le compromis et enfilai un pantalon droit et une chemisette à mes yeux suffisamment décontractée.

Quand je l'ai retrouvée au *Petit Paris*, elle arborait jean, baskets et tee-shirt et nous avons ri de notre stupidité.

C'est ce jour-là que nous nous sommes embrassés pour la première fois. Pour être plus exact, c'est elle qui m'a embrassé. Nous nous promenions rue Mercière. J'étais fier d'être à côté de cette fille à la démarche précieuse, au port de tête altier, à la beauté évidente. Jusqu'alors, celles que je fréquentais avaient toutes de la défiance dans le regard, une agressivité contenue dans leurs corps sensuels. Sans doute étaient-elles pourtant mieux assorties au voyou que j'étais. Mais, au côté de Betty, je me sentais un autre homme. J'appartenais au monde.

Elle me questionnait sur ma vie et je tentais d'esquiver les sujets qui auraient pu la choquer quand, soudain, sans que j'aie pu prévoir son geste, elle me poussa contre un mur et posa ses lèvres sur les miennes. Ce fut comme si je n'avais jamais embrassé aucune fille auparavant. Comme la promesse d'une nouvelle vie. Je sentais la chaleur de son corps contre le mien et ne cessais de la serrer pour que l'étourdissement de l'instant imprègne à jamais ma chair et mon esprit.

Puis elle a fait un pas en arrière, m'a saisi la main et nous avons repris notre promenade. J'entendais mon cœur s'affoler, et son rythme m'incitait à accélérer le pas, à partir en courant pour crier, tel un enfant, mon bonheur, mon ivresse. Je me suis contenté de sourire aux passants.

Elle avait voulu se montrer entreprenante, sortir de son rôle de fille précieuse, rompre avec les bonnes manières, me surprendre, moi qu'elle prenait pour un dur, blasé par les conquêtes. Nous ne disions rien, analysant encore le choc de l'émotion éprouvée. L'embarras que je lisais sur le rose de ses joues et dans ses silences m'a rendu plus fou d'elle encore. J'ai ressenti le besoin de parler, d'agir afin de paraître maître de la situation. Ne trouvant aucun mot suffisamment juste pour ne pas trahir l'instant, je l'ai entraînée dans une allée, l'ai attirée contre moi et lui ai rendu son baiser. Mes gestes furent brusques parce que je voulais être fidèle à l'image qu'elle se faisait de moi. La devinant tremblante, vacillante, j'ai poussé plus loin mon avantage.

— Combien de temps les filles comme toi font-elles attendre leurs mecs avant d'offrir leur corps ? lui ai-je demandé à l'oreille.

Ma question relevait du défi. Elle a cherché une réponse sur mes lèvres, a pris le temps de respirer et a murmuré :

— En théorie, jusqu'au mariage.

Betty a alors marqué une pause, regrettant sa plaisanterie, craignant que je ne la comprenne pas.

— Mais tu sais la théorie, de nos jours... a-t-elle aussitôt ajouté dans un souffle.

— Oui, et puis, de toute façon, nous nous marierons, ai-je répliqué.

Et ce n'était pas une plaisanterie. Ces mots trop vite sortis de ma bouche, je les pensais.

— Il n'y a qu'à nous voir pour comprendre que nous sommes faits l'un pour l'autre, a-t-elle alors déclaré sur le ton de l'humour.

Sa respiration chaude contre ma gorge, ses mains dans mon dos, ses jambes contre les miennes, le goût de ses lèvres, le désir de son corps : je tentais de faire la part des choses entre l'étourdissement du moment et la profondeur de mes sentiments.

— À ton avis, combien d'enfants aurons-nous ? ai-je demandé pour utiliser la dérision comme dernier rempart à ma fierté trop rapidement vaincue.

— Trois, a-t-elle répondu calmement, comme si elle attendait la question.

Et elle s'est serrée contre moi, plus fort encore.

Et peut-être aurions-nous eu ce troisième enfant si...

JEAN

Le jour s'était levé sans que Jean ait eu l'impression de s'être endormi. Lagdar lui apporta un petit déjeuner. Akim le suivait, goguenard. L'otage n'avait pas faim, pas soif, mais il voulait laver sa bouche du goût âcre de la bile.

Akim anticipa le geste du prisonnier et cracha dans la tasse que lui tendait Lagdar.

Lagdar hocha la tête, las de la méchanceté de son acolyte.

— Tiens, bois ! proposa Akim en souriant. Tu ne vas pas me faire croire que mon crachat t'écœure. Il y a quelques jours, tu cherchais ta nourriture dans les poubelles !

Jean ne répondit pas à la provocation et concentra toute sa haine dans son regard.

— Tu me détestes, n'est-ce pas ? demanda le persécuteur.

Jean baissa la tête pour essayer d'échapper à l'agression.

— Eh bien moi, je te déteste. La déchéance des hommes est une insulte au créateur.

— Akim, laisse-le ! intima Lagdar d'une voix qui se voulait ferme mais trahissait son manque d'assurance.

— As-tu songé à ta famille quand tu te vautrais dans la pourriture ? As-tu pensé à ce qu'ils diraient en te voyant boire et dégueuler, suer et puer ?

— Je t'interdis de parler de ma famille, hurla Jean avant de regretter de s'être laissé prendre au piège.

— Tu m'interdis ? ironisa Akim. Qui es-tu pour interdire quoi que ce soit ? Pour pouvoir interdire, il faut avoir des valeurs, des principes, des lois ! Tu tues un saint, tu abandonnes ta famille, tu vis dans la rue, prends l'apparence d'une bête, et tu te permets de m'interdire ?

Jean voulut répondre, mais l'écho que ces paroles provoquèrent dans son esprit anéantit ses velléités de révolte et il se sentit vide de toute force.

L'homme qui avait conduit la camionnette apparut à la porte. Il portait une cagoule et observait la scène. Il devait être là depuis un moment car il tendit une tasse de café à Jean.

Le silence que sa présence imposa aux deux autres révélait son autorité.

Il demeura un instant debout, face au prisonnier, le détaillant de ses yeux noirs, puis s'en alla sans prononcer un mot. Comme s'ils avaient reçu un ordre muet, Lagdar et Akim le suivirent.

Resté seul, Jean avala son café en se demandant si ses ravisseurs étaient réellement résolus à l'abattre. Attendaient-ils un ordre ? De qui ? Si Jean savait sa mort inéluctable, être coincé entre son imminence supposée et l'incertitude du moment où elle apparaîtrait lui déplaisait.

DANIEL

J'habite à Londres depuis une semaine. Je me suis arrangé pour obtenir la conquête du budget Sparks. J'ai recruté un consultant *free lance* qui m'accompagne à mes rendez-vous, fait le travail de synthèse et prépare les réunions. Moi, j'ai besoin de temps pour épier le cheikh et concevoir le plan qui me conduira à l'approcher.

J'ai justifié l'embauche de ce collaborateur par l'enjeu et la nécessité de disposer d'un consultant parfaitement bilingue pour ne rien perdre des informations transmises par l'équipe de direction de Sparks. Et si j'ai choisi Keith, c'est pour ses compétences mais aussi pour son attitude réservée. Volontaire et discret, il ne s'étonnera pas de mon comportement ou feindra de ne pas le remarquer.

Je redoute en effet mes pertes de contrôle. De plus en plus fréquentes. Je me trouve parfois en pleine journée comme au milieu d'un cauchemar, incapable de faire la différence entre la réalité et les chimères, sombrant dans des troubles douloureux et inquiétants. Ma santé mentale est en jeu. Sans doute est-elle même déjà altérée. Il me faut donc faire attention, ne pas éveiller les soupçons, ne pas dérailler, atteindre mon objectif.

Mon séjour devrait durer un mois. J'ignore si cela sera suffisant mais, s'il faut plus de temps, je saurai en obtenir.

J'ai déniché un hôtel situé dans la rue du domicile du cheikh Fayçal. Ma fenêtre me permet d'observer la porte d'entrée. J'ai planifié mes réunions et séances de travail avec le client de telle sorte qu'elles se déroulent tous les matins durant la première semaine et tous les après-midi la suivante. De quoi m'accorder la possibilité d'étudier les déplacements de ma cible.

Assis devant la fenêtre, les rideaux tout juste entrebâillés pour laisser pointer la focale de ma longue-vue, je me fais parfois l'effet d'être un espion ou un tueur à gages sorti d'un mauvais thriller. Sans doute, est-ce ce que je suis devenu.

Je l'ai vu hier matin pour la première fois. Il sortait de chez lui d'un pas hésitant, accompagné de ses gardes du corps. Il a promené son regard sombre sur la rue, comme absorbé par de funestes pensées, avant de s'engouffrer dans une somptueuse voiture.

Étonnamment, je suis resté calme.

Je pensais que ma première rencontre visuelle avec l'assassin de mon fils susciterait une montée de haine qu'il me faudrait juguler pour ne pas agir inconsidérément et risquer l'échec. Erreur. Alors j'ai préféré attribuer mon impavidité à quelque chose s'apparentant à la sérénité du combattant, conscient de l'enjeu de sa mission. Une sorte de réaction « professionnelle ». Celle d'un véritable tueur capable de conserver sa concentration pour ne pas émousser sa lucidité.

Puis j'ai compris qu'à travers la fenêtre il m'apparaissait comme sur un écran de télévision et échappait à ma réalité. Il était conforme aux images vues et revues sur lesquelles mon agressivité s'était mentalement exercée. Je l'avais tant de fois imaginé si près de moi que je devinais la couleur de ses yeux, sentais son souffle chaud, percevais son odeur froide. Cette vision lointaine, de l'autre côté de la rue, me sembla donc moins réelle que celles qui m'avaient habité.

C'est lors de sa seconde sortie, l'après-midi du même jour, que j'ai craqué. Il se trouvait sur le perron de sa maison en compagnie d'amis et riait. Ce rire a provoqué une déchirure dans mon cerveau. Il me révélait un homme là où j'avais attendu un monstre. Et, paradoxalement, en me montrant sa dimension humaine, l'homme devenait plus abject que le monstre.

Mon esprit s'embourba dans la rage et je fus pris d'un délire impossible à endiguer. Il se réjouissait encore de l'attentat dans lequel était mort mon fils, pensais-je. Il se moquait de nous, de nos larmes ! Je crus même l'entendre prononcer mon prénom puis celui de Jérôme. J'ai vacillé, me suis appuyé sur une chaise et j'ai hurlé.

Peut-on tuer et rire ? Peut-on assassiner et avoir des amis ?

Je me refusais à le croire.

Pour preuve, moi je n'ai plus ni amis ni rires.

Par anticipation.

Betty s'était mis en tête de me proposer une autre vie.

Sa stratégie consistait à me faire réintégrer la société en m'invitant à apprécier des joies simples, des plaisirs honnêtes, des désirs légitimes.

Si elle y est parvenue, c'est parce qu'en l'embrassant j'avais déjà, tacitement, accepté de changer, de m'élever à la taille de notre amour et de l'avenir qu'il nous proposait. C'est un autre monde que j'avais serré dans mes bras ce jour-là. Un monde dans lequel je valais mieux que ces petits larcins, ces mièvres combines m'apportant seulement l'excitation de l'instant et me laissant, ensuite, vide d'émotion.

Si elle y est parvenue, c'est aussi parce qu'elle s'y est prise intelligemment.

Elle n'a pas opposé son univers au mien, n'a pas tenté de décrédibiliser mes amis, de m'en éloigner. D'ailleurs, elle s'amusait avec ma petite bande, la respectait et sans doute aurait-elle aimé essayer de les convaincre de l'intérêt de cette métamorphose.

Elle ne m'a rien imposé non plus. Elle a juste indiqué une direction, une voie, et m'a laissé conduire sur ces nouvelles routes, au cœur de paysages prometteurs, copilote attentive. Habilement, elle a présenté ce changement de vie comme la suite possible et logique de mon expérience, ma situation. Flattant mon ego et mon ambition, elle m'a fait valoir les alternatives dans lesquelles je pourrais exploiter ma volonté, ma ruse et ce qu'elle appelait mon intelligence brute.

Je l'ai suivie lentement, me détachant progressivement de mes habitudes et de mes fréquentations.

La lecture a été l'une des principales passerelles.

Elle parlait souvent de ses auteurs préférés, me racontait leur biographie. Finement, elle a commencé par ceux dont je me sentirais, par nature, plus proche : les voyous, les déviants. Bukowski, Fante, Céline, Kerouac. Jusque-là, stupidement, je pensais la littérature faite par des bourgeois pour d'autres bourgeois. Là, je découvrais des alcooliques, des taulards, des bagarreurs devenus des génies adulés. Des hommes ayant connu la galère, la faim, l'exclusion, pouvaient faire frémir les gens de culture en trempant leurs mots dans l'encre de leurs tourments, dans le sang de leur temps.

Il existait un pays dans lequel des lettres, savamment organisées, possédaient la capacité de changer la vie, de faire accélérer les battements de mon cœur, de faire vibrer mon âme. Et ces terres nouvelles, je les découvrais sur ses lèvres, quand elle me racontait des scènes ou me lisait des passages soigneusement recherchés.

Lorsqu'il ne me fut plus possible de me contenter de hocher la tête ou de poser des questions, elle a mis un roman entre mes mains : *Demande à la poussière* de John Fante. Je l'ai lu en une seule nuit, me découvrant capable d'avaler des pages entières en luttant contre le sommeil. Ces mots si simples, et pourtant coupants comme des lames de rasoir, entaillaient mon âme. Ces images agressives étaient comme des coups de poing en pleine face. La lecture devenait une autre forme de bagarre. J'en réclamais encore plus, toujours plus !

Mon avidité la rendit heureuse. Tant de livres face à mon ignorance ! Il y avait une urgence dans cette découverte. J'aurais pu passer des journées entières à tenter de rattraper mon retard, mais il fallait aussi gagner ma vie. Travailler ? Elle me l'a proposé, comme une autre possibilité évidente.

« Une formation commerciale. J'en ai trouvé une. Tu es intelligent, tu sais t'exprimer, tu es charmeur, tu réussiras », a-t-elle argumenté.

Jusqu'alors, Betty ne s'était jamais trompée sur ce qui était bien pour moi. Je l'ai donc écoutée. Il est si bon de se sentir porté par l'ambition et les désirs d'une femme qui vous aime. Jamais auparavant on ne s'était soucié de ce qu'il me fallait, de ce qui me rendrait heureux. Désormais, une soif nouvelle me hantait. Elle était ma petite amie, ma maîtresse, mon professeur, ma confidente.

Sans doute ma mère aussi.

Elle était mon île.

JEAN

Trois jours.

Trois jours sans alcool. Son corps ne lui appartenait plus. Il se résumait à une douleur aux multiples foyers. Ses muscles se raidissaient jusqu'à devenir d'atroces crampes qui l'empêchaient de bouger. Les tremblements irrépressibles de ses membres excitaient la souffrance, et les spasmes qui agitaient ses entrailles l'obligeaient à se plier, comme sous les chocs de coups. Chaque fibre de son être semblait appeler l'anesthésie du liquide salvateur. Son cerveau ressemblait à une noix sèche cognant contre sa coquille et sa peau exsudait jusqu'à tremper ses vêtements. Il avait déjà entrepris des cures de sevrage, cloîtré malgré lui dans un foyer d'accueil, shooté aux médicaments par des médecins d'associations, relevant la tête pour revenir à la rue dignement. Mais le sevrage lui rendait sa lucidité et ses fantômes réapparaissaient. Alors il reprenait la bouteille et redevenait cet ivrogne que les habitants du quartier appelaient le Poète.

Jean roula sur lui-même pour tenter d'étouffer le manque, gémissant et haletant.

Pourquoi ne le tuaient-ils pas ? Il fallait en finir, vite !

Akim le regardait convulser avec un plaisir évident.

— Salaud ! cria l'otage dans un accès de rage incontrôlé. Tu te réjouis de me voir souffrir ! Pas besoin de me torturer pour prendre ton plaisir !

— Je me réjouis de voir ce que je ne deviendrai jamais grâce aux lois du Tout-Puissant, lui répondit-il, arborant son éternel sourire sarcastique.

— Le Tout-Puissant ? Celui qui t'ordonne de ne pas boire te dit de tuer en son nom ?

La bouche d'Akim se tordit dans un rictus de dégoût.

— Que peux-tu comprendre à tout cela ? Tu n'es qu'un ivrogne. Tu es incapable de penser à autre chose qu'à l'alcool qui te manque tant.

Jean aurait voulu répondre, opposer des idées claires, lancer des réflexions acerbes dénonçant la stupidité du combat auquel son geôlier vouait sa vie, mais celui-ci avait raison. Son état de manque le rendait inapte à toute pensée ordonnée. Et il n'aurait pas pu enchaîner deux phrases sans douter de pouvoir les terminer.

Quelques instants plus tard, Lagdar apporta des cachets et l'aida à les avaler avec un peu d'eau. Akim ne s'y opposa pas, se contentant d'observer la scène avec mépris.

Sous l'effet des médicaments, le corps de l'otage se détendit lentement. Il sentit même son cerveau s'apaiser. Passablement calmé, il eut pourtant envie de s'en prendre à Akim.

— Alors ? Dis-moi ce que Dieu a prévu pour moi ? Quelle mort m'attend ? Parce que c'est bien Dieu qui te donne tes ordres, n'est-ce pas ?

Akim s'approcha rapidement de Jean, le saisit par les cheveux.

— Écoute, espèce de chien, tu n'es pas en position de faire de l'ironie !

Jean imita l'attitude dédaigneuse d'Akim.

— Pourquoi devenir violent ? Tu es un homme de religion, n'est-ce pas ? Un sage.

— Ferme ta gueule, connard, hurla Akim.

Il se mit à califourchon sur le prisonnier et l'étrangla.

Mais Jean n'eut pas le temps de suffoquer. La porte s'ouvrit bruyamment. L'homme à la cagoule entra en trombe, contempla la scène et fit un signe de la tête au tortionnaire. Celui-ci lâcha l'otage, se leva et quitta la pièce en fulminant.

Les yeux de l'autre se posèrent sur le visage de Jean qui chercha en vain à y lire un sentiment.

— Qui êtes-vous ? cria-t-il.

L'homme demeura imperturbable. Il recula, sortit et verrouilla la porte.

Daniel

Pourquoi Jérôme ne m'apparaît-il plus ? Il ne m'a plus parlé depuis mon arrivée à Londres. Je le cherche dans la nuit, l'appelle, le supplie de venir, sans succès. Me voit-il ? Sait-il ce que j'entreprends ici ? Son absence est-elle une manière de désavouer mon projet ?

Peut-être la vengeance n'est-elle pas de son monde.

Elle est du mien.

Elle est devenue ma seule raison d'être.

Je ne supporterai pas de vivre dans une société où l'assassin de mon fils continue à prêcher la mort d'innocents. Car je ne me voile pas la face : ma motivation n'est en rien de sauver d'autres enfants, d'autres civils n'ayant jamais pris part aux combats que les religions se livrent. Pire, je sais que la mort de l'homme qui a commandité ce crime ne changera rien. Ou pas grand-chose, parce qu'un autre le remplacera, parce qu'ils sont nombreux à vouloir accéder aux postes de leaders révolutionnaires adulés par les foules d'extrémistes. Nombreux à exploiter les faiblesses de nos vieilles démocraties, à utiliser leurs subventions pour financer des associations cultuelles, à arpenter leurs trottoirs pour endoctriner des gamins en quête d'identité, d'idéal. Nombreux à s'adresser aux médias avides d'images fortes pour porter leurs messages et à vivre impunément parmi ceux qu'ils considèrent comme leurs ennemis.

La démocratie justifie-t-elle que nous laissions la violence et la peur s'installer dans le seul camp d'un Occident en prise à un humanisme condescendant ? Assurément non.

Or je veux que ces hommes aussi aient peur, qu'ils sachent qu'à leurs crimes nous n'avons pas seulement des déclarations à opposer.

Je veux qu'ils en viennent à évaluer leurs décisions au jour d'une réelle menace.

Je veux qu'ils considèrent les familles des victimes comme des dangers potentiels.

Non, foutaises !

Je veux simplement que le cheikh meure.

Je ne sais pas encore quand j'agirai. Je note tout ce que je vois, entends, lis ou imagine sur ma cible : son caractère, ses habitudes, ses sbires, ses horaires, ses moments de détente, ses défauts supposés...

Et j'établis des scénarios comme on rédige un argumentaire produit : idées fortes, avantages, inconvénients, etc.

J'ai parfois peur d'affaiblir ma haine entre les lignes de mes comptes rendus, de la voir se diluer dans les heures et les jours passés à réfléchir, analyser, évaluer, explorer... Je crains que ma révolte cède à mon organisation et que le combattant se transforme en simple tacticien. Alors, quand le quotidien me happe pour me contraindre à discerner ma situation, à appréhender la réalité à la lumière de la raison que j'ai rejetée, je ferme les yeux et pense à ce jour, au coup de fil, au petit cercueil ne contenant que des lambeaux de chairs, à la désolation de Betty et Pierre. Je fouille mon deuil, jusqu'à extraire de mon cerveau toute velléité de réflexion, toute trace de sentiments capables de l'embourber et finis par retrouver intacte mon envie de tuer.

Il suffit parfois d'une image ou d'un mot jeté dans le réservoir où croupit ma douleur pour qu'elle s'enflamme et m'emplisse de sa force.

Il a fallu que Betty m'impose à sa famille.

Elle est parvenue à cacher notre liaison à ses parents durant les six premiers mois. Puis elle leur a parlé de moi en restant évasive sur certains pans de mon histoire.

Son père lui fit d'énormes scènes. Sa mère afficha un air de sainte trahie, mimant la souffrance résignée. Elle, la fille unique, choyée par sa maman, portée aux nues par son papa, brillante étudiante en droit, promise à un grand avenir, avait jeté son dévolu sur un garçon sans galon social. Et encore, ils ignoraient mon passé, mes fréquentations, les lieux dans lesquels j'avais amené Betty et les gens que je lui avais présentés.

Quand ils exigèrent une rencontre, une année s'était écoulée depuis notre premier baiser.

Durant ce dîner, dont je garde un souvenir humiliant, je multipliai les efforts pour paraître poli, attentionné, intelligent. Des efforts que j'ai regrettés plus tard tant il me parut dégradant de tenter de devenir un autre pour être accepté. C'est cette peine pourtant qui finit de convaincre Betty que j'étais l'homme de sa vie, tant elle sut apprécier ce qu'elle me coûta en termes de dignité.

Quoi qu'il en soit, ma tentative de séduction fut inutile car, à l'issue de la soirée, son père la somma de choisir entre eux et moi.

Le lendemain, elle vint sonner à ma porte, en larmes, une valise à la main.

Je me souviens de tes larmes, mon amour, de ton corps chaud et tremblant, de tes hoquets convulsifs, de ta petite valise qui jamais ne trouverait sa place dans mon fourbi, de ton regard mouillé sur l'appartement que tu connaissais mais que tu considérais désormais, avec crainte et espoir, comme ton nouveau cadre de vie.

Je me souviens d'avoir pensé à ce que tu abandonnais pour moi.

Je me souviens du bonheur d'avoir été choisi, moi dont les mains étaient vides de richesses et pleines de caresses.

Je me souviens combien, dans cet instant, j'ai puisé la force de devenir quelqu'un, me jurant de te rendre tout ce que je t'avais obligée à sacrifier.

Je téléphone à Betty tous les deux ou trois jours. Elle, elle ne m'appellerait pas, se laissant glisser sur les heures qui passent, les jours qui s'enfuient, essayant de s'oublier.

Elle répond rarement à mes appels et toujours d'une voix neutre. Elle s'arrange même pour abréger nos conversations.

Pierre, lui, refuse de me parler, trouvant un prétexte pour s'éloigner du téléphone quand Betty décroche. Ils ne comprennent toujours pas ma désertion, ma mission à l'étranger. Aussi chaque appel me laisse-t-il gorgé d'émotions contraires et subversives.

Mais je ne pleure pas, ne rage pas.

Rien ne doit sortir de moi.

Le moins possible.

Je m'emploie à canaliser tous ces sentiments négatifs vers ma douleur. Je veux transformer cette impétueuse énergie en courant de haine stocké patiemment dans l'attente du grand jour.

Le cheikh va prêcher dans la rue, comme à son habitude. Debout sur une scène dressée pour l'occasion, devant son perron, il s'adressera à la centaine de personnes venant habituellement l'écouter.

Je me suis approché, pour l'entendre, le voir.

Ce matin, je les ai aperçus installer une sono, faire des essais de voix comme pour une banale allocution, un concert de quartier. Tout est prêt. Les fidèles arrivent, s'embrassent, se serrent la main, la portent sur leur cœur, plaisantent. Ils ressemblent à de banals croyants, à des pères de famille tranquilles. Pourtant, dès les premières paroles, certains s'exciteront, entreront dans une transe guerrière, venimeuse et aveugle.

L'islam ne mérite pas ça. Aucune religion ne réclame de se voir dévoyée de sa dimension humaniste.

Il y a vingt ans, Nabil nous racontait Mahomet, son message d'amour, sa vie romanesque. Certains l'écoutaient avec un sourire ironique. D'autres aimaient l'idée de puissance que le Prophète incarnait : un surhomme, un rebelle contre les institutions, un leader voué à sa cause. Il représentait l'image du chef suprême pour la bande en quête d'idéal que nous formions. Bien entendu, nos valeurs ne s'exprimaient pas à travers les voies les plus propres, mais nous étions, à notre manière, de braves garçons.

L'équation se révélait simple : nous voulions de l'argent pour mieux vivre et allions le chercher où il se trouvait : chez les nantis. Nous n'avions pas de conscience politique mais le désir d'une répartition différente des richesses. Et surtout, nous cherchions à exister au sein d'une autre famille que la nôtre. Rétrospectivement, j'ai compris que la bande était aussi l'équivalent d'une société, avec sa hiérarchie, ses règles, son organisation, son système de financement pour nous permettre de consommer, d'exister.

Certains des fidèles qui s'amassent autour de l'estrade improvisée sont vraisemblablement venus là pour les mêmes raisons. Peu leur importe le fond du discours ou sa finalité, ce qui compte c'est de se retrouver, de se rencontrer, de se reconnaître. Ils pensent que la crainte qu'ils inspirent à l'Occident révèle une puissance, constitue l'écho d'une identité qui leur a été niée.

Pourtant je ne leur accorde aucune circonstance atténuante : car leur présence légitime la parole de ce fou.

Le voici qui apparaît sous les acclamations. Certains l'embrassent avec dévotion. Il conserve son sérieux, promène son regard noir sur l'assemblée et son autorité les fait taire. On sent le plaisir qu'il prend à cette ferveur.

D'une voix calme, il commence à parler en arabe. Puis il intensifie son discours, élève le ton et le public s'agite. Un parfait comédien. Il sait électriser la foule, la pousser doucement vers les idées marécageuses qu'il veut lui vendre. J'ignore ce qu'il explique mais je le devine. J'ai étudié ses diatribes : il débute par des paroles religieuses, installe son propos dans un cadre historique pour le légitimer. Ensuite, recourant aux paraboles, à la symbolique d'anecdotes, de références coraniques, il établit des corrélations entre la sainteté de la vie du Prophète et ce futur dans lequel il annonce l'émergence d'un peuple arabe uni prêt à combattre pour tuer les impies. Sa harangue peut alors devenir politique. La foule est prête. Prête à répéter ses slogans publicitaires, prête à hurler des mots de haine.

Le cheikh remarque soudain une caméra de télévision tout juste arrivée. Il poursuit alors son pamphlet dans un anglais dont la rondeur atténue les tonalités agressives.

« Ô Oumma arabe et islamique, attends-toi à la bonne nouvelle ! Car le temps du règne de notre foi arrive. Les moudjahidin ont éclairé la nuit de leur sang. Ils nous montrent la voie. Ô ma communauté des croyants, tes fils se sacrifient pour établir en ce monde le règne de notre loi ! Ces chevaliers du Tawhid, l'unicité du royaume de Dieu, font trembler nos ennemis, secouent leurs trônes. Les vents du Jihad se font sentir et bientôt balaieront l'hypocrisie des nations pour laisser voir la pleine lumière de notre foi. Les agressions croisées américaines, françaises et britanniques en Irak, en Afghanistan bientôt cesseront. C'est parce qu'ils ont peur qu'ils se sont unis et ont mobilisé leurs forces pour affronter nos frères. »

Il s'interrompt un instant, balaie la foule de ses yeux sombres, évalue l'impact de ses mots. Puis il s'adresse à la caméra, doigt tendu.

« Ô peuples de l'alliance croisée, vous avez ignoré les pleurs des millions d'enfants irakiens morts sous l'embargo ! Vous avez feint de ne pas entendre ceux des enfants de Palestine. Et aujourd'hui vous traitez d'assassins nos combattants, en Irak, en Afghanistan et partout où l'intérêt guide les armées des impies ? Vous traitez nos martyrs de meurtriers ? Eux, des tueurs ? Non, ils sont les bras armés de notre justice. Meurtris par votre hypocrisie, délestés de leur dignité, volés et humiliés par vos armées, ils préfèrent sacrifier leur existence au nom de leur foi. Ils sont la garde rapprochée du Prophète ! Ils lui ont donné leur vie ? Il les accueillera en héros, les embrassera, leur fera une place auprès de lui pour une éternité de bonheur ! »

Des murmures d'approbation se font entendre parmi la foule. Le cheikh se détourne alors de la caméra pour lancer aux visages fascinés, aux regards hypnotisés, aux bouches prêtes à hurler :

« N'écoutez pas les mécréants qui salissent nos frères ! Leurs mots ne sont que l'expression de leur impuissance face à la force de notre vérité ! Nous sommes les victimes ! Mais plus pour

longtemps, mes frères. Car viendra l'avènement d'une nouvelle
ère. Celle que le Prophète nous a demandé de construire ! Soyez
ses éclaireurs dans les ténèbres de ce monde. Il sera le vôtre dans
la pleine lumière des cieux ! Soyez ses soldats sur ce champ de
bataille ! Il sera votre berger dans les plaines célestes ! Allah
Akbar ! »

L'assistance, galvanisée, reprend en cœur. Et le cri de glorifi-
cation de Dieu se métamorphose en cri de guerre.

Moi, je n'entends plus rien. Je fixe le cheikh, plante mes yeux
dans son cœur, comme à la recherche d'une puissance qui me
permettrait de le tuer à distance. J'aurais dû prévoir une arme
capable de l'abattre de ma fenêtre. Ses gardes du corps, qui
promènent leurs regards sur la foule et la façade des immeubles,
n'auraient pas eu le temps de m'arrêter. J'aurais visé la tête et
pof, tout aurait été fini.

Mais ce n'est pas ainsi que ma vengeance doit s'exprimer.
Cette mort serait trop glorieuse pour le prédicateur assassin. Le
transformer en martyr reviendrait à lui rendre grâce du statut
qu'il espère.

Non, je veux le faire descendre de sa scène de haine, le mettre
à genoux, lui faire fouler le sol et goûter la poussière.

Je veux qu'il sache ce que perdre sa dignité d'homme signifie,
avant qu'il perde la vie.

Nous avons alors vécu les plus beaux jours de notre vie.

Entièrement consacré à ma formation, je devins vite le meilleur élément de ma promotion. Une énergie m'habitait : je me battais pour elle.

La journée, l'imaginant étudiant à la lumière terne du vasistas, je réprimais mon envie de sortir de classe et de courir la chercher pour la couvrir de baisers et lui promettre des jours meilleurs.

Mais le soir, je la retrouvais, heureuse et souriante devant un modeste dîner dressé sur la petite table en bois qui constituait mon seul mobilier.

Et nous passions de si belles soirées à rire, à nous confier nos passés, à deviner l'avenir, montant parfois sur le toit regarder la lumière du jour s'étouffer dans la nappe grise des gaz de la ville.

C'est sur ce toit que nous avons décidé d'avoir un enfant. Nous avons même imaginé qu'il s'agirait d'un garçon. Et je lui ai proposé de l'appeler Jérôme, comme son père.

JEAN

Quand ils entrèrent dans la pièce, Jean dormait. Les médicaments que Lagdar lui donnait autorisaient quelques brèves éclipses de conscience durant lesquelles ses muscles se détendaient. Entrouvrant une paupière, il perçut une excitation inhabituelle autour de lui et comprit immédiatement ce qui allait arriver. La fébrilité des deux ravisseurs, leurs regards fous, la rapidité de leurs mouvements annonçaient la nature du moment à venir : l'exécution.

Ils commencèrent à crier. s'encourageant et l'insultant dans leur langue.

Lagdar parut transfiguré. Le petit homme docile cedaıt la place à un combattant qui cherchait en lui la colère et la haine nécessaıres pour éteindre certaines émotions menaçant de l'empêcher d'agir.

Jean tenta, lui, de sonder sa peur. Il la confondit avec le sentiment de surprise provoqué par l'irruption subite des geôliers et leurs attitudes hostiles. Il se révolta contre la nature de l'émotion quı ıe gagnait : il ne pouvait redouter la fin, ayant trop attendu cet instant pour le craindre. Il aurait juste voulu qu'ils arrêtent de crier et accomplissent leur geste en silence.

Akim jeta un sac sur le lit :
— Mets ces vêtements ! ordonna-t-il.

Obéissant, il vit ses oripeaux de clochard, dans le même état de délabrement et de puanteur qu'avant l'enlèvement.

Jean essaya d'interpeller Lagdar du regard, espérant une

explication, un soutien, mais celui-ci se trouvait dans un état second, les yeux exorbités, le souffle mauvais.

Akim hurla et le visa avec son arme pour qu'il obéisse rapidement.

Le prisonnier se glissa dans le tissu lourd de salissures et éprouva un sourd écœurement à retrouver ces odeurs qui, pourtant, avaient longtemps été les siennes.

Quand il eut terminé, Lagdar s'approcha et avança la main vers son visage. Instinctivement, Jean recula.

— Ne bouge pas ! cria Lagdar en pointant son arme entre les deux yeux.

Contre toute attente, il lui ébouriffa les cheveux.

Akim sortit alors un caméscope et un trépied d'un sac de sport, sans cesser de hurler. Jean comprit. Ils allaient réaliser une de ces vidéos macabres devenues un modèle du genre pour de nombreux terroristes. On lui ferait jouer le rôle de la victime horrifiée et eux s'accorderaient le statut de militants inhumains prêts à tout pour faire aboutir leur cause.

Lagdar enfila une cagoule et dirigea son pistolet vers le visage de l'otage.

Akim, après s'être également masqué, sortit un sabre du sac de sport.

Jean frissonna et l'écho de ses tremblements ébranla son esprit. Sa respiration se fit plus courte. Ils allaient le décapiter. L'arme à feu servait seulement à le contraindre à ne pas bouger, mais c'est la lame qui entaillerait sa peau, lui arracherait des cris de douleur, le ferait mourir lentement, dans la conscience de l'horreur de l'instant. Revint à sa mémoire la scène horrible de ce journaliste américain comprenant la réalité de sa mort tandis que des barbares lui tranchaient la gorge. Un moment d'épouvante absolue. Jean avait fait l'erreur, autrefois, de regarder la vidéo de son assassinat, diffusée sur Internet. Et les images et hurlements du supplicié avaient à jamais brûlé son cœur, l'empêchant de dormir plusieurs nuits d'affilée.

Il sentit la peur souffler traîtreusement, limpide et violente car trop longtemps ignorée.

Le troisième homme apparut. Ses yeux sombres perçaient à travers les ouvertures de sa cagoule. Il évita de regarder sa victime et se plaça près du caméscope. Ses complices se positionnèrent de part et d'autre du supplicié. Jean sentit à la fois la lame froide sur son cou et le canon du pistolet contre sa tempe.

Je le ferai pour toi

Le chef fit un petit signe de la tête à ses sbires avant d'actionner le caméscope. Les deux terroristes se mirent à crier avec rage, semblant chercher dans cette insensée frénésie le courage de vaincre leur lâcheté, de parvenir à un état de transe dans lequel leur meurtre relèverait uniquement du geste mécanique.

Leur colère paroxysmique accentua l'effroi de Jean qui se mit à trembler de plus belle. Il respira profondément et tenta de se retrancher quelque part au fond de lui-même. Dans un lieu qui aurait conservé un peu de la chaleur connue autrefois, un reste d'énergie ou de courage capable de plier le temps pour renvoyer les secondes à venir vers une autre dimension. Il baissa la tête et ferma les yeux pour ignorer la lame sur son cou, nier le lieu, la situation. Il fouilla son esprit, son corps et son cœur mais rencontra uniquement sa propre frayeur. Elle clapotait comme un liquide froid coulant dans son corps, raidissant chaque membre. Il ragea de s'être laissé envahir par l'effroi. Il aurait voulu rester fier, insensible, lui qui avait tant attendu cet instant, s'y était préparé, l'avait même appelé dans ses désespoirs éthyliques. Face à l'idée de sa mort, il était persuadé d'avoir acquis une quiétude proche de la béatitude. Pourtant, en cet instant, il éprouvait une crainte qu'il n'avait jamais imaginée possible. Allait-il crier quand la lame entamerait sa peau ? Allait-il supplier ses bourreaux ? Chaque question se transformait en vague qui l'entraînait un peu plus loin vers une tempête de sentiments déchaînés. Il se sentit perdre pied.

Il rouvrit alors les yeux pour prendre appui sur la réalité, ne pas s'effondrer, demeurer droit et digne. Il fixa l'objectif du caméscope. Qui allait voir ces images ? Pourrait-on le reconnaître ? Sa barbe, ses cheveux longs, l'âge, les conditions dans lesquelles il avait vécu le rendaient méconnaissable. Tout au moins le souhaitait-il.

Il croisa le regard de l'homme derrière le caméscope et fut surpris de son intensité. Était-ce de la haine ? Une curiosité morbide ? De la peur aussi ?

Le chef leva la main et ses deux complices se turent instantanément. Et rangèrent leurs armes, calmement.

La scène avait été jouée.

Jean ouvrit la bouche pour quêter un peu d'air, stupéfait, heureux. Il ne voulait pas mourir. Pas de cette manière, en tout cas.

— Retire tes vêtements, exigea Akim.

Jean perçut des gouttes de transpiration froide perler sur son front. Les trois extrémistes s'étaient figés pour l'observer. Il leur avait offert un spectacle pitoyable. L'homme plein de morgue face aux ravisseurs avait fait place à l'alcoolique en manque et, maintenant, à une victime pitoyable et suante, les yeux ouverts sur l'enfer, respirant avec peine, dont l'urine se répandait au sol.

— Je m'occupe de lui, annonça Lagdar, retrouvant son timbre doux et bienveillant.

Puis, s'adressant à Jean :

— O.K., tout va bien. Vous allez prendre une douche et vous changer.

L'otage éclata de rire.

Le rire nerveux d'un être dépossédé de sa dignité, de ses certitudes, de sa raison.

Le rire d'un miraculé, aussi.

DANIEL

La folie gangrène mon esprit. Je sens des pans de ma raison céder au feu de ma douleur. Je dois lutter pour rester en éveil, traquer les moindres signes de faiblesse, les plus infimes concessions aux délires qui, embusqués derrière mes souffrances, guettent un abandon trop long pour m'envahir totalement. Les images cauchemardesques que j'entrevois sont-elles le fruit de mes traîtres assoupissements ou celui de ma lucidité assiégée ?

Dans la journée, je joue à être normal pour conserver une crédibilité de façade. Mais la nuit, mes fantômes surgissent. Paradoxalement, c'est ma lucidité qui fait le lit de ma folie. Elle me donne à voir les deux hommes que je suis. Un guerrier qui louvoie, manœuvre, manipule durant la journée et, le soir venu, un être perturbé que la haine tient éveillé. Le premier est au service du second. Mais le second ruine les chances du premier par son attitude irresponsable, ses pertes de contrôle.

Notre nouveau bonheur fut secoué de séismes qui révélaient la fragilité de ses fondations. Tout s'était passé trop rapidement, et ce tourbillon d'événements ne m'avait pas préparé à vivre ma nouvelle situation avec la sérénité nécessaire. Bien entendu j'avais la volonté de réussir ma vie avec Betty, mais mon caractère, mes pulsions, mes réflexes évoluaient moins vite que mes idées.

Combien de fois ai-je eu envie d'échapper à l'existence calibrée qui consentait passivement à m'adopter, de renouer avec mes coupables occupations, de goûter à nouveau à l'argent facile, aux frissons du risque, à l'amitié de la bande que je ne voyais plus ? Combien de fois ne me suis-je pas senti à ma place dans ce monde étriqué ?

J'étais un commercial parmi d'autres, un Rastignac de plus, déjouant les pièges, devinant les mesquineries, travaillant des coudes pour se hisser dans la top liste, celle des vainqueurs.

J'alternais des phases de rage durant lesquelles j'étais un combattant hors pair, avec des moments de lassitude extrême qui me laissaient vide du moindre désir d'action. Alors je souffrais d'une trop grande clairvoyance et, dans le miroir, le commercial à la coupe de cheveux bien propre et au costume bon marché suscitait ma pitié. Je pensais à mes amis qui me manquaient tant, à ce qu'ils diraient en découvrant celui que j'étais devenu...

Mais l'amour de Betty constituait le garde-fou sur lequel je m'appuyais quand je vacillais. Je me calmais et impulsais un nouveau mouvement pour me projeter une fois encore dans la course. Betty devinait mes faiblesses, les anticipait parfois.

Le jour où je reçus ma première paie, je restais là, hagard, à contempler ce chèque censé récompenser mes efforts et qui me paraissait si dérisoire en regard de nos besoins. Un seul cambriolage m'aurait rapporté cinq fois plus.

— C'est ton argent !, m'a-t-elle dit. Le tien ! Celui que tu as gagné ! Je sais ce que tu penses, mais il a une autre valeur que tous les billets que tu aurais pu avoir en t'y prenant autrement.

Moi, je pensais juste à ces kilomètres parcourus, à ces sourires hypocrites, à ces heures perdues à réviser mes fiches-produits, à mes cris de joie quand je plaçais un contrat, à cet appartement que je voulais quitter, à ce salon qui lui plaisait tant et que je ne pouvais pas lui offrir, à toute cette sueur dépensée pour un si maigre salaire.

Mais elle avait raison. C'était mon fric.

Et je dus apprendre à l'apprécier à sa juste valeur, en le gagnant durement et en comptant chaque dépense.

Betty eut souvent à subir d'injustes colères, fruits de mes frustrations. Mais elle ne bronchait pas, trop heureuse de me voir évoluer, grandir. Car je ne me rendais pas compte que je devenais un autre homme. Il fallait seulement que j'apprenne la patience, à trouver ma place, à accepter de nouvelles règles. Mes repères, pourtant, se brouillaient. Étais-je meilleur que tous ceux qui m'entouraient ou simplement différent ?

Ce sont ses larmes qui endiguaient mes fureurs. Car elles me renvoyaient à mon égoïsme. N'avait-elle pas, elle aussi, quitté son monde, son confort, ses amis pour s'enfermer dans cette chambre minable ? Alors je m'excusais, la serrais dans mes bras et nos réconciliations nous portaient jusqu'à de nouvelles aubes qui me voyaient résolu à me faire une place dans ce monde, à lui restituer son univers.

Même s'il m'éloignait du mien, définitivement.

M'introduire chez le cheikh est l'option la plus évidente. Celle qui correspond le mieux à mes possibilités. Il y a longtemps que je n'ai pas *pratiqué* mais je pense avoir conservé quelques dispositions.

J'ai approché la maison, tenté de repérer le système d'alarme : une vidéosurveillance dont je n'ai pas encore réussi à identifier le type exact.

Le soir, à 20 heures, les quatre gardes du corps sont remplacés par deux hommes. Deux seulement.

Je peux escalader le lourd portail assez facilement. Un arbre aux branches fournies devrait me dissimuler. Ensuite, je serai à découvert sur dix mètres. Mais un éclairage faible entoure la maison. Il n'y a pas non plus de chien. Une chance. J'ai pu observer l'existence d'une fenêtre basse donnant vraisemblablement sur un sous-sol. Je pourrai m'y glisser après avoir désactivé l'alarme.

Ensuite, ne connaissant pas la configuration des lieux, je devrai me fier à mon instinct et à ma chance.

Et prier pour que ma folie ne les ait pas altérés.

JEAN

Les jours suivants, la scène de son exécution plongea Jean dans un état de confusion mentale absolue.

Il avait passé des années à croire en la vertu salvatrice de la mort. Mais l'effroi semblait avoir modifié son rapport à la vie. Et, désormais, il repensait sans cesse au moment où il avait senti la lame sur son cou, où ses forces avaient lâché ses muscles pour concentrer leur énergie dans la peur intense. Pendant ces quelques secondes, il avait vécu. Mouillé de transpiration et d'urine, tremblant, il était redevenu un homme. Cela signifiait-il qu'il ne souhaitait pas mourir ou, simplement, qu'il ne savait le faire ? Cela voulait-il dire qu'il désirait vivre ? Mais vivre pour qui, pour quoi ? Pour continuer à oublier ? Pour retourner dans la rue et se remettre à boire ?

Quand Akim entra dans la chambre en portant le déjeuner, Jean se redressa sur un coude.

Il l'observa un instant et, avant qu'il sorte, l'interpella :

— Vous allez faire quoi du film ?

La question n'avait cessé de le torturer. Il imaginait sa diffusion, les réactions de ses proches. Ces instants d'enfer avaient fissuré la chape dont il avait recouvert son passé. Les images, les peines, les doutes qu'il avait essayé d'engloutir sous des justifications et des rasades d'alcool menaçaient maintenant de resurgir et il lui faudrait entreprendre des efforts surhumains pour contenir encore les eaux fangeuses de son histoire. Le temps d'être exécuté. Réellement cette fois.

— Pourquoi ? Tu en as honte ? lança sèchement le geôlier. Tu te demandes si tes proches le verront ? Ce qu'ils ressentiront en te découvrant comme ça ?

— Mais vous voulez quoi ?, s'enflamma l'otage. Vous venger ? Me sacrifier pour faire plaisir à vos fantasmes religieux ? Réclamer une rançon ?

— Tu le sauras assez tôt, répondit Akim, laconique.

— Connards ! Enfoirés ! ragea le prisonnier.

— La colère, la honte, le souci des autres... Tu vois, il suffit de te sevrer et de te faire peur pour que tu retrouves quelques sentiments humains, sourit Akim Dire que voilà quelques jours à peine tu te foutais de mourir !

— Ma peur vous fait sourire. Vous avez dû vous marrer en me voyant trembler et pisser. C'est en humiliant les hommes que vous prenez le plus de plaisir, ou en les décapitant ? Eh ben oui, face à la mort j'ai tremblé. Pourtant, Dieu sait si je l'ai attendue, si je l'ai appelée même. Et de toutes mes forces encore ! J'croyais m'être débarrassé de cette trouille en même temps que de mon envie de vivre. Et pourtant j'ai eu peur, atrocement peur...

— As-tu maintenant atrocement envie de vivre ? demanda Akim.

Excédé, Éric Suma jeta son stylo sur le bureau, interrompant la discussion en cours.

— Et c'est tout ce que vous avez réussi à trouver ? Voilà une semaine que l'on traite des mêmes sujets. Pas un scoop depuis des mois. Pas une info surprenante.

— Tu exagères, Éric, répliqua Isabelle, la rédactrice en chef. L'info est ce qu'elle est ! On a traité les mêmes sujets que les chaînes concurrentes.

Isabelle, la quarantaine, tailleur sobre, cheveux bruns mi-longs, yeux bleus pétillants, s'était redressée pour marquer fermement son désaccord. Connue pour être exigeante envers son équipe, elle était appréciée aussi pour son sens de la justice. Les journalistes présents, se sentant attaqués par la remarque d'Éric, la laissèrent monter au créneau. Éric avait bien trop de charisme et d'ancienneté pour qu'ils osent d'emblée le contredire.

— Bel argument ! Je te signale que nous sommes loin d'être les premiers en termes d'audience. Ce n'est donc pas en faisant comme les autres que nous réussirons à gagner des parts de marché.

Éric appartenait à l'ancienne génération de présentateur au physique régulier sans être particulièrement beau. Son nez un peu long, ses pommettes saillantes, ses lèvres irrégulières dominant un menton carré et sa coupe de cheveux soignée lui donnaient l'apparence de ces acteurs italiens des années soixante.

— Attends, c'est quoi, ce discours à la con ?, intervint Charles, le doyen de la rédaction. Tu es journaliste ou directeur de la publicité ? On s'en tape, de l'audience ! On fait notre métier, c'est tout. Toute l'équipe se défonce pour préparer un journal pro avec des moyens de merde, voilà la vérité !

Charles était le seul capable de s'adresser au présentateur vedette de la chaîne sur ce ton. En raison de son âge et de sa respectabilité, mais aussi parce qu'il avait aidé Éric dans ses débuts difficiles à la télévision. Ses cheveux gris et son embonpoint, s'ils lui donnaient l'allure d'un père de famille à la retraite, n'altéraient pas l'autorité que conférait son expérience. Sa réputation de grand reporter, il l'avait acquise sur le terrain des conflits les plus violents de la planète au cours des trente dernières années. Pour les jeunes journalistes composant l'équipe rédactionnelle de Télé 8, Charles relevait du modèle, de l'icône et ils lui pardonnaient volontiers d'être venu terminer sa carrière sur cette chaîne de divertissement.

Les journalistes observèrent les deux hommes, s'attendant à une joute verbale. Mais Éric ne répondit pas. Il hocha la tête et se leva.

— D'accord. Désolé, je suis juste fatigué. Finissez sans moi. Je vais me reposer un peu avant l'antenne.

Il se rendit à son bureau, s'assit dans son fauteuil et posa les pieds sur la table. Il s'en voulait de s'être emporté, sachant pertinemment combien il pouvait compter sur les compétences et l'engagement total d'une équipe de professionnels débutants et mal payés. Ce n'était pas leur faute si l'audience stagnait, mais à cause de la couleur de la chaîne, de ses programmes ringards, de la politique du nouveau patron, plus *cost-killer* que manager.

Éric Suma vivait cette situation comme un échec personnel. Contrairement à ses rêves, son arrivée sur Télé 8 n'avait pas attiré les foules. Il n'était pas parvenu à créer la nouvelle dynamique que la chaîne escomptait en l'embauchant. Il avait tenté un coup de poker en quittant son poste de journaliste sur une chaîne nationale pour rallier l'équipe de Charles, avait annoncé vouloir relever un challenge, montrer que c'était sa compétence et sa personnalité qui assuraient le succès de son journal et non la force marketing de la société, mais l'effet d'annonce avait tourné court.

En vérité, personne n'avait été dupe. Suma avait démissionné avant de se faire licencier. Son attitude pendant la malheureuse affaire de terrorisme l'avait en effet exposé aux critiques les plus acerbes. D'après ses confrères, il avait « pété les plombs ». Et selon les médias, heureux de fondre sur un emblème de l'une des chaînes privées préférées des Français, il avait outrepassé ses prérogatives journalistiques.

Lui pensait avoir seulement dit la vérité. Sa vérité ? Il se l'était vu âprement reproché. Quelques semaines après ce que ses confrères avaient appelé « sa bourde », une fois la passion retombée, sa direction lui avait proposé de quitter l'antenne pour devenir producteur d'une émission d'information. Il n'avait pas eu d'autre choix que d'accepter et, dans le jeu de faux-semblants qui avait conduit les discussions, était allé jusqu'à croire que ce poste représentait une opportunité de renouer avec l'investigation journalistique et, ainsi, de retrouver la possibilité d'aborder des sujets profonds. Mais le magazine, faute d'audience, s'était rapidement vu retiré de l'antenne. Éric avait alors été intronisé l'homme des événements. Sommets politiques, conférences internationales, déplacements présidentiels : il constituait les équipes, organisait les plateaux, les retransmissions, sans jamais apparaître à l'antenne. Après cinq années de cette vie, qu'il qualifiait de végétative mais qu'il n'osait abandonner pour des raisons pécuniaires, il aurait certainement sombré dans la dépression s'il n'avait croisé Charles, son vieux confrère, au cours d'un G7. Celui-ci venait d'entrer au service d'une nouvelle chaîne de télévision hertzienne avec la mission d'encadrer une équipe de jeunes journalistes. Éric ayant exprimé son désir de quitter son poste pour un autre, plus indépendant, se disant prêt à accepter la moitié de son salaire contre une nouvelle liberté, un retour au poste de présentateur et la capacité de créer un journal différent, Charles avait averti sa direction et Éric avait été recruté par Télé 8 comme présentateur du 20 Heures pour un tiers de son ancien revenu.

Il s'était senti rajeunir en arrivant sur cette chaîne ambitieuse. Les conditions de travail, la vivacité de l'équipe, les coups de gueule de Charles, le défi à relever, tout lui rappelait ses débuts. Son transfert avait été médiatisé à outrance et Suma avait apprécié ce retour à la notoriété.

Hélas, à l'excitation avait succédé la désillusion de ne pas voir le journal atteindre des scores d'écoute importants, ni même honorables, et l'installation progressive d'une nouvelle routine. Il avait alors regretté de ne pas s'être retiré en pleine gloire, conscient pourtant de ce qu'il abandonnerait afin de laisser l'image d'un grand professionnel, d'un homme capable de tourner le dos au succès. Il mesurait la fatuité de ses sentiments mais se sentait incapable d'accepter que l'amertume soit son seul sauf-conduit. Et il était amer.

Que valait-il aujourd'hui, comme professionnel de l'information, comme homme, comme ami ? Sa femme l'avait quitté. Il se retrouvait seul. On ne l'appelait plus pour présider des événements importants, l'inviter dans de grands restaurants, répondre à des interviews idiotes, connaître sa dernière fiancée ou poser en smoking le Jour de l'an. Il disparaissait à nouveau, lentement, insidieusement, du paysage des célébrités. Et il pensait que l'image qu'il offrait dans le piteux décor de ce journal télévisé était celle d'un homme s'accrochant tant bien que mal, tentant encore d'exister. Or le reliquat de sa valeur médiatique n'allait pas tarder à disparaître derrière son piètre audimat, lui qui avait longtemps indexé sa valeur intrinsèque sur celle de sa renommée pour s'en sortir indemne.

La seule issue à la hauteur de son talent – et à laquelle il pensait dans ses moments les plus sombres – était de se suicider. Les médias aimaient ce panache morbide. Il choisirait son heure, son lieu et la mise en scène afin que les journaux du soir n'aient d'autre choix que d'ouvrir par son décès. Il aurait droit à des rétrospectives, des couvertures de magazines. Les jeunes professionnels, fraîchement diplômés, iraient interviewer ceux qui l'avaient connu, censureraient les propos désagréables, modèleraient les témoignages afin de bâtir une histoire attrayante. Jusqu'à l'enterrement qui constituerait le point d'orgue de l'hommage de la profession. Tous seraient présents, lunettes noires et vêtements sombres, s'embrassant tristement, écrasant une larme improbable en regardant discrètement leurs montres. Tous se sentiraient obligés d'être près de lui.

Mais il savait pertinemment aussi que, s'il mourait aujourd'hui, il n'aurait droit à rien de ce genre. Une brève, un petit sujet concocté par ses derniers amis et un cimetière vide. Son suicide serait même, sans doute, interprété comme l'ultime expression de sa vanité, voire de sa lâcheté.

Il lui fallait donc un scoop. Une information suffisamment exceptionnelle pour le propulser au premier plan et lui permettre de prouver une fois encore sa valeur. Ensuite, il pourrait partir, prendre sa retraite, serein.

Voilà ce que se disait Éric Suma, allongé dans son bureau, les yeux fermés, le souffle lent.

Il n'avait pas remarqué l'enveloppe posée près de son pied.

Une enveloppe livrée le matin même et dont le contenu était une réponse à tous ses problèmes.

DANIEL

Je suis en train de gâcher mes chances de réussite. Je crois dérouler parfaitement mon plan mais mes absences minent mon action. Je bois trop.

Je dois me ressourcer, retrouver la concentration nécessaire à ma réflexion, la force indispensable à mon opération.

Si seulement Jérôme venait me parler !

S'il m'apparaissait et me tenait compagnie ne serait-ce qu'une minute !

Je ne suis plus un mari, plus un père.

Et pas encore un assassin.

Hier j'ai cru pouvoir tout arrêter, rentrer chez moi. Je me suis dit qu'il fallait reprendre une vie normale. Et l'expression m'a perdu. La vie « normale » n'existe plus. Est-il normal que mon enfant soit mort ? Est-il normal qu'un homme se fasse sauter dans un bus pour faire parler de sa cause ? Est-il normal que celui qui a commandité l'attentat, l'a cautionné, mange, rie, prie, dorme en toute impunité ? Rien ne peut plus être normal désormais.

Jérôme, parle-moi ! Je t'en prie, dis-moi quelque chose !

Dis-moi que tu n'as pas souffert !

Dis-moi que tu ne m'en veux pas !

Dis-moi que tu es bien là où tu te trouves.

Dis-moi aussi que tes apparitions n'ont pas été le fruit de mon délire. Que je t'ai réellement entendu me parler après ta mort.

Dis-moi que tu as existé, que tu existes encore, différemment.

Dis-moi que je ne suis pas fou.

Juste saoul.

Le plus difficile était de supporter la hiérarchie. Chaque fois qu'un de mes supérieurs s'adressait à moi en termes durs ou seulement trop familiers, un courant de rébellion se diffusait dans mon corps et raidissait mes muscles. Et s'il s'agissait d'ordres ou, pis, de réprimandes, alors il me fallait me contenir pour éviter de redevenir un voyou aux injures faciles.

J'étais prêt à accepter l'autorité mais je voulais la comprendre, l'évaluer, la légitimer. Le statut, l'ancienneté ou le salaire ne représentaient pas à mes yeux des arguments suffisants. S'ils dissimulaient mal la bêtise de certains, ils en devenaient souvent les révélateurs. L'entreprise grouillait de petits chefs, d'apprentis dictateurs, de responsables frustrés qui cherchaient dans leur autorité le respect que la vie ne leur avait jamais octroyé.

Comme je devins d'abord méprisant vis-à-vis de ces hommes, je me forgeais rapidement une réputation de vaniteux. Si ce n'avait été la qualité de mes résultats commerciaux, j'aurais été rapidement remercié. Conscient de cette image, je décidai donc de faire des efforts et devins plus sociable, cherchant dans la compassion la capacité de composer : s'ils s'avéraient aussi petits mentalement, aussi lâches, c'est que la vie les avait malmenés. Je rejetais cependant certaines concessions, refus des compromissions morales dans lequel je nichais les dernières bribes de ma fierté · rire à une plaisanterie stupide, critiquer un confrère, créer des alliances... En revanche, j'acceptais la discussion, le café du matin, le resto du midi, les pots pour les anniversaires et les fêtes. Si bien qu'après avoir déplu, ma personnalité intrigua puis s'imposa. Je devins malgré moi un leader, celui des nouveaux commerciaux à la recherche d'un repère tangible dans ce monde agité, et, pour mes supérieurs, un salarié craint mais respecté.

Ma différence pouvait être ma force, si je parvenais à maîtriser ma violence. Je l'avais maintenant compris.

Je suis un jour tombé sur un essai sociologique qui parlait des hommes et des femmes issus des couches modestes de la société, ou de familles immigrées qui tentaient d'accéder à une meilleure situation. L'auteur parlait de la notion de « double langage » : une capacité à composer avec le milieu dans lequel on évolue tout en préservant les acquis, les références, les repères sur lesquels ces « parvenus » s'étaient construits. Il s'agissait, selon le sociologue, d'une force, d'un moteur à la dynamique puissante. Non une hypocrisie, juste une distance permettant d'apprécier une situation, d'être à la fois dedans et dehors, de conserver son esprit critique pour, en définitive, mieux jouer son rôle.

C'était tout à fait ma situation. Je voyais clair dans les manigances de mes confrères, devinais leurs motivations, leurs craintes. Et je les utilisais afin de parvenir plus rapidement à mes fins. Je ne perdais ni temps ni énergie à me moquer des autres, n'avais peur ni de mon patron ni d'être viré. Conscient du chemin parcouru, j'y trouvais l'assurance de savoir tirer mon épingle du jeu, de toujours pouvoir rebondir.

Je devenais invincible.

La direction remarqua la singularité de mon attitude et, confortée par mes résultats, conclut qu'il s'agissait de l'expression d'une personnalité forte, porteuse de promesses. Elle me proposa donc des stages de management destinés à faire de moi un chef.

J'accueillis la nouvelle avec satisfaction et crainte à la fois.

Réussirais-je à résister à la force d'attraction de cette culture commerciale ?

Deviendrais-je, moi aussi, un petit chef ?

— Daniel, je souhaite te parler.

Keith s'exprime dans un français parfait, un peu précieux. Son visage long et mince, ses sourcils très fins, presque féminins, et ses manières empruntées contrastent avec la force qui se dégage de ses mouvements. Nous sommes dans le hall d'entrée de l'hôtel. Keith devait passer me déposer un dossier. Il a préféré m'attendre.

— Je n'ai pas vraiment le temps.

Mon assistant m'observe froidement, se demande sans doute quel genre de patron je suis. Je fuis le travail, le laisse gérer seul le dossier Sparks, ne lui pose jamais la moindre question. Cette fois, son silence gêné m'incite à l'écouter.

— Enfin... j'ai quelques minutes quand même.

Il attend que je l'invite à s'asseoir sur l'un des sièges du salon. Je ne le fais pas, désireux de nous limiter à un échange bref.

— J'ai besoin de toi sur ce dossier, commence-t-il. Il faut prendre des décisions sur les options que nous présenterons au client.

— Je te fais entièrement confiance, Keith. Fais les choix qui te sembleront les plus judicieux.

Il continue à me fixer comme s'il espérait percer le mystère de ma personnalité.

— Mais.. il faut établir un devis pour ces préconisations. Et je ne connais pas la politique tarifaire de l'agence.

— Rédige une note décrivant les outils de communication que tu comptes proposer et le nombre de journées de travail que tu auras évalué. Je jetterai un coup d'œil et l'enverrai à Paris pour qu'ils la chiffrent.

Il hoche la tête.

— Et... le client semble ne pas comprendre pourquoi... pourquoi il ne te voit plus. C'est avec toi qu'il a signé ce contrat. Je crois qu'il va se vexer de voir que tu confies cette affaire à un simple consultant.

- - Pas un simple consultant, un collaborateur précieux.

Mon compliment le laisse de marbre. Ma manœuvre, si puérile, l'a peut-être même blessé. Il n'en montre rien.

— Je suis sincère, Keith, dis-je, éprouvant le besoin de le rassurer. J'apprécie beaucoup ton travail. J'ai conscience de t'avoir complètement abandonné ce dossier délicat et de ne pas suffisamment t'aider, mais tu t'en tires très bien.

— Merci, répond-il, poliment.

— Je... je suis sur un dossier beaucoup plus important et très... risqué. Je m'y consacre totalement. Je viendrai rencontrer le client dès que je le pourrai.

Me croit-il ? Je l'ignore. Mais peu m'importe tant qu'il continue à faire le travail à ma place. Je me sens toutefois obligé de m'impliquer un peu plus.

— Je téléphonerai au client demain dans la journée.

— Il appréciera, dit-il avant de prendre congé.

Combien de temps pourrai-je continuer à jouer ce rôle sans faillir ?

JEAN

Éric Suma arpentait nerveusement son bureau.

— Savez-vous si d'autres chaînes ont reçu ce DVD ?

— Nous sommes en train de vérifier, répondit Charles. Mais ce serait bizarre qu'ils ne l'aient adressé qu'à toi.

— Que penses-tu du contenu ?

Éric s'était arrêté face à Charles et attendait son avis. Isabelle restait en retrait, affichant un air dubitatif, incapable de se prononcer sur la nature de cette affaire.

Charles haussa les épaules.

— Ça ressemble à une blague. Je n'y crois pas. J'ai vu d'autres images de ce genre. L'atmosphère était différente. Et c'est trop bien filmé.

— Trop bien filmé ? répéta Éric, étonné. Tu as oublié ce qu'était un plan cadré ?

— Oui, je sais, ça bouge, ça saute. Mais j'ai l'impression que ces défauts sont voulus, maîtrisés. Il s'agit d'une intuition, plus qu'une opinion. C'est comme s'ils voulaient maladroitement simuler la précarité des conditions de prise de vue. Ça m'a tout l'air d'une mise en scène.

— Repasse la séquence et explique-moi ça.

Une fois encore Charles enclencha le lecteur. Les deux hommes étaient penchés sur l'écran plasma, les yeux aux aguets. Les cris retentirent. L'image ne cessait de bouger. Puis la caméra s'arrêta sur le visage du prisonnier et se stabilisa.

— Tu vois, les mouvements ne ressemblent pas à ceux qui

résulteraient d'un défaut de cadrage dû à un manque d'expérience ou au tremblement d'une personne nerveuse. Celui ou celle qui filme semble balayer la scène pour nous donner un aperçu de la situation sans nous permettre d'identifier le lieu ou les personnes présentes. Puis, quand elle arrive sur le visage de l'otage, l'image ne bouge plus. Comme s'ils avaient joué une scène d'hystérie et qu'arrivés à ce plan ils souhaitent que nous puissions voir l'homme.

— Voir l'homme ? Mais nous voyons juste une tâche sombre ! Les contours d'un visage, une barbe, rétorqua Éric.

— Oui, mais ça donne l'impression d'être fait exprès. Ils veulent nous présenter l'otage tout en nous empêchant de le reconnaître.

— Ça me paraît normal ! C'est la monnaie d'échange.

Charles réfléchit aux propos d'Éric.

— Justement. Ils ne nous disent pas qui est cet homme, ne le montrent pas vraiment. Comme s'ils voulaient simplement que nous nous attachions à certains éléments de son aspect physique : ses vêtements, sa barbe, ses cheveux...

— Ça m'a tout l'air d'être un vagabond, commenta Isabelle.

— Un vagabond... pourquoi enlever un vagabond ? rumina Charles. Et s'il s'agit d'un kidnapping par un groupe islamiste, pourquoi n'y a-t-il pas de revendication ? Cette histoire n'a pas de sens !

— Il ne va pas tarder à nous arriver, voilà tout.

Clara, l'assistante de Charles, entra, essoufflée et souriante. Son charme résidait dans la beauté de son sourire autant que dans la grâce de son corps mince et souple. Benjamine de la rédaction, elle était tout à fait consciente de son pouvoir de séduction. Elle devinait d'ailleurs qu'Éric n'y était pas insensible, ses regards le trahissaient. Et que ce grand professionnel de l'information s'intéresse à elle la troublait quelque peu.

— Nous sommes les seuls à avoir reçu le DVD. J'ai fait le tour des rédactions, annonça-t-elle en affichant un air triomphateur.

— Un scoop ! cria Éric. Enfin.

— Tu ne comptes tout de même pas passer ces images au 20 Heures ? s'alarma Charles.

— Pourquoi pas ? s'étonna Suma. Tu crois que je vais attendre patiemment que nos confrères reçoivent la vidéo ? Pour une fois que nous avons une longueur d'avance.

Charles se leva, contrarié.

— Mais enfin, il faut que nous vérifiions l'information ! Nous ne savons même pas si une personne correspondant à ce signalement a été déclarée disparue.

— Et alors ? Allons-nous espérer qu'un avis de recherche soit lancé ? Et il s'agit d'un clochard. Qui pourrait signaler sa disparition ?

Charles secoua la tête. Il n'aimait pas cette affaire.

— Si c'est une prise d'otage, la Place Beauvau doit être informée, proposa Isabelle, partagée entre l'excitation du scoop et la crainte du faux pas.

— Ils le seront dans une heure. En regardant la télé !

— Non, nous allons trop vite, rétorqua Charles. Je suis de la vieille école, moi. Une information se travaille ! On peut se griller sur une pareille affaire !

Éric s'emporta.

— *Se griller* ? Mais nous sommes déjà grillés ! Nous sommes en queue de peloton. Nous avons là une formidable occasion de nous distinguer, dit-il en posant une main sur l'épaule de son vieux confrère.

Isabelle intervint, hésitante.

— Je partage l'avis d'Éric. Mais, comme toi, Charles, j'incite à la prudence. Nous pouvons envoyer un message Place Beauvau juste avant le journal. Le temps qu'ils le digèrent, nous serons déjà à l'antenne. On annoncera l'information avec toutes les réserves d'usage.

— O.K. pour la prudence. Mais je montrerai ces images dans mon journal !

Charles abdiqua de mauvaise grâce. Il n'aimait vraiment pas cette affaire.

Jean se sentait de plus en plus mal. Privé d'alcool, d'air et d'horizon, le temps redevenait une réalité lui imposant sa cruelle et nonchalante régularité.

Il essayait avec peine d'envisager sa situation. Rien ne s'était déroulé comme prévu. Une des constantes de son existence réapparaissait. Rien ne se passait jamais, avec lui, comme souhaité. Son destin s'était toujours amusé à le duper, à le contraindre à le suivre, jamais à le précéder.

Il pensa à sa sacoche, cachée sous le matelas, le dernier lien avec ce qu'il avait cru être sa nouvelle vie. La photo, le carnet, les articles, ses pièces d'identité. La photo, il ne l'avait jamais regardée. Il lui suffisait de savoir qu'elle était là, contre lui. Quant au carnet, il ne s'épanchait plus sur ses pages depuis qu'il pensait être arrivé au terme de son histoire.

Il passa la main sous le matelas, pour sentir le sac, le caresser, comme chaque fois que le désespoir assaillait son âme. Ne le trouvant pas, il se redressa brusquement, souleva le matelas, le fouilla. La sacoche avait disparu.

— Pourquoi tu t'excites ? questionna Akim en entrant dans la chambre.

Jean sursauta.

— Hein Kelb ? T'avais enterré un os et tu ne le trouves plus ?

— Où est ma...

— Ta quoi ? l'interrompit Akim. T'avais planqué quelque chose ? Une arme, pour t'échapper ? Des objets de valeur ? Une Bible pour prier Dieu ?

— Salaud ! fulmina Jean avant de se laisser tomber sur le lit.

— Elle est jolie, cette femme que tu tiens par la taille. Ta femme ou une pute ?

L'homme ne cessait de le harceler de ses réflexions brûlantes, de ses insultes humiliantes et se réjouissait de le voir se rebeller, les yeux exorbités, impuissant. Il ne fallait pas lui accorder ce plaisir. Il ne comptait pas, n'existait pas. Il devait l'oublier, serrer les mâchoires et se taire.

— Si c'est ta femme... je lui rendrais bien visite un jour.

Jean reçut la remarque comme un énième coup dans le ventre mais parvint à se contenir.

Akim approcha une chaise du lit et s'assit.

— C'est une idée qui me travaille, murmura-t-il sur le ton de la confidence. Une fois que nous t'aurons tué, je pourrais aller la voir, me faire passer pour un ami à toi, entrer chez elle et... m'amuser un peu.

Jean se retourna brusquement et se jeta sur le terroriste mais les menottes retinrent son mouvement en mordant sa chair.

— Ne l'approche pas ! hurla-t-il. Ne la touche pas ou...

— Ou ? l'interrompit Akim en riant aux éclats.

Jean demeura la bouche ouverte sur une menace impossible à formuler.

— Ou tu me maudiras ? Ton âme hantera mes nuits ? Crois-tu que Satan t'accordera la permission de venir me trouver ?

— Si j'ai droit à l'enfer, tu seras mon voisin, marmonna Jean.

Akim éclata d'un rire faux.

— Je suis un soldat de Dieu ! Je lutte pour établir son royaume sur la terre. J'aurais droit à une place dans le royaume des cieux.

— Toi, un soldat de Dieu ? maugréa Jean avant de lui cracher au visage.

Akim le gifla violemment.

Jean s'affala sur le lit.

— Elle habite toujours dans cette maison aux murs blancs, susurra Akim, mauvais. Elle conduit une petite voiture, une Mercedes Classe A. Elle part à 7 heures de chez elle et rentre à 19 heures. C'est sans doute à cette heure-là que je lui rendrai visite.

Ces mots bouleversèrent l'otage. Il imagina sa femme dans les situations qu'Akim décrivait.

Son impuissance à la protéger le fit céder et il s'allongea en se tournant contre le mur pour ignorer Akim. En se mordant la langue pour ne pas pleurer de fureur.

« Antenne dans trente secondes ! »

Le brouhaha cessa, les mouvements ralentirent.

Éric expira tel un athlète s'apprêtant à se lancer dans la réalisation d'un exploit. Cette excitation, il ne l'avait pas ressentie depuis plusieurs années. Des images se succédèrent rapidement dans son cerveau : les confrères découvrant l'information, les titres des journaux, les interviews qu'il donnerait, la jalousie de ses anciens collaborateurs. Ces plaisirs à venir, il les balaya pour laisser toute la place au texte à dire.

Générique. Annonce du sommaire. Cadre sur Éric. Lancement.

« Madame, mademoiselle, monsieur, bonsoir. Nous ouvrons cette édition par une information terrifiante. Un DVD est parvenu à la rédaction de Télé 8 il y a trente minutes. Il m'était personnellement adressé. Un DVD qui présente les images troublantes d'une prise d'otage et qui, bizarrement, n'est accompagné d'aucun message, d'aucune revendication. Plus étrange encore, l'enveloppe a été postée en plein cœur de Paris, laissant penser que la prise d'otage a eu lieu sur notre territoire. »

Éric prenait son temps. Tout résidait dans le ton, dans le rythme de ses mots, dans l'intensité de son regard.

« Comme vous allez pouvoir le constater sur les images que nous vous montrerons en exclusivité, l'otage a les cheveux longs, une barbe et porte des vêtements défraîchis. Qui est cet homme ? Pourquoi est-il dans cet état ? Que veulent ces kidnappeurs ? Je vous laisse découvrir le contenu de cette vidéo très courte. »

Le reportage lancé, Éric se concentra sur les mots qu'Isabelle hurlait dans son oreillette.

— Mais pourquoi n'as-tu pas suivi le texte du prompteur ? Éric, nous prenons des risques sur cette affaire, alors veille à ne pas déraper cette fois encore.

— Pourquoi cette fois encore ? murmura Suma dans son micro.

— O.K., laisse tomber. C'est à toi dans dix secondes.

Éric, excédé, ôta l'oreillette et la jeta derrière lui. Les techniciens échangèrent des regards étonnés. L'un d'entre eux lui fit signe.

« Je répète que nous n'avons aucune information sur l'homme, ses ravisseurs ou leurs revendications. Les images vont être analysées par des spécialistes du contre-terrorisme. À l'heure qu'il est, l'original du DVD a dû arriver au ministère de l'Intérieur. Mais tout laisse à penser qu'il ne s'agit pas d'un canular. Le mode opératoire suivi par les ravisseurs pour filmer la scène et nous faire parvenir les images correspond à celui des extrémistes islamistes. Je rappelle que jusqu'à ce jour aucune prise d'otage de ce type n'avait encore eu lieu sur notre territoire. »

— Ce mec est fou ! tonna Charles en régie. Alors, vous êtes contents de vous ? J'étais contre cette diffusion et vous l'avez laissé faire... Ça va être un bordel...

Isabelle, rouge de fureur, haussa les sourcils pour exprimer son désarroi.

— Mais il devait suivre le texte que nous avions rédigé ! Pourquoi a-t-il tout changé ?

— Parce qu'il aime en faire des tonnes ! Regardez-le, il est... fou... fou de joie.

Éric Suma continuait à dire son texte. Celui qu'il avait préparé seul dans son bureau, décidé à s'emparer de l'événement, à le marquer de son sceau. Il était convaincu de détenir une véritable affaire, celle qui ferait vibrer la France dans les prochaines semaines et lui permettrait de renouer avec les sirènes de la gloire. Elle représentait même sa dernière chance. Et, comme pour s'excuser d'infliger ce mauvais coup à ses collaborateurs, il s'était convaincu qu'il œuvrait aussi pour la chaîne et qu'en cas d'échec il endosserait toutes les responsabilités et se retirerait.

« Nous n'en savons pas plus pour l'instant. Nos équipes sont à pied d'œuvre pour vous fournir toutes les informations qui permettront d'y voir plus clair dans nos prochains journaux. »

En régie, un assistant interpella la rédactrice en chef.
— Isabelle ? La Place Beauvau au téléphone.
— Les emmerdes commencent.

DANIEL

Je deviens fou ! Je me répète sans cesse cette phrase. Je deviens fou ! Je m'en rends compte uniquement lorsque, récupérant ma conscience, je me retrouve perdu, allongé sur la moquette, nu, fredonnant un air que je ne connais pas ou le nez dans un plat froid. Je découvre alors des pages de scénarios que je ne me souviens pas avoir écrits, plus stupides les uns que les autres, irréalisables. Une bouteille d'alcool vide à mes côtés, ma bouche pâteuse et mon mal de crâne indiquent que j'ai bu. En pleine dérive, j'ai de plus en plus de mal à assurer mes rendez-vous. Je me fabrique des alibis, annule, reporte. Keith assure la totalité du travail, sans rechigner. Sullivan a téléphoné à plusieurs reprises ce matin. Je n'ai pas répondu. Mon client s'est-il déjà plaint ?

C'est quand nous avons décidé de nous marier que ses parents ont accepté de la revoir.

J'envisageais nos noces comme une promesse, un événement heureux qui viendrait couronner notre amour, plus tard. Parce que notre situation me convenait, notre bonheur ne réclamait aucun label, aucun certificat de conformité.

Mais lorsque Betty a suggéré de franchir le pas, j'ai aisément accepté. Je me fiais à son jugement, à ses envies, à ses intuitions. Je pense qu'elle voulait m'installer dans un rôle social, me fixer au sein d'une responsabilité qui m'empêcherait d'être, un jour, tenté de céder aux sirènes de la liberté. Elle était persuadée de la profondeur de mon amour, mais je devinais aussi qu'elle se demandait parfois si nos quelques mois de passion et de vie commune faisaient le poids face à mes années d'errance. L'une des autres raisons de son empressement tenait également, je crois, à sa volonté de mettre ses parents au pied du mur, de leur ôter tout espoir qu'un jour elle me quitte.

Elle avait vu juste.

Le mariage ancra notre relation dans un futur sans fin. Je me sentis plus homme, plus responsable encore. Quant à ses parents, ils cédèrent devant la détermination de leur fille et m'acceptèrent à leur table pour marquer la fin des hostilités. Je ne pus cependant ignorer l'agressivité du regard de son père ni la curiosité dans celui de sa mère. Je n'étais alors qu'un jeune commercial, aux résultats prometteurs mais insuffisants. Le respect viendrait plus tard, progressivement, et proportionnellement au montant de mes revenus.

Nous avions décidé d'organiser un petit mariage, ce en quoi ses parents furent d'accord, trop heureux d'éviter la honte d'une cérémonie à laquelle ils auraient dû inviter amis et relations.

Je me souviens de leur tête quand ils découvrirent l'arrière-salle du restaurant dans lequel la trentaine d'invités se pressait. Et de leur air effaré lorsque ma petite bande vint les saluer. De ma belle-maman retirant discrètement ses bijoux après avoir remarqué le regard expert de Vitto. De leur air supérieur quand mon propre père vint se présenter. De la gêne de celui-ci de n'être rien d'autre qu'un petit fonctionnaire aux cheveux grisonnants, timide et maladroit face à ces gens distingués. Et de la beauté de Betty dans sa robe blanche sans prétention.

Mon père avait pour elle tous les égards. Elle allait m'offrir ce que lui n'avait pas eu le temps d'apprécier. Et quand elle vint le chercher à sa table pour l'inviter à valser, le petit homme se leva, balourd et rougissant. Puis, retrouvant ses mouvements oubliés, il prit de l'assurance, la fit virevolter et je le vis sourire. Dans l'étourdissement du moment, c'est sa femme qu'il tenait dans ses bras.

Mes amis, que je ne voyais plus qu'un soir par semaine au *Petit Paris* pour boire un verre, firent, eux aussi, danser Betty, admiratifs et envieux, acceptant d'oublier qu'elle me volait à eux du moment qu'elle me rendrait heureux.

Durant toute la soirée, ils amusèrent les invités, les entraînèrent dans des danses folles. Je les savais tristes pourtant. J'allais les quitter, monter à Paris, leur échapper et cette soirée célébrait aussi nos adieux.

La fête terminée, quand le dernier invité fut parti, ils vinrent vers moi, la mine défaite. J'ignorais que je ne les reverrais plus. Nous ne nous étions rien dit, n'avions rien décidé, pourtant eux l'avaient compris. Là où j'allais, les codes se révélaient différents et ne leur convenaient pas.

Nous ne nous étions jamais embrassés mais, ce jour-là, alors que le disc-jockey rangeait son matériel, nous laissant porter par les effluves d'alcool et par tous les beaux sentiments vibrant encore en nous, ils m'ont exprimé, à leur manière un peu gauche et fière, leur amour.

— Prends soin de toi, p'tit frère, m'a déclaré Salomon. Tu vas me manquer.

— Tu sais, nous n'allons pas si loin, ai-je répondu. Paris, en TGV, c'est seulement à deux heures.

D'un sourire triste, il a acquiescé.

— Pense à nous, a bredouillé ensuite Rémi. Enfin, de temps en temps.

— Oui, pense à nous, m'a murmuré Vitto à l'oreille. Et d'ajouter, sur le ton de l'humour : une fois parmi les riches, si tu as des infos à nous faire passer...

— Je ferai comme toi, a lancé à son tour Nabil : j'épouserai une femme aussi classe que la tienne et je me rangerai.

Bartholo, lui, n'a rien dit. Dos tourné, il a levé la main et a quitté la salle.

Mes amis.

Des hommes d'honneur.

Moktar el-Fassaoui.

Trente-deux ans, grand, mince, allure de *play-boy*, costumes taillés sur mesure, mallette Vuitton. Je l'ai reconnu lors de sa première visite chez le cheikh. J'avais lu un article le concernant dans la presse. Il y était présenté comme un homme d'affaires aux méthodes sulfureuses. Soupçonné de nombreuses malversations, de blanchiment d'argent et d'autres histoires financières assez complexes, il n'a pourtant jamais été inquiété par la justice.

Il a rendu trois visites au cheikh en moins de deux semaines. Des rencontres assez paradoxales compte tenu des modes de vie des deux hommes. Car El-Fassaoui incarne tout ce contre quoi lutte le cheikh : l'Arabe assimilé, avide d'argent et de jolies femmes, condescendant, voire méprisant avec ces religieux qui donnent des musulmans une image rétrograde et leur préfèrent ces Occidentaux dont il admire l'insouciance, le culte de plaisir, le goût du luxe, le faste, l'art.

Pourtant, il semble reçu avec beaucoup d'égards. Les gardes du corps plaisantent avec lui. Le cheikh l'a même raccompagné sur le pas de la porte lors de la première visite que j'ai observée de ma fenêtre. El-Fassaoui l'a, de son côté, salué avec respect. À l'un de ces rendez-vous, il s'est présenté accompagné d'un homme que les sbires du cheikh ne paraissaient pas connaître.

J'ai noté avec intérêt qu'après avoir été présenté le visiteur n'a pas été fouillé.

Selon moi, seules des relations d'affaires unissent les deux hommes.

L'argent, le pouvoir... Quand l'idéologie quitte ses inatteignables sphères, elle devient vulnérable.

La piste mérite d'être exploitée.

Je restais là, figé, observant Betty comme si je la découvrais, tandis que, dans mon cerveau, ses paroles couraient après une vérité impossible à appréhender.

Comment arriver à vivre à trois dans cette chambre ? Allais-je pouvoir être père, moi qui ne savais pas encore réellement être adulte ? Pourquoi n'avions-nous pas été plus prudents ? Questions idiotes, et pourtant légitimes, qui m'empêchaient de voir ce sourire timide qui m'invitait à une manifestation de joie, au partage d'une émotion.

Nous avions déjà évoqué l'idée d'avoir des enfants, mais pour moi une naissance devait suivre un ordre cohérent : me faire une place, gagner de l'argent, changer d'appartement puis, seulement, envisager d'être père. Logique du petit-bourgeois conformiste que j'étais devenu. Mais j'avais tant besoin d'ordre, de repères pour avancer, que cette nouvelle menaçait de bouleverser l'équilibre précaire sur lequel je me construisais.

— Mais... Ce n'est pas possible, tu prends la pilule. Et tes études ? Et comment allons-nous faire maintenant ?

Voilà les seuls mots que j'avais à lui proposer alors qu'elle m'annonçait un si bel événement.

— J'ai dû me planter, a-t-elle alors répondu, effaçant son joli sourire et retenant les larmes qui embuaient ses yeux.

D'un coup, j'ai vu la petite fille qu'elle était encore : désolée d'avoir fait une erreur, attendant un compliment, des mots tendres, triste de me décevoir, triste que je la déçoive. Et je l'ai prise dans mes bras.

— Mais non, mais non, c'est magnifique, ai-je murmuré à son oreille. Nous allons être heureux, plus heureux encore.

Et, comme une formule magique, ces mots sont passés de ma bouche à mon cœur, modifiant ma perception et me convainquant de leur véracité.

En quelques jours, je devins un amoureux attentionné, un père dans l'attente, un adulte gagnant une énergie qui, durant neuf mois, le porterait au-delà de ses limites, transcenderait sa volonté. Si bien que lorsque Betty entra dans son neuvième mois de grossesse, j'étais de mon côté en passe de devenir responsable d'une équipe de vente et déjà à la recherche d'un nouvel appartement.

« Chaque enfant amène son lot de bonheur », m'avait-elle dit un jour.

Le jour de la naissance, je sortis de la clinique dans un état d'euphorie confinant au délire. J'avais la tête pleine des images de la nuit, de ce petit corps couvert de liquides visqueux et colorés, de ce visage fripé au milieu duquel des yeux grands ouverts avaient paru m'interroger, du sourire angélique de cette femme qui était la mienne. J'avais envie de courir, de crier. Je voulais annoncer l'événement. À qui ? J'ai pensé à téléphoner à Salomon mais me suis abstenu. Comment accueillerait-il cette nouvelle, alors que je ne l'avais pas vu, ni ne lui avais téléphoné, depuis le mariage ?

J'ai préféré composer le numéro de mon père. Nous nous voyions très peu et le téléphone n'était pas un moyen de communication idéal pour des hommes n'ayant jamais appris à se parler, mais je pensais que la magie du moment modifierait notre relation.

— Félicitations, me dit-il, hésitant. C'est... bien. Tu dois être... heureux, j'imagine.

— Oui, papa. Très heureux.

— Oui, bien sûr... Je comprends. Me voilà donc grand-père.

Je le savais comblé, à sa manière. Mais j'avais envie d'autre chose. De cris de joie, de questions, de vœux de bonheur.

J'ai alors appelé le bureau, sans savoir exactement ce que je pouvais attendre de mes collègues dans cette situation.

Ils eurent l'air sincèrement contents, me congratulèrent, me promirent d'organiser une petite fête afin de marquer l'événement. Et, pour la première fois, j'eus un véritable élan d'affection envers eux.

Décidément, cet enfant avait déjà le pouvoir de me faire aimer ce monde.

Sullivan souhaite me voir. Impossible de me défiler cette fois.

L'avion m'a déposé à Paris en début d'après-midi. Je ne resterai que deux jours, mais l'idée d'avoir déserté mon poste d'observation m'est insupportable. Je ne peux éviter de penser que des informations importantes vont m'échapper. Ce guet s'est transformé en obsession. Je ne dors presque plus, passe mon temps les yeux braqués sur la maison du cheikh, me nourris succinctement, les jumelles à la main. Et je bois, comme un trou.

Durant ces longues heures, j'imagine ce qu'il se passe à l'intérieur. J'ai même parfois l'impression d'entrer mentalement dans les lieux. Mes yeux fixent une fenêtre puis les images et les sons me parviennent. Mon esprit s'y précipite, pénètre dans la maison, assiste au dîner du chef religieux, écoute ses conversations. Je le vois même se brosser les dents, se doucher. J'ai imaginé chaque meuble, chaque objet, sa bibliothèque, son bureau...

Ce doit être cela, la folie.

Et, chaque matin, je me trouve dans un état de torpeur qui m'empêche de discerner les images vues de celles imaginées. Je me lave, bois un café, reviens à la vie et profite des quelques moments de lucidité pour échafauder le plan qui me portera jusqu'à lui. Puis, doucement, ma raison dérive et je retourne rapidement me cacher derrière le lourd rideau pour reprendre mon guet.

Ce matin, en sortant de l'hôtel pour rejoindre le taxi qui m'attendait, le soleil m'a brûlé les yeux. Des yeux rougis par l'alcool, la fatigue et les longues heures d'hypnotique observation.

Dans l'avion, l'hôtesse m'a demandé si j'allais bien. Étaient-ce mes pupilles dilatées, mon allure de fou, mes cheveux mal coiffés qui l'inquiétaient ? Peu importe. J'ai cependant réalisé qu'il valait mieux prendre soin de mon physique avant de rencontrer Sullivan.

J'ai signalé à la direction de l'hôtel londonien que je quittais la chambre pour seulement deux jours, leur ai payé deux semaines de réservation supplémentaires afin qu'ils la gardent sans chercher à comprendre. Mon comportement a malheureusement attiré leur attention. L'état de la pièce, mon refus constant de voir les femmes de ménage y pénétrer, le fait que j'y passe le plus clair de mon temps, m'ont rendu suspect à leurs yeux. J'ai consenti à ce qu'ils la nettoient durant mon absence et profité de l'occasion pour prétendre que j'écrivais un roman, exercice qui me demandait beaucoup de temps, m'épuisait et me rendait agressif. J'ai laissé traîner quelques pages de textes copiées sur des sites littéraires afin de crédibiliser mes propos. Il serait trop absurde d'échouer pour avoir agressé le personnel ou n'avoir pas su berner un directeur d'hôtel. Ce dernier m'a assuré qu'il comprenait et m'a fait promettre de lui signaler la parution de mon œuvre.

Ce qui ne sera pas nécessaire. Tous les journaux en parleront.

Un enfant, un nouvel appartement, de nouvelles fonctions.
Une nouvelle vie.

Jérôme était le plus beau présage d'une ère naissante et prometteuse.

Betty n'allait plus en cours. Nous avions décidé qu'elle s'octroierait une année pour s'occuper pleinement de lui avant de retourner à la fac et de terminer ses études.

Je devenais père, lentement, à chaque regard que je portais sur Jérôme, à chaque fois que je lui donnais le biberon, comptant avec impatience les heures qui me séparaient du moment où je le retrouverais.

Je découvrais ce que représentait une famille, en m'étonnant qu'elle corresponde parfaitement aux images désuètes que j'avais tant raillées. Je me rendais compte que ma vie ressemblait à une pub des années soixante pour appareils électroménagers, mais j'aimais ça ! J'y trouvais même un certain plaisir. Celui de participer, de *faire partie de*, *d'en être*.

Jérôme était un formidable catalyseur d'ondes positives. Il changeait notre vie, lui donnait un sens qui allait au-delà du jour ou de la fin du mois.

Il réussit même à adoucir les ressentiments des parents de Betty.

Ils vinrent une première fois faire sa connaissance, à la clinique. Son père conserva une attitude austère même si ses yeux trahissaient de la curiosité pour « l'héritier ». Sa mère fondit immédiatement. Elle le prit dans ses bras, le cajola, lui sourit. Puis ils revinrent et, bientôt, s'instaura le rituel d'une visite lors de chacun de leurs séjours dans la capitale. Le père promenait son regard sur notre mobilier sans laisser paraître son désappointement. Il commençait même à s'intéresser à mon parcours, étonné par mon changement et bluffé par mon évolution. À tel point qu'il me soumit l'idée de parler de moi à quelques relations. Je refusais, tout comme j'avais refusé l'argent que sa femme nous avait discrètement proposé. Je crus qu'il m'en tiendrait rigueur, mais, au contraire, en agissant ainsi je forçais son respect.

Quant à moi, sa proposition, si elle n'était pas acceptable, me flatta. Elle signifiait que j'avais réduit la distance me séparant de son monde. S'il était prêt à engager son nom sur une recommandation, je devenais digne de confiance.

Betty était heureuse. Un bébé dans les bras, entourée de ses parents et de son mari réconciliés, elle affichait une beauté empreinte d'un éclat particulier.

Elle était femme, plus que jamais.

Ma femme.

La maman de Jérôme.

La vue de ma maison, de son entrée à l'allée dégagée, de ses arbres dont les branches caressent la carrosserie du taxi, m'emplit d'une émotion étrange. Je paye le conducteur et reste un instant devant la porte, cherchant à évacuer les sensations qui agitent mon cerveau et serrent ma gorge.

Tout semble si normal vu d'ici. Je suis devant l'adresse d'une famille bourgeoise, sans doute heureuse. Je m'attends à voir sortir des enfants, cartables sur le dos, un père souriant monter dans sa voiture, une femme et mère aimante lui adresser un signe de la main. Mais les clichés qui rythmaient notre vie semblent suspendus dans l'air, attendant qu'un miracle les ranime.

C'était cela, notre vie. Une suite d'images surannées empruntées à l'air du temps, aux magazines. Un rouleau rassurant de séquences chaleureuses dans lesquelles nous nous lovions. Moi, pour apprécier la distance qui me séparait de la rue. Betty, pour inscrire nos existences au sein d'une fresque familiale cohérente dans laquelle elle aurait su tenir son rôle. C'est d'ailleurs ce que j'aimais chez elle, une vision de l'existence où chaque jour n'a de sens que s'il contribue à fonder une histoire. La fière certitude que notre quotidien constitue l'une des pièces d'un parcours qui commence avant nous et ne finit jamais.

Jusqu'alors mon horizon était celui d'un voyou : le prochain coup, le lendemain, la fille suivante. Je n'appartenais qu'à une bande, un quartier, et mon histoire se limitait à une liste de méfaits, de bagarres, d'actes dits héroïques. J'étais quelqu'un, bien entendu, à savoir Dany, une gueule d'ange, un corps musclé, un séducteur discret. J'étais celui qui n'avait jamais peur, celui qui avançait toujours dans les affrontements entre bandes. J'en étais fier même. Mais Betty m'avait ouvert les yeux sur un autre univers, régi par d'autres règles, d'autres valeurs.

Et la maison me raconte cette métamorphose.

— Papa ?

Pierre est planté devant moi. Il ouvre de grands yeux étonnés. Betty n'a pas dû lui annoncer ma venue. Et sa surprise s'étire dans un silence de plusieurs secondes. L'insistance de son étonnement me fait alors réaliser que je pleure. Sans que je m'en sois aperçu, des larmes ont roulé sur mes joues. Pierre ne m'a jamais vu pleurer. Je me suis toujours caché pour le faire. Pour ne pas ajouter ma peine à la sienne et à celle de Betty. À cet instant, dans l'expression sereine de ses yeux, je comprends mon erreur.

Il me prend la main, la serre fort, y dépose un baiser, geste d'affection maladroit, et m'entraîne à l'intérieur, les yeux baissés.

Jérôme avait deux ans quand Pierre est né. J'étais heureux d'avoir un autre garçon. J'imaginais leur future complicité, ne pouvant m'empêcher de souhaiter qu'elle ressemble à celle que j'avais connue avec ma petite bande. Je décidais de tout entreprendre pour qu'ils développent l'un envers l'autre les plus nobles sentiments, ceux qui vous lient à vie et vous donnent l'impression de pouvoir résister à toutes les épreuves.

J'étais néanmoins préoccupé par la contradiction qui menaçait mon dessein. Car comment les doter de cette force, de cette assurance, de cette volonté apprise dans la rue, alors que moi-même je redoublais d'efforts pour leur offrir tout le confort et toutes les facilités que la société de consommation pouvait proposer ?

Mes valeurs étaient-elles solubles dans le luxe ?

Le futur m'apparaissait à travers « l'imagerie du parfait cadre supérieur » que j'étais devenu : la meilleure école, les plus beaux vêtements, les loisirs les plus chers, les vacances au Club et, plus tard, une superbe demeure, une piscine, des études à l'étranger.

Mais je souhaitais aussi qu'ils me ressemblent, qu'ils ne soient pas dupes face à la comédie humaine. Alors, je ne pouvais m'empêcher de leur offrir tous les moyens d'y participer.

Quelques mois après la naissance de Pierre, on me nomma directeur régional en vertu de ce que mes confrères et ma direction qualifièrent de charisme et qui, selon moi, n'était qu'une forme de la lucidité offerte par mon « double langage ».

Or c'est précisément cette lucidité que je désirais enseigner à mes fils, sans trop savoir comment.

Aurais-je été capable de le faire si la vie m'en avait laissé le temps ?

JEAN

Assis derrière son bureau, le ministre de l'Intérieur, visage impassible, observait ses interlocuteurs. Seule expression de son impatience, la pointe de son stylo battait un rythme nerveux sur le sous-main en cuir. Son visage lisse et blanc, ses traits fins mais anguleux, son regard bleu pâle exprimaient une certaine sérénité, contrastant avec sa réputation d'homme de poigne.

Cette affaire l'ennuyait. Des terroristes islamistes sur le territoire français ! Il avait passé plus de quatre années à combattre la criminalité, à réduire le taux de délinquance, à se forger une image d'homme fort, inflexible, il avait utilisé tous les leviers de son charisme pour défendre ses idées, mais que pouvait-il contre des islamistes ? Leur détermination et leur organisation les rendaient autrement plus dangereux que les membres de la pègre. Les gangsters, on le savait, étaient faillibles. Leur avidité, leur soif de puissance, de notoriété, d'argent les rendaient vulnérables. On trouvait toujours un moyen de les atteindre, acheter, retourner ou démolir en s'attaquant aux maillons faibles de leurs réseaux, mais les extrémistes religieux ou politiques, eux, défendaient un idéal, agissaient au nom d'une foi irrationnelle. Dès lors, comment négocier avec eux ? Comment casser la dynamique de leur violence ? Et plus simplement, comment entrer en contact avec des ombres ?

La fébrilité de Frédéric Lesne, son conseiller en communication, lui confirma que le cas à gérer se révélait problématique en termes d'image. Avait-il parcouru tout ce chemin pour risquer de voir sa cote de popularité s'effondrer à cause d'un otage inconnu séquestré par des barbus ? Non, il allait se battre, trouverait les moyens de vaincre ces ennemis inattendus. De cette nouvelle guerre, il sortirait vainqueur et grandi.

Jean-François Gonzales, patron de la Direction nationale de l'anti-terrorisme, bel homme au regard noir et aux épais sourcils, élégant dans son costume gris anthracite, s'exprima le premier.

— Nous ne pouvons pas exclure le fait qu'il s'agisse d'un canular. Les spécialistes étudient le document et nous serons rapidement fixés. Si cette hypothèse se confirme, nous retrouverons les auteurs de cette mauvaise blague et...

Boris Debruyne, patron de la SOC, Section opérationnelle commune, chargée de coordonner les actions des différents services de lutte contre le terrorisme, et leur supérieur récent, l'interrompit.

— Les autres hypothèses ! Elles seules représentent un danger.

Gonzales acquiesça et reprit.

— Al-Qaïda, bien sûr, du moins l'un de ses satellites. Mais il n'est guère dans leurs habitudes de prendre des otages ailleurs que sur des terrains qu'ils connaissent et maîtrisent. Ça peut aussi être un des mouvements créés ces dernières années sur le territoire européen. Les émules des Frères musulmans ou d'Al-Qaïda prolifèrent. Reste qu'aucun ne semble avoir atteint la maturité organisationnelle pour engager une action de ce type.

— Ils n'annoncent pas quand ils sont prêts, rétorqua Debruyne. Nous le découvrons souvent trop tard, le jour de leur premier attentat !

Le chef de la DNA marqua un temps d'arrêt. Il aurait aimé envoyer promener ce bureaucrate, au cou trop court, à la ridicule tête ronde ornée de lunettes à monture argentée, au ventre bedonnant mal dissimulé derrière de trop larges costumes. Il l'aurait plus facilement imaginé en train d'animer la fête d'un village du fin fond de la Creuse qu'à la tête des services de police les plus sensibles du pays. Car que savait cet énarque de la réalité du terrain, lui qui ne devait son poste qu'à des accointances politiques ?

Depuis la création de la SOC et l'arrivée de Debruyne, une guerre interne s'était développée entre les différents responsables de la sécurité intérieure. Debruyne essayait de faire preuve d'autorité afin de s'imposer auprès des départements qu'il était censé coordonner, mais chaque service cultivait son indépendance depuis si longtemps qu'il refusait la mise en commun des moyens et le partage des prérogatives. Le principe d'une collaboration des différentes équipes ne manquait pas de pertinence dans l'absolu mais, dans la réalité, chacun travaillait à la réussite de ses propres troupes.

— En effet, continua Gonzales, non sans infléchir le timbre de sa voix pour laisser transpirer sa lassitude. Pour autant, je ne peux donner un avis qu'en fonction des informations dont je dispose.

— Et selon vous, parmi ces mouvements, lequel semble le mieux préparé ? interrogea le ministre.

— Le J2I, Jihad Internationale Islamiste, répondit-il sans hésiter. Selon nos informations, ce sont les plus structurés. Ils ont créé un réseau qui passe par les capitales européennes et veulent susciter une prise de conscience chez les populations musulmanes occidentales pour créer une force révolutionnaire. Le vieux mythe de la Oumma. Mais ils ne sont jamais passés à l'action.

— Que disent les RG à leur sujet ? s'enquit Debruyne.

— Qu'ils se préparent depuis maintenant deux ans à agir. Mais, dans un rapport datant du mois dernier, ils les jugeaient encore incapables d'engager les hostilités.

— Ils sont identifiés ? Localisés ?

— Parfaitement ! intervint Samuel Merle, directeur de la DST, d'une voix forte pour exprimer son assurance. Nous savons où ils se trouvent, ce qu'ils font, qui ils fréquentent.

De tous les présents, Merle paraissait le plus atypique. Son pantalon difforme, sa veste mal coordonnée, ses cheveux rares non coiffés, sa barbe naissante donnaient à cet homme, petit et mince, l'allure d'un fonctionnaire sans envergure et non la carrure d'un patron craint et respecté pour ses hauts faits.

— Alors qu'attendez-vous pour les cueillir ? railla Lesne, simulant l'étonnement.

Les trois hommes sourirent de la naïveté du gringalet au visage luisant, à l'élégance empruntée et aux allures mondaines.

— Parce que nous voulons tout connaître d'eux. Parce que nous leur laissons croire qu'ils ne sont pas repérés pour qu'ils en arrivent à nous révéler tous leurs contacts, la variété de leurs sources de financement, l'étendue de leur réseau. Nous interviendrons quand nous serons convaincus de n'avoir plus rien à apprendre d'eux et quand nous disposerons de suffisamment d'éléments pour les coffrer longtemps. Suis-je clair ?

L'homme d'image ne broncha pas.

— D'autres hypothèses ? enchaîna Debruyne.

— Oui. D'innombrables. Les mouvements islamistes sont éclatés en différents courants et idéologies, parfois ennemis. Les salafistes sont sans doute les mieux armés et les plus entraînés. Mais des mouvements chiites sont également capables d'oser ce genre de stratégie. Les RG et la DST ont établi de multiples scénarios pour anticiper les attaques contre nos intérêts sur notre territoire, mais je vous le répète, d'après eux, aucun mouvement ne semble prêt à agir.

— Les RG, la DST..., murmura Lesne avec désinvolture. Le 11 Septembre aussi n'aurait pas dû avoir lieu à en croire la CIA.

L'intervention agaça les superflics et parut exaspérer le ministre. Celui-ci s'adossa à son fauteuil en soufflant. Il ne s'était pas encore exprimé. Tous lançaient des coups d'œil dans sa direction pour jauger son humeur, mais il opposait l'impassibilité dont il avait appris à se parer. Chacun savait qu'il était capable de terribles colères en privé, mais aussi combien, devant un public, il parvenait à se composer un personnage de total sang-froid. La dimension d'homme de pouvoir responsable, à l'ambition démesurée, qu'il façonnait, était incompatible avec le portrait du colérique que les médias dressaient de lui depuis le début de sa carrière. Il tenait donc à démentir les rumeurs par une posture irréprochable.

Merle prit la parole.

— Nous retrouvons aussi le mode opératoire des cellules armées par l'Iran. Mais, dans ce cas, il est étonnant que le kidnapping n'ait pas été revendiqué.

Tout le monde approuva.

— Je pense que la revendication sera envoyée prochainement, affirma Gonzales. Pour l'instant, ils souhaitent que nous nous interrogions, faire monter la pression,

— Je crois plutôt qu'ils cherchent à attirer l'attention sur cet homme.

— C'est-à-dire ? questionna Debruyne.

— L'otage constitue l'un des éléments les plus troublants de cette affaire. Son accoutrement, ses cheveux longs et sa barbe...

— Non, s'ils voulaient nous orienter sur lui, ils auraient clairement montré son visage. Or l'homme se trouve dans l'obscurité.

— Je crois qu'ils ont simplement tenu à insister sur le fait qu'il s'agissait d'un SDF. Ils veulent que nous nous perdions en conjectures, insista Gonzales, professoral. Notons d'ailleurs que ces éléments s'opposent à l'hypothèse du canular : dans un tel cas, la victime aurait été plus crédible.

— Mais quel intérêt y a-t-il à kidnapper un sans-abri ? interrogea Frédéric Lesne.

Un silence vint signifier que personne n'avait d'avis sur la question.

— Aucun, reconnut Gonzales. Ou alors, cet accoutrement est un déguisement...

— Le labo analyse les images avec un logiciel de recomposition anthropomorphique pour tenter une identification, précisa Debruyne.

— Si je comprends bien, on ne sait rien ! Et je suis sûr que les médias vont vous griller, ironisa Lesne. Ils ont sûrement lancé leurs journalistes sur la piste du clochard.

Debruyne haussa le ton.

— Pour moi, l'élément le plus troublant, c'est que ces images ont été envoyées à ce journaliste et seulement à lui. Pourquoi l'avoir désigné comme unique destinataire du message ? Éric Suma est en perte de vitesse et sa chaîne n'est pas la plus importante ! À leur place, pour m'assurer de la plus large audience, j'aurais balancé la séquence à TF1.

— Parce qu'ils se doutaient que Suma s'emballerait. TF1 ou une autre grande chaîne aurait sans doute pris plus de précautions, avança Lesne.

— Peut-être. En tout cas, il faudrait le museler, ce mec-là. Il va foutre une panique monumentale dans le pays, et ça ne va pas faciliter l'enquête.

— Trop tard, commenta le conseiller en communication. L'histoire appartient déjà aux médias. Nous ne pouvons plus grand-chose contre Suma. C'est d'ailleurs pour cela qu'il s'est empressé de sortir l'info.

— Mais cet homme est dangereux !, s'emporta Debruyne. Et il décrédibilise notre travail. Croyez-moi, il va porter atteinte à l'image des services du contre-terrorisme. Ainsi qu'à la vôtre, Monsieur le ministre.

Pris à partie, le ministre s'arracha du fauteuil, se leva et posa lentement son regard sur chaque visage. Frédéric Lesne admira le sens du théâtre de son patron. Un homme de sa trempe était facile à coacher : il possédait le don de la posture.

— J'ai ici les meilleurs hommes des services chargés de la sécurité du territoire. Et je ne doute pas une seconde que vous réussirez à désamorcer cette affaire. Mais pour cela, je veux que vous collaboriez. Je veux que vous me teniez au courant de chaque information que vous jugerez importante. Je veux que vous exploitiez toutes les pistes possibles, que vous fassiez parler vos informateurs. Quant à ce présentateur, Éric Suma, je veux que vous le suiviez pas à pas. Laissez-le travailler, aidez-le même s'il le faut, mais ne lui permettez pas de s'emparer d'une information pour la diffuser avant de nous en avoir parlé.

Il s'interrompit, considéra ses troupes avec une sévérité empreinte de solennité.

— Nous ferons le point régulièrement, finit-il par conclure. Je veux que vous vous rencontriez ici, chaque matin à 8 heures. Je prendrai part à ces réunions de temps en temps. Debruyne, vous me ferez un rapport à l'issue de chaque réunion. Frédéric, vous vous chargerez de faire savoir aux médias l'existence de cette cellule de crise dès que nous aurons confirmation que nous sommes en présence d'une prise d'otage réalisée par des terroristes. Nous devons nous montrer maîtres de la situation. Messieurs, merci.

La séance close, les hommes se levèrent, saluèrent le ministre et se retirèrent. Chacun songeait à la manière dont il jouerait le jeu de la collaboration tout en se distinguant par son efficacité. N'était-ce pas dans de telles situations que les honneurs se gagnaient ? Offrir à un politique risquant le discrédit une porte de sortie honorable, voire un succès, ne revenait-il pas à s'assurer un avenir prometteur ?

L'appel retentit cinq fois avant de basculer sur le répondeur. Éric écouta la voix de son ex-femme sur la bande et raccrocha, un frisson sur la peau, au moment où retentit le bip sonore. Il connaissait le message d'annonce par cœur pour l'avoir entendu des dizaines de fois et éprouvait toujours un pincement au cœur. Il jugeait son attitude puérile mais ne pouvait maîtriser la mélancolie qui l'étreignait chaque fois.

Depuis maintenant près de six mois, elle ne prenait plus ses appels ni ne répondait à ses messages. Aussi qu'espérait-il exactement, en composant son numéro ? Mais Éric, professionnel rationnel, cultivait une sorte de superstition qui lui laissait croire que lorsqu'un événement positif survenait, il en entraînait d'autres. Une sorte de dynamique de la chance à laquelle aucun élément, aucune personne ne résistait. Évidemment, il ne se serait ouvert à personne de cette croyance mais, dans son for intérieur, il demeurait persuadé que des lois inconnues dirigeaient le monde, mieux, le structuraient. Après tout, n'avait-il pas connu celle qui deviendrait sa femme quelques jours seulement après avoir obtenu son premier job à la télévision ? Et tout ne s'était-il pas enchaîné : rencontres décisives, scoops, promotion, succès ?

La dynamique de la chance avait son pendant, autrement plus redoutable. Un ouragan dévastateur et pernicieux, capable d'anéantir le bonheur pour laisser seulement un paysage de désolation. Sa femme l'avait quitté quelques jours après son éviction de France 6, et la déveine s'était collée à chacun de ses pas, le conduisant jusqu'à cette petite chaîne.

Il savait qu'attribuer ses réussites et ses échecs à une logique mystique revenait à se voiler la face, à ne pas envisager sa propre responsabilité dans les événements. Pourtant, il n'y pouvait rien, cette superstition le rassurait.

Or, si Christine l'avait quitté, c'était avant tout par lassitude de se voir confinée à un rôle de femme au foyer délaissée, palliant tant bien que mal les absences d'un mari volage et occupé auprès de leurs deux enfants. Parfois il se reprochait de n'avoir pas su l'amener à comprendre la spécificité de son métier. Mais comment aurait-il pu lui expliquer les frissons du petit matin quand, dans la salle de presse, une dépêche arrivait et qu'il savait où trouver l'information l'aidant à rédiger le papier important ? Comment pouvait-elle réaliser le sentiment de toute-puissance que procurait un scoop repris par tous les médias nationaux, et parfois étrangers ? Ou envisager le plaisir, lorsqu'il était entré à la télévision, de tourner un reportage qui, quelques heures plus tard, serait vu par des centaines de milliers de personnes ? Ces poussées d'adrénaline, cette fierté, cette puissance se révélaient difficiles à expliquer, à partager. Et quand, fatiguée d'être seule, elle l'avait quitté avec les enfants, il avait donc préféré attribuer la faillite de sa vie de famille à la spirale de malchance dont il était victime. Certes, ses frasques – dont les magazines *people* se faisaient souvent l'écho – avaient également contribué à la séparation.

Aussi, maintenant que la roue semblait tourner, pourquoi ne pas espérer qu'elle répondrait, qu'elle accepterait de boire un verre avec lui et, peut-être, pourquoi pas, de lui accorder une autre chance ?

Mais elle n'avait pas répondu. Éric Suma se demanda alors si ce silence n'était pas de mauvais augure.

L'air frais de la climatisation, la lumière blanche des néons, le mobilier en bois clair, le thermos de café et les tasses : la salle de réunion ne se distinguait d'aucune autre. Pourtant, située dans le sous-sol du ministère de l'Intérieur, elle disposait d'une isolation sonore qui la rendait imperméable aux technologies d'écoute et d'un ensemble d'appareils hautement perfectionnés destinés à la relier au monde extérieur sous mode sécurisé.

Et dans cette pièce, les responsables du contre-terrorisme étudiaient toutes les hypothèses.

— Le support a été acheté en France. Nous n'avons trouvé aucune empreinte significative sur celui-ci, ni sur l'enveloppe. En revanche, ils ont été manipulés à plusieurs reprises chez Télé 8.

Jean-François Gonzales, assis face à ses confrères, lisait le premier rapport de ses services.

— Plusieurs agrandissements du lieu et des personnages ont été réalisés. Nous ne pouvons rien affirmer. Cependant, sur cette image, on distingue assez bien le regard du terroriste. D'après un expert en anthropomorphisme, il y a de grandes chances qu'il s'agisse d'un homme de type oriental. La taille des yeux, la couleur, la longueur des cils...

— C'est bien, nous progressons, ironisa Debruyne.

Jean-François Gonzales nota le léger sourire des présents. Il retint sa réponse deux secondes pour la débarrasser de toute trace de contrariété ou d'agressivité.

— Notre démarche consiste à partir d'un postulat et à vérifier si les informations que nous pouvons recueillir vont dans le sens de son infirmation ou de sa validation, expliqua-t-il, pincé.

— Continuez ! ordonna Debruyne.

— L'accent des terroristes a été analysé par des spécialistes des langues orientales. Ils sont formels : les hommes sont français. Ils distinguent des pointes d'accent nord-africain, mais très superficielles. Nous avons donc vraisemblablement affaire à des Français d'origine maghrébine. Probablement de jeunes islamistes recrutés dans l'Hexagone et entraînés à l'étranger.

— Qu'avez-vous sur Suma que nous ne savons pas ? questionna Debruyne en se tournant vers Samuel Merle.

— Éric Suma travaillait à France 6. Il a été gentiment poussé vers la sortie voilà maintenant dix ans. Souvenez-vous : sa cote de popularité avait chuté après qu'il eut eu à l'antenne des mots très durs envers les islamistes, justement. La profession lui avait reproché d'être sorti de son rôle de journaliste, d'avoir été partial. Il est donc étonnant que nos terroristes l'aient choisi comme seul destinataire du message. Par ailleurs, il est divorcé, vit seul, voit ses enfants deux fois par mois, n'a quasiment plus aucune vie mondaine. Ses relations de travail constituent son unique environnement relationnel. Son image, dans le milieu, n'est pas terrible. Certains de ses collaborateurs lui reprochent ainsi d'être un peu mégalo et l'estiment pas à sa place sur cette chaîne plutôt jeune. Nous l'avons mis sur écoute et le surveillons de près.

— Le lieu ? demanda Debruyne.

— Nous avons analysé les détails révélés par les agrandissements. Les plinthes de la pièce, le lino au sol, le montant des fenêtres... sont tous des éléments habituels des HLM construits dans les années soixante. En somme, les terroristes se trouvent peut-être à quelques kilomètres d'ici, dans une tour de banlieue parisienne... ou ailleurs.

Le patron de la SOC se leva et commença à arpenter la salle.

— Je veux que vous contactiez toutes nos structures de terrain. Il faut qu'elles activent leurs réseaux d'informateurs. Qu'elles recourent à la carotte ou au bâton, je m'en fous : le ministre exige des résultats. Si des types ont débarqué en banlieue avec un homme ligoté, quelqu'un a forcément vu ou entendu quelque chose.

Samuel Merle intervint :

— Si je peux me permettre... Vous les avez entendus hurler sur l'enregistrement. Ils crient sans se soucier de leur voisinage. Or je ne crois pas qu'un groupuscule entraîné à la prise d'otage courre un tel risque. Je suis donc d'avis qu'ils se situent dans un HLM désaffecté.

Vexé de s'être fait reprendre sur un point si évident, Debruyne planta son regard dans les yeux du patron de la DST avant de poursuivre :

— Très bien... Je veux que vous recensiez tous les HLM désaffectés ou en cours de réhabilitation et envoyiez des équipes sur le terrain.

Quelques coups discrets retentirent à la porte de la salle de réunion. Sur l'écran de contrôle, le patron de la SOC reconnut un de ses collaborateurs. Il appuya sur le bouton d'ouverture. L'homme se pencha à son oreille et murmura quelques mots.

— Messieurs, nous avons du nouveau. Un message vient d'arriver à Télé 8.

DANIEL

Elle est assise à mes côtés, silencieuse. Elle aimerait me parler mais ne trouve pas les mots. Nous n'avons jamais ressenti cette gêne auparavant : lorsque je rentrais de voyage, il lui suffisait de me demander comment cela s'était passé pour que nous commencions à discuter.

Tout à l'heure, lorsque Pierre a poussé la porte, elle a d'emblée regardé sa main dans la mienne. Elle m'a salué comme on dit bonjour à un voisin qu'on souhaite tenir à distance. Puis elle s'est ravisée, est venue vers moi et a déposé un baiser sur ma joue avant de se dérober pour se diriger vers le salon. Il ne s'agissait en rien d'un geste spontané, juste une scène répétée, oubliée, enfin retrouvée. Je ne sais ce qu'elle pense, ce qu'elle veut.

Elle me fixe maintenant, gonfle ses poumons d'air pour expulser les mots enfermés dans sa gorge serrée. Mais elle expire et, déjà, regrette son manque de courage.

Ô Betty, comme j'aimerais t'aider ! Comme j'aimerais te prendre dans mes bras et pleurer avec toi. Ça nous ferait tellement de bien de mêler nos larmes et d'évoquer silencieusement notre fils disparu, de parler de lui à travers nos sanglots. Un passage obligé pour envisager d'avoir la force, un jour, de repenser aux instants de bonheur qui hantent nos souvenirs. Nous pourrions le faire si nous étions à égalité devant le drame, mais à tes yeux je suis le coupable et toi la victime.

Je pourrais t'aider, prononcer les premiers mots.

Te dire que je m'en veux terriblement de ne pas être allé chercher Jérôme à la sortie de son entraînement, ce jour-là. T'expliquer ma culpabilité d'avoir privilégié un rendez-vous d'affaires et combien j'y pense souvent. Si seulement j'avais dit à Sullivan qu'il me fallait récupérer notre fils ! Si seulement j'avais eu le courage de te prévenir de mon retard ! Mais ce rendez-vous, ma lassitude... Le destin prémédite-t-il ses meurtres ?

Je pourrais te parler, te laisser m'insulter comme ce soir fatidique.

« Salaud ! Salaud ! hurlais-tu. Tu as préféré ton travail à ton fils ! Tu en veux toujours plus. Plus de pouvoir, plus de fric. Mais à quoi te sert ce putain de pouvoir aujourd'hui ? Que vas-tu faire de ton fric ? Crève avec ! Fais-toi enterrer avec tes comptes bancaires, mais rends-moi mon garçon ! »

Tes poings avaient frappé ma poitrine, tes ongles lacéré mon visage, mais je n'avais pas mal. La douleur nichait ailleurs, brûlante, corrosive. Sais-tu, Betty, les ravages de tes mots dans mon cœur ? Sais-tu ce que j'ai éprouvé en te découvrant transfigurée par la peine et la haine ?

Peut-être les paroles qui ne veulent pas, aujourd'hui, sortir de ta bouche sont-elles des excuses. Car je sais que tu t'en veux désormais de m'avoir lancé toutes ces horreurs, tout cela. Ta gentillesse naturelle ne supporte pas de voir mon chagrin alourdi encore par ton agressivité. Mais je ne t'aiderai pas, Betty. Je ne dois rien entendre, surtout pas pleurer dans tes bras. Même si, peut-être, c'est la dernière fois que je te vois.

Car je veux garder intact mon tourment, rester coupable. Quelques jours encore. Le temps d'accomplir ma mission.

L'affection de Pierre, ton baiser sur ma joue, ton impuissance à parler ont déjà suffisamment ébranlé mes convictions. Laisse-moi encore quelques jours rester l'évadé fou que je désire être. Pour nous, pour moi, pour lui.

Je me lève, Betty. Je te laisse seule, désemparée sur ce sofa. Demain je partirai avant ton réveil, pour ne courir aucun risque de t'entendre me raisonner. J'irai à mon rendez-vous avec Sullivan, puis je reprendrai aussitôt l'avion.

Je te laisse, Betty, j'ai un rendez-vous.

— Pourquoi ne lui parles-tu pas ?

Je sursaute et le cherche. Mon garçon est là, assis en tailleur dans la pelouse. Je ne l'espérais plus. Voilà maintenant une heure que je guette son apparition, assis sur les margelles de la piscine.

— Jérôme... Je suis si content de te voir ! Pourquoi ne m'es-tu jamais apparu à Londres ?

Il ne répond pas. Garde la tête baissée.

— Tu devrais lui parler, reprend-il, ignorant ma question.

— Tu ne souhaites pas me répondre ?

— J'avais posé une question avant toi.

Distant, il attend.

— Je l'ignore, Jérôme. Je n'y arrive pas.

Il hausse les épaules.

— Faux. C'est parce que tu veux pas.

Que sait-il au juste ?

— Alors à quoi sert de poser la question si tu connais la réponse ?

— Parce que la réponse doit venir de toi. C'est la seule solution.

De quelle solution parle-t-il ?

— À toi, maintenant. Pourquoi ne t'es-tu jamais manifesté à Londres ? Tu m'as tellement manqué !

— Je vais te manquer toute ta vie, papa. Il faudra que tu t'y habitues.

M'y habituer...

— C'est tout ?

Il esquisse un sourire timide.

— Non. La vérité est que je rends visite à mon père. Or, là-bas, tu ne l'es plus vraiment.

Ce verdict me bouleverse.

— Je te reconnais pas, poursuit-il. Donc je te trouve pas.

Je reste muet, essayant d'imaginer le sens de ses mots.

— Je peux pas vraiment t'expliquer, continue-t-il. Les mots d'ici sont pas faits pour décrire ce que je ressens là-haut. Ils ne peuvent pas comprendre ce monde-là. Les âmes se rapprochent à cause de certaines « affinités », des « valeurs qu'elles partagent » comme tu disais avant. Là-bas, ton âme s'est perdue.

Ses paroles renversent mon esprit et je me sens vidé. Je n'ai plus la force de m'expliquer ni de le questionner. Je dois demeurer ferme, résolu.

Il pousse son avantage.

— Maman aimerait te parler, tu sais. Elle pense à toi souvent. Elle a besoin de toi. Elle continue à pleurer mais t'es jamais là pour la consoler. Pierre aussi. Maman s'occupe de lui, mais mal. Elle le couve trop, craint qu'il lui arrive quelque chose. Il faut que tu restes, que tu leur parles, que tu les aimes.

Ces conseils me suffoquent. La vérité est insupportable, d'une violence inouïe quand on cherche à la nier.

— Je les aime.

Faible réponse. Mais que puis-je clamer ?

— Papa ! lâche-t-il énervé.

Ma fuite l'exaspère.

Mais je dois tenir, ne pas l'écouter, refuser de comprendre ce qu'il cherche à me dire.

— Je refuse d'en parler !

Mon ton est ferme, presque autoritaire.

Il saisit une fleur, la caresse, la respire.

— Je t'aime, papa, ajoute-t-il sans me regarder.

Pourquoi cette douceur ? Mon cœur s'affole. Je crois avoir compris.

— Je... sais... Mais pourquoi le dire avec cette voix-là ?

Il se lève, me tourne le dos, regarde la haie.

— Parce que je veux que tu le saches. Parce que je ne peux rien te dire de plus puisque tout le reste est en toi.

Il marque un temps d'arrêt, hoche légèrement la tête, avec tendresse, mais sans poser ses yeux sur moi.

— Et aussi... parce que je ne reviendrai pas.

Je me lève, paniqué.

— Non, Jérôme, tu ne peux pas m'abandonner ! J'ai besoin de toi ! J'ai cru devenir fou sans toi là-bas, pis, je suis devenu fou ! Tu cherches à me punir, c'est ça ? Je devine ce que tu penses de ma mission, mais j'irai jusqu'au bout ! Car j'en ai besoin ! Je ne peux pas accepter sans rien dire, sans rien faire. Je ne peux pas m'écraser comme tout le monde. Je dois agir, leur montrer ! Je veux qu'ils sachent qu'on ne tue pas impunément un enfant ! Qu'on n'a pas le droit de rendre des familles entières malheureuses sous prétexte de défendre une cause ! Que je ne suis pas un lâche. Il me serait impossible de vivre si je ne te vengeais pas ! Je t'en prie Jérôme, comprends-moi, ne me laisse pas !

Mes mots se sont transformés en sanglots, des larmes inondent mes yeux. Mais je ne le vois plus. Je m'essuie d'un revers de manche et le cherche. Il est parti.

— Jérôme !

La nuit accueille mon cri et l'étouffe lentement.

Le rendez-vous avec Sullivan s'est relativement bien passé, autrement dit sans heurts et sans surprise. Élégamment vêtu, souriant, confiant, j'ai donné le change. Pourtant, durant le déjeuner, je l'ai surpris à me scruter avec une curiosité inhabituelle. Devançant la remarque, j'ai attribué ma mine défaite à la difficulté du dossier Sparks. Il ne s'est pas étendu sur le sujet. Une question me taraude : ai-je tant changé ? Ma santé mentale fragile s'exprime-t-elle sur mon visage, à travers mes attitudes ?

Au début du repas, j'ai peiné à rester concentré sur la discussion. Pour dénicher en moi la motivation et la patience suffisantes, je me suis résolu à considérer cet exercice comme un entraînement. N'aurai-je pas bientôt à rejouer l'expert en marketing responsable, rôle où je devrai impérativement exceller puisque j'ai pris un rendez-vous téléphonique avec Moktar el-Fassaoui ?

— Tu sais, m'a dit Sullivan en usant du ton de la confidence et en s'approchant de moi pour insister sur l'intimité du moment, c'est aussi pour toi que tu travailles. Je me fais vieux... Dans quelques années je me retirerai... et tu es le mieux placé pour me succéder.

Il m'a fallu une seconde de trop pour adopter la réaction adéquate et le remercier de sa confiance, une seconde qu'il a remarquée mais qu'il a dû mettre sur le compte de l'émotion.

Dans l'avion qui me ramène à Londres, je pense aux prochaines journées et me concentre sur l'enjeu. Bien plus important qu'une carrière tracée et une promesse de table. Car j'ai un plan maintenant.

Je pose ma main sur la poche de ma veste pour sentir la lettre destinée à Betty. Je l'ai écrite ce matin, devant un café chaud, au *Petit Paris*.

Peut-être n'aurai-je pas à la lui envoyer.

Tout dépendra de l'issue de ma mission.

J'ai obtenu le numéro de téléphone de Moktar el-Fassaoui. Non sans difficultés puisque j'ai dû contacter des amis parisiens de la finance, endurer leurs condoléances hésitantes et leurs phrases d'amitié artificielles. Mais exploiter l'avantage conféré par ma position de victime n'a suscité en moi aucun scrupule.

— Daniel, si je peux faire quelque chose..., a avancé l'un d'eux.

J'ai rebondi sur sa phrase creuse.

— Oui, tu le peux. J'ai besoin d'un service.

— Avec plaisir, s'est empressée de répondre cette vague relation d'affaires, surprise de me voir prendre sa proposition au pied de la lettre.

— J'ai besoin du numéro de téléphone d'un financier londonien.

L'interlocuteur s'est tu un instant, sans doute désarçonné et déçu par mon opportunisme déplacé, mais désormais incapable de reculer. Afin d'en rajouter, j'ai immédiatement mis en marche le registre émotionnel.

— Je bosse à Londres pour tenter... d'oublier un peu. Je me noie dans le boulot et ça me fait du bien.

— Je comprends, a-t-il bredouillé, rassuré par l'argument. Le travail va sans doute t'aider. Dis-moi qui tu cherches à joindre. Je te promets de tout faire pour trouver son numéro.

Le lendemain, il m'expédiait un e-mail avec la ligne directe de Moktar el-Fassaoui.

Je me suis alors préparé sans relâche, convaincu de disposer d'une bonne piste. Si ténue fut-elle, elle me séduisait car faisait appel à mes compétences. Traiter avec ce genre d'homme, je savais. J'ai alors élaboré toutes les situations possibles, anticipé les questions et réactions que mon appel susciterait. J'ai scrupuleusement, soigneusement, encore et encore, répété mon rôle jusqu'à être certain de couvrir toutes les réactions possibles.

Avant d'appeler, je me suis concentré, histoire de refouler l'angoisse qui étreignait mon cœur et de retrouver mon calme. Il me fallait impérativement être convaincant dans mon rôle de commercial essayant d'amorcer une proie.

Quand il a décroché, j'ai suivi mon argumentaire à la lettre.

Avant tout, poser le problème : les controverses relatives à ses activités lui créent une image sulfureuse susceptible de freiner son développement, nuisent à sa réputation et l'empêchent de jouir pleinement du fruit de ses efforts.

Lui présenter une méthode ensuite : reconstruire son image en s'appuyant sur deux approches. *Primo*, révéler aux leaders d'opinion et au grand public les faces cachées, et pourtant nobles, de sa personnalité ; *secundo*, disqualifier progressivement ceux qui lui portent préjudice et gommer ses côtés peu recommandables.

Après, lui proposer un homme : moi. Autrement dit un professionnel de la communication compétent, expérimenté et discret, directeur associé d'un des plus prestigieux cabinets de conseil français.

Enfin, le rassurer : mes clients sont des grands patrons d'entreprises prestigieuses. Quelques noms négligemment évoqués, quelques allusions sur le rôle que j'ai joué dans des affaires relatées par la presse et le tour me semblait joué.

Un instant, j'ai pensé avoir fait mouche, sentant El-Fassaoui hésitant. Mais mon engouement fut de courte durée car il a vite repris son assurance et, sur un ton neutre, m'a demandé mon numéro et proposé de rappeler.

Il allait raccrocher et m'oublier, ai-je songé. J'étais un presta-taire de plus, un emmerdeur cherchant à élargir sa clientèle. Mais, alors qu'il m'avait salué, il a paru se raviser pour me poser une dernière question :

— Pourquoi moi ? Je ne suis pas l'homme le plus en vue parmi ceux que la presse agresse régulièrement.

Ma réponse devait être choc. Et décisive.

— En effet. Mais vous êtes le plus prétentieux de tous.

Un éclat de rire. Je venais de courir un énorme risque. Quitte ou double.

— Vous pensez me convaincre en m'insultant ?

— Je ne vous insulte pas, je pose les bases d'une collaboration saine. Leçon numéro un : dire toute la vérité à son client.

— Et la vérité est que je suis prétentieux ?

— Prétentieux et blessé. Prétentieux parce que blessé. Vous vous souciez de votre image. Les attaques vous touchent. Vous les percevez comme des atteintes à votre dignité. Vous hisser hors du milieu dans lequel vous êtes né a demandé des efforts insensés, des sacrifices énormes, mais vous y êtes parvenu. Vous souhaitez donc que l'on admire votre volonté, votre intelligence, votre force de caractère. Mais une fois en haut, pas un applaudissement, pas un sourire. Juste de la suspicion et du dédain. Vous avez beau participer aux soirées mondaines, celles où l'on vous invite encore, financer des projets culturels, vous montrer généreux... vous êtes encore l'immigré de service. Et ça, vous ne le supportez plus.

Silence total durant quelques secondes. Moi-même je me tais, laissant mes propos faire leur chemin dans son esprit affûté.

— Comment pouvez-vous affirmer cela ?

Dès lors je pouvais abattre ma dernière carte.

— Parce que je viens du même milieu que vous. J'ai fait les mêmes efforts. J'ai réussi. Oh, pas comme vous, loin de là !, mais moi, on m'a acclamé, reçu avec respect, admiré. Et vous savez pourquoi ? Parce que moi, je suis blanc.

Il a ri, mais le souffle de son amertume pouvait s'entendre.

Et il m'a donné rendez-vous.

Il était 15 heures quand Betty m'a téléphoné.

— Je suis coincée chez le médecin. Pierre a de la fièvre et un monde fou attend. Impossible d'aller chercher Jérôme à l'entraînement.

J'avais soupiré pour exprimer mon agacement.

— Écoute, j'ai pas le temps ! Y a un boulot monstre, ici !

— Et alors ? Je suis censée faire quoi ? Laisser Pierre seul dans la salle d'attente ?

Mon assistante laissait promener son regard sur les murs du bureau pour feindre le désintérêt.

— Peut-être qu'il pourrait rentrer tout seul, comme l'autre jour ?

— Enfin Daniel, il l'a fait une fois ! Et en plus parce qu'il ne nous a pas vus arriver et s'est inquiété. Faut-il aussi que je te rappelle que le plan Vigipirate a été déclenché, qu'on parle de menaces d'attentats ? De toute façon, il n'a pas de ticket de bus.

Je savais tout cela. Le matin même, un certain cheikh Fayçal avait pris la parole pour, une énième fois, mettre en garde l'Europe contre la colère des martyrs de l'islam.

« Nous forcerons les gouvernements à prendre au sérieux notre foi ! » avait-il lancé à Londres, galvanisé par la foule hystérique massée devant sa maison. Il avait ensuite averti que personne ne serait plus à l'abri de la vengeance des frères d'Irak et d'Afghanistan, ou de ceux prêts à faire trembler les capitales européennes. Il avait cité Paris.

Depuis plusieurs semaines, la menace pesait. Tout avait commencé avec la volonté des armées alliées en Afghanistan de montrer qu'elles maîtrisaient la situation. Pour affirmer leur image, les attaques contre les talibans s'étaient multipliées, et de sanglants combats avaient fait énormément de morts. Les contingents américains et français se trouvant aux avant-postes, plusieurs organisations terroristes avaient aussitôt érigé les rebelles tués en martyrs, et désigné les États-Unis et la France comme cibles de leur vindicte.

Le cheikh Fayçal, l'un des principaux porte-parole des milieux salafistes extrémistes, usait de son statut d'homme de religion, et de la liberté d'expression dont il jouissait en tant que ressortissant britannique, pour multiplier les débordements verbaux. Comme il s'arrangeait toujours, dans ses diatribes, pour que ses menaces soient interprétées comme des prévisions, des avertissements, la presse le suspectait de plus en plus de diriger lui-même certains des groupuscules éparpillés sur l'ensemble de l'Europe.

Je savais tout cela, mais j'imaginais que la foudre tomberait ailleurs. Dans un espace-temps au-delà de ma vie.

— D'accord, je me libérerai, concédai-je à Betty en baissant les bras. À quelle heure finit-il ?

— À 17 heures. Ne le fais pas attendre.

Après avoir promis, je raccrochai, pestant contre cet imprévu me contraignant à réviser mon planning. Et je me plongeai dans un dossier pour essayer de le terminer avant mon départ.

À 16 h 30, alors que je m'apprêtais à quitter les lieux, Sullivan entra en trombe dans mon bureau, accompagné d'un client.

— Je te présente Christian Bonnot, de la société Bonnot et Fils.

Je serrai la main de l'homme, sentant la menace fondre sur moi.

— M. Bonnot souhaite mettre un terme au contrat qui le lie

à son agence et travailler avec nous. Rejoins-nous dans mon bureau pour en parler ?

L'ordre ne valait pas refus. S'il fut un temps où j'aurais dit non – Sullivan ne m'ayant, comme à son habitude, pas prévenu de cette visite –, prétextant devoir partir et suggérant une autre date, là, je ne répondis rien. Pouvais-je expliquer que je quittais l'entreprise à 16 h 30 pour chercher mon fils à la sortie de son entraînement de foot ? Le cadre impliqué que j'étais devenu a songé à ses responsabilités, à son devoir de salarié, au salaire énorme que Sullivan lui versait. En quelques secondes, j'évaluai la situation, trouvai une solution, pris une décision.

— J'arrive dans cinq minutes, dis-je. Un coup de fil à passer.

Je composais le numéro du club et demandais à parler à l'entraîneur, chassant de mon esprit la scène que Betty ne manquerait pas de me faire le soir même. Homme important, vrai professionnel, je maîtrisais.

— Nous ne pouvons pas venir chercher Jérôme, expliquai-je. Pouvez-vous lui dire de rentrer en bus et lui donner de quoi acheter un ticket ? Il vous le rendra la semaine prochaine.

— Rien de grave ? s'enquit le coach, alerté par mon empressement.

— Non, rien, je vous remercie. Quelques contraintes professionnelles simplement.

— Voulez-vous que je vous le passe ?

— Désolé, je n'ai pas le temps.

— Vous savez, il ne fait pas beaucoup d'efforts en ce moment.

— Ah ? Je discuterai avec lui ce soir. Je vous remercie.

Pourquoi n'ai-je pas parlé à Jérôme ? Pourquoi ne lui ai-je pas clamé que je l'aimais ? Pourquoi n'ai-je pas envoyé balader Sullivan ? En quoi n'était-il pas légitime d'aller chercher mon fils de dix ans, de le raccompagner à la maison, de discuter avec lui sur le chemin comme un père digne de l'amour des siens ?

Ces questions ne cessent de me hanter aujourd'hui.

Et la réponse tombe chaque fois comme un couperet : je n'étais pas un père digne de l'amour des miens.

Quand je me présente à sa table, Moktar el-Fassaoui se lève. Il m'accorde un large sourire et me tend la main avant de m'inviter à m'asseoir face à lui.

— Alors voici l'homme qui va me sauver ! plaisante-t-il pour entrer dans le vif du sujet.

Il est tel que les photos des magazines le montrent : élégant et hautain. Son costume en laine et soie met en valeur son corps élancé ; sa chemise bleue et sa cravate ton sur ton au nœud savamment composé tranchent harmonieusement avec sa peau couleur miel ; ses cheveux défrisés, tenus par du gel, dégagent un visage aux lignes presque parfaites. Ses deux grands yeux me scrutent. Je sais qu'il analyse mon apparence, détaille mes traits, cherchant à me situer dans son échelle de valeurs où la prestance comme la marque de mes vêtements sont révélatrices de distinction. Mais je me suis préparé à l'entretien et rien dans ce qu'il observe ne le fera douter de ma capacité à mériter sa considération.

— Vous avez su m'étonner, monsieur...

— Daniel. Appelez-moi Daniel. Merci du compliment. Je pense que vous ne devez pas être facilement... impressionnable.

— Vous ne m'avez pas impressionné, Daniel. Tout juste étonné, rétorque-t-il, cassant.

J'accepte la nuance.

— Je saurai vous impressionner, si vous me faites confiance.

Il commande un thé, croise les jambes, observe la salle et pousse un soupir de lassitude.

— Très bien. Dites-moi ce que vous me proposez.

— Mon offre est simple. Elle consiste à devenir votre conseiller en communication. Une sorte de coach personnel et attaché de presse qui vous donnera les moyens d'élaborer une nouvelle identité médiatique.

Je sors un stylo de ma poche, une feuille de papier et dessine un triangle.

— Votre réputation actuelle tient à trois composantes : votre image souhaitée – autrement dit ce que vous aimeriez laisser transparaître ; votre image diffusée, soit celle que la presse et les relais d'opinions véhiculent ; et votre image perçue, celle que le grand public reçoit. Dans votre cas, les médias transmettent une image opposée à celle que vous rêveriez d'avoir. Il nous faut donc travailler sur cette partie-là du triangle.

Moktar el-Fassaoui me considère, dubitatif. Ma démonstration ne l'a en rien épaté. Il a vraisemblablement l'habitude de se voir infliger des méthodologies creuses. Mais sa moue ne m'ébranle pas : mon premier objectif est de lui faire croire que je maîtrise parfaitement les techniques de la communication. Après, à moi de pousser l'avantage.

— Très bien. Et vous comptez vous y prendre comment pour rectifier ce hiatus ?

— Votre image se compose d'un prisme complexe. Avec des zones obscures concernant votre activité, votre vie personnelle, vos engagements, qui facilitent la tâche de vos adversaires et permettent aux tenants du discours médiatique de développer des idées à l'encontre de vos attentes. Il est donc obligatoire d'éclaircir certaines d'entre elles.

— Je ne souhaite pas rendre ma vie entièrement transparente.

— Bien entendu. Et ce n'est pas ce que je vous propose. Je veux plutôt mettre l'accent sur les aspects les plus vendeurs afin d'opérer un déplacement du discours et conduire l'opinion vers des voies que nous maîtriserons.

— Vous n'y parviendrez pas. Vous êtes français, ne connaissez sûrement pas la presse anglaise et les leaders d'opinion d'ici. Et quand bien même, ils ne vous suivraient pas, assène El-Fassaoui, laissant vaquer son regard entre les tables du café.

Je le perds. Il commence à regretter de m'avoir accordé du temps.

— En effet. Compte tenu de ces éléments, nous n'y arriverons pas.

Ma sortie le surprend. Il m'accorde à nouveau son attention.

C'est maintenant que ma crédibilité se joue.

— J'ai en fait une stratégie... particulière. Elle consiste à contourner l'écueil. Je vous propose d'édifier cette nouvelle image dans... la presse française. Je vais obtenir des interviews dans des magazines de renom et vous faire rencontrer des personnes influentes. Nous allons élaborer un autre portrait de vous : positif, valorisant. Puis on réinvestira la Grande-Bretagne, forts de cette nouvelle identité que les médias britanniques ne pourront pas ignorer.

Un éclat subtil de ses prunelles me laisse penser que j'ai fait mouche. La proposition séduit sa fierté blessée. Il se voit déjà en train d'évoluer dans les milieux parisiens, de prendre sa revanche à partir du pays du bon goût, du luxe, de la distinction.

— Qui vous dit qu'ils accepteront ce discours ?

— Nous exploiterons les divisions culturelles qui opposent en permanence la France et l'Angleterre. Mais aussi celles qui séparent la presse traditionnelle de la presse *people*. Nous réussirons à séduire certains supports, qui créeront une dynamique nous portant progressivement vers les autres titres.

Il hoche la tête, pensif.

— Vous êtes un personnage étrange, Daniel. Étrange mais sacrément malin.

J'ai gagné un nouveau client. Et peut-être ouvert la voie me conduisant à mon ennemi.

De Londres, j'ai passé quelques coups de téléphone à des amis français.

Le plan de bataille ? Simplissime. Je présente Moktar el-Fassaoui comme un homme d'affaires passionné d'art désireux de financer des projets permettant de promouvoir des artistes inconnus, venus de milieux défavorisés. Culture et générosité, le cocktail doit fonctionner.

« C'est un nouveau mécène. Un homme qui a réussi à sortir de la rue pour se hisser parmi les meilleurs financiers internationaux. Aujourd'hui, il souhaite renvoyer l'ascenseur. Mais comme ces cons d'aristos anglais ne lui pardonnent pas ses origines, il désire investir en France. Il veut donner à des artistes débutants, issus des banlieues, une chance de se faire connaître. »

L'idée fait mouche. Et le vieux – et stupide – fond de rancœur franco-anglais alimente l'intérêt de mes contacts.

Quelques relations influentes ouvrent des portes, suggèrent de personnes susceptibles de m'aider. Une tâche à plein temps qui m'a poussé à confier à Keith le soin de gérer Sparks, moyennant une augmentation substantielle.

L'entreprise comporte un risque. Mettre Moktar el-Fassaoui en relation avec mon agence. Car il doit en savoir le moins sur moi. S'il apprenait que je suis père d'une victime d'attentat islamiste, mon plan s'effondrerait. Il aurait tôt fait de comprendre mon intérêt pour ses problèmes d'image et y verrait un double jeu. C'est pourquoi, aujourd'hui, je dois aborder moi-même le sujet, détourner définitivement son attention de Sullivan et Associés. Je crois tenir la parade. Pas très fiable, mais crédible et temporairement vraisemblable.

Il trône derrière son bureau. Je suis venu faire un rapport sur les premières retombées et il s'est montré satisfait des résultats.

Je tends ma facture. Il l'observe un instant, puis lève vers moi des yeux étonnés.

— Je croyais que vous travailliez pour une agence parisienne. Sullivan et Associés, m'aviez-vous dit.

— En effet.

— Mais alors, pourquoi une facture à votre nom ?

— Parce que vous êtes le premier client de l'agence que je souhaite créer.

Il laisse échapper un petit rire.

— Vous doublez votre patron ? demande-t-il, perplexe. Celui-ci ignore que nous travaillons ensemble ?

— Non, il sait que je suis en relation avec vous. Je lui ai dit que vous étiez un prospect intéressant, mais que j'avais besoin de temps pour vous atteindre.

— Il l'a cru ? s'amuse El-Fassaoui d'un sourire complice.

— Il n'a pas le choix, je suis son meilleur apporteur d'affaires. Et ça colle avec ma personnalité de franc-tireur.

L'homme d'affaires m'observe comme s'il me découvrait pour la première fois.

— C'est un peu... surprenant.

— Un peu. On peut aussi considérer qu'il s'agit de business.

— Je pensais que vous étiez un être moral.

Je hausse les épaules.

— Moral ? Mon métier consiste à habiller la réalité, la travestir, la dissimuler. N'est-ce pas ce que j'entreprends avec vous ?

Il sourit, magnanime.

— Seriez-vous du genre à juger que l'argent n'a pas d'odeur ? Que tous les moyens sont bons pour en gagner ?

Je m'adosse à mon fauteuil et lui oppose un visage impassible.

— Je le pense, en effet. Que croyez-vous ? Je grenouille dans ce métier depuis suffisamment de temps pour avoir vu des fortunes se faire de manière illégale, des délits d'initiés, des abus de biens sociaux, du blanchiment d'argent... Suis-je assez stupide pour rester un simple spectateur, heureux de son confortable salaire, de sa maison avec piscine, de sa BMW neuve et de ses vacances sur des îles paradisiaques ? Je vais vous sembler prétentieux, mais je suis au moins aussi intelligent que tous les hommes riches que j'ai rencontrés. Sûrement même plus astucieux que la plupart. Prenez mon patron : il est assez stupide pour ne pas voir ce que je vaux réellement et croire que je me contenterai encore longtemps de ce qu'il m'offre. Il aurait pu me proposer de devenir son associé, il ne l'a pas fait. Tant pis pour lui. Je dispose de toutes les compétences et toutes les relations pour réussir sans lui. J'ai mis de l'argent de côté, alors avec les honoraires que vous me verserez, j'aurai les moyens d'ouvrir mon agence dans les meilleures conditions.

Le regard perçant d'El-Fassaoui ne cache pas l'intérêt particulier que suscite d'un coup, en lui, son nouveau conseiller en communication.

— Je suis certain que vous y parviendrez, finit-il par me lancer dans un éclat de rire.

J'ai surtout remporté mon pari : jouer le rôle de l'arriviste lui ressemblant suffisamment pour qu'il me reconnaisse comme l'un de ses pairs. Je suis certain qu'en véritable opportuniste il pourrait même envisager de proposer une association. Mais il lui faudra un peu de temps encore, pour m'évaluer totalement.

Néanmoins, je suis sur la corde raide. Car j'ai pris des risques en misant sur cet homme. La vie m'a en effet souvent montré sa capacité à défaire les jeux les plus complexes d'une stratégie en introduisant de l'aléatoire là où tout semblait avoir été pensé et organisé. Mais ai-je pour autant le choix ?

JEAN

Jean entendit un brouhaha venir des autres pièces de l'appartement, puis des pas précipités. Les hommes s'interpellaient, s'agitaient. Il se redressa et s'assit sur le lit, sur la défensive. La peur ressurgit. Comme restée tapie quelque part au fond de lui depuis la scène de l'exécution, elle s'éveilla, intacte, plus affreuse encore.

La porte s'ouvrit brutalement et les gardiens apparurent, montrant des signes d'une nervosité confinant à la panique. Instinctivement, il recula contre le mur et se recroquevilla. Sans s'adresser à lui, les deux hommes sortirent des sacs poubelles et commencèrent à les remplir des objets qui se trouvaient dans la pièce. Ils se parlaient en arabe, se disputant et s'apostrophant durement.

— Qu'est-ce qui se passe ? questionna Jean.

— Toi, ta gueule ! aboya Akim.

— Ça tourne mal pour vous ?

— Tu fermes ta gueule, t'as compris ? hurla à nouveau Akim en pointant un index rageur vers l'otage.

— Vous avez les flics au cul, c'est ça ? Vous vous êtes fait repérer ?

Il avait involontairement posé ces questions avec un sourire narquois, pour ne pas se soumettre trop servilement à l'ordre donné.

Akim réagit violemment. Il tira le pistolet de sa ceinture, se rapprocha de Jean et logea le canon sous son menton.

— Tu vas la fermer, sinon je règle cette histoire une fois pour toutes, O.K. ?

Ses yeux exprimaient de la haine et de la peur. Lagdar se précipita et arracha l'arme.

— Déconne pas ! Allez, calme-toi ! Faut faire vite !

Il expliqua le reste en arabe et Akim accepta de lâcher Jean.

— Écoute, tu finis la pièce et moi je m'occupe de lui, d'accord ? proposa Lagdar.

Akim afficha un sourire mauvais.

— Non, je vais le faire.

L'autre esquissa une moue de désapprobation, mais l'urgence le contraignit à se résigner. Il reprit son rangement, fourrant tout ce qu'il trouvait dans les sacs plastifiés.

Akim saisit du scotch d'emballage, attrapa les jambes de l'otage, les maintint immobiles en s'asseyant dessus et les enfourna dans un sac-poubelle autour duquel il enroula l'adhésif. Il fit de même avec les bras.

Jean tenta de résister mais le geôlier sut le maîtriser. Il scotcha aussi la bouche de Jean et dévida le rouleau autour de sa tête. Après plusieurs tours, le visage du prisonnier ne ressemblait plus qu'à une momie translucide et angoissée dont seule une respiration rapide et désordonnée indiquait un souffle de vie.

Dans sa gangue collante, Jean commença à paniquer. Le rythme de son cœur accéléra comme jamais. Il pouvait l'entendre contre ses tempes, dans ses oreilles. Allaient-ils l'étouffer ?

Akim étira un autre sac-poubelle, dans lequel il passa la tête de Jean, avant de le coulisser le long de son corps et de l'entourer de scotch. Jean s'affola. Il se débattit et sentit l'air chaud qu'il expulsait revenir à ses narines, se transformer en buée épaisse et menaçante. Il tenta de crier, refusant de crever ainsi ! Puis, sentant ses efforts vains, il se relâcha. Ne pas uriner cette fois encore, ne pas les supplier.

Cet abandon dut inquiéter les kidnappeurs, qui se dépêchèrent d'ouvrir le sac et de sortir son visage. Jean goûta l'air frais affluant à ses narines et s'en emplit les poumons.

— Calme-toi, Akim, tu vas trop loin ! cria Lagdar avec le peu de persuasion qu'autorisait sa petite voix. Laisse-le reprendre son souffle. Descendons les sacs d'abord. On reviendra le chercher quand tout sera rangé.

Ils disparurent.

Jean tenta de lutter contre la panique. Momifié de la sorte, ne voyant rien, pouvant à peine respirer, il avait l'impression d'être enterré vivant et de sentir une lourde masse de terre peser sur ses os.

Or ce cauchemar l'avait hanté de nombreuses fois. Surtout quand, ivre mort, il tombait sur le bas-côté d'une route et que son corps semblait aspiré par la terre. Sevré par cette détention, il en arrivait maintenant à distinguer les morts propres de celles, barbares, qui lui présentaient l'enfer avant même que son âme ne s'y rende.

Une mort propre : un accident, une balle dans la tête, une chute fatale. L'absence de conscience de la vie qui bascule. Et pas cette longue agonie, cette lutte inégale du corps et de l'âme contre les affres de l'inconnu et la douleur.

Des sanglots de rage montèrent dans sa gorge et manquèrent de l'étouffer.

Il devait se calmer. La peur représentait désormais son pire ennemi. Il convenait de penser à autre chose, à un ailleurs dans lequel il avait été heureux, à une époque douce où sa vie n'avait pas basculé, de plonger dans les souvenirs dont son esprit rejetait la possibilité.

Car remonter dans le temps signifiait redevenir un autre homme.

Celui d'avant le cauchemar.

Il perçut le son de pas qui venaient le chercher.

Lui, il arpentait un jardin ensoleillé et des rires d'enfants troublaient la quiétude.

La feuille de papier trônait sur le bureau de Suma.

Respectant les conseils de Charles, personne ne l'avait touchée, hormis Éric quand il l'avait nerveusement extraite de l'enveloppe portant son nom.

L'équipe demeurait penchée sur les quelques mots, tentant d'en deviner le sens.

« Quelle est la valeur de cet homme ? » lut Charles pour la troisième fois ?

— Votre avis ? questionna Éric.

— Une blague ! vociféra Isabelle. On se fout de notre gueule depuis le début. On va se faire virer avec ces conneries.

La rédactrice en chef était en proie à une agitation inquiétante. L'appel du cabinet ministériel, la visite d'une équipe de la SOC, la pression de la direction lui avaient fait regretter son enthousiasme initial et l'avaient plongée dans un état de fébrilité tel qu'elle n'avait pas dormi ni mangé et n'arrivait pas à réprimer les petits spasmes qui agitaient subrepticement les coins de sa bouche.

— Calme-toi, Isabelle, s'emporta Éric. Nous ne risquons rien. Nous faisons notre travail d'information, c'est tout.

Un petit rire nerveux lui répondit.

— Parle pour toi ! Moi, je risque tout sur cette histoire. Ma place, ma réputation... même mon divorce ! Si je perds mon job, je n'aurai pas la garde de Lucie et...

Charles intervint.

— Écoute, Isabelle, tu connais ma prudence. Mais je crois qu'Éric a raison : nous devons faire bloc. Nous nous sommes trop avancés pour faire marche arrière maintenant sans risquer le ridicule. Il faut prendre quelques précautions, certes, tout en continuant à faire notre job. Et s'il s'agit d'un canular, on l'annoncera. Moi qui étais d'abord sceptique, je commence à croire que nous sommes devant un véritable enlèvement. Il n'y a qu'à voir le sérieux avec lequel les autorités prennent cette affaire pour le comprendre. Par ailleurs, si c'était un coup monté, je pense que ses instigateurs se seraient dégonflés en découvrant les moyens mis en œuvre par le ministère de l'Intérieur. Or ils persévèrent.

Isabelle, qui avait écouté les paroles de la conscience morale de la rédaction avec attention, parut s'apaiser. L'expérience de ce grand professionnel la rassurait.

— O.K., mais l'appel du ministère est clair : ne rien balancer à l'antenne avant d'avoir leur aval.

— Et puis quoi encore ? Depuis quand on doit faire valider le sommaire du journal par le gouvernement ? hurla Éric. On n'est plus à l'ORTF ! L'époque de la censure de l'info est révolue depuis plusieurs dizaines d'années ! J'ai un scoop, j'en parle quand je veux ! Un point c'est tout !

Isabelle frémit. Elle était tiraillée entre la détermination d'Éric, la crainte de déplaire au pouvoir en place et la trouille de s'embarquer sur un navire sans pilote. Charles posa un regard calme sur la rédactrice en chef.

— Je suis d'accord avec Éric, lui dit-il. On a commencé, on continue. Si nous attendons leur accord, il ne viendra peut-être pas. Ou alors une information filtrera vers une chaîne plus à la botte, et le sujet nous échappera.

Puis s'adressant à Éric :

— En revanche, toi, évite d'en faire trop. L'info, juste l'info. Pas de pathos. Sinon, cette fois, on aura les confrères sur le dos en plus des flics.

Éric ne répondit rien. Il tentait d'organiser ses pensées. Au-delà des considérations déontologiques, il se demandait pourquoi les kidnappeurs s'évertuaient à le choisir comme unique destinataire de leurs messages.

« Antenne dans dix minutes », cria l'assistant de plateau.

— Éric, j'insiste : reste sobre sur ce coup-ci, recommanda à nouveau Charles. L'invité prévu pour commenter la prise d'otage a pris connaissance du message. Donc, contente-toi de le questionner.

— O.K. patron, rétorqua Éric avec un clin d'œil.

Des bruits de moteur, des sons d'accélération, des crissements de freins. Enfermé dans le coffre d'une voiture, Jean était brinquebalé par la conduite brusque du conducteur. L'odeur d'essence le prenait à la gorge ; les à-coups lui donnaient la nausée ; la trouille broyait ses intestins ; ses membres tremblaient d'effroi. Ne plus paniquer, ne plus redouter le pire, reprendre la maîtrise de soi.

Ils avaient dû maintenant emprunter un chemin cahoteux tant ses bras, ses jambes, son dos ne cessaient de se cogner aux parois du coffre. L'envie de vomir ressurgit et la colère afflua. Il hurla, tendant sa gorge, son cou, son menton pour percer le scotch qui retenait ses cris. Il aurait voulu se battre, insulter ses tortionnaires, les défier pour mourir d'une balle dans le crâne. Arriver à s'extraire du coffre pour se fracasser la tête sur un rocher. Il en vint même à regretter qu'ils ne lui aient pas tranché la gorge : il aurait souffert un instant mais serait maintenant ailleurs, plus léger de toutes ces humiliations.

La voiture stoppa enfin. Les portes claquèrent. Le hayon s'ouvrit. Des mains le saisirent, le sortir de son caveau de tôle, le portèrent sur quelques mètres, puis le lâchèrent. Son corps heurta violemment le sol.

Les ravisseurs ôtèrent le sac de son visage. Akim arracha ensuite le scotch autour de sa tête, une lueur sadique dans les yeux. Quand ils ôtèrent son bâillon, il voulut hurler mais suffoqua. Sa tête était devenue une boule de douleur et son esprit vacillait. Comme il allait perdre connaissance, dans un ultime sursaut de conscience, il ouvrit la bouche pour aspirer un peu d'air.

Un vent frais s'engouffra dans ses poumons. Il leva les yeux. Une lumière l'éblouissait malgré la nuit. Akim tenait la lampe. Jean distingua deux ombres derrière lui.

— Salauds ! Espèces de pourris ! hurla-t-il en s'adressant au faisceau aveuglant. Vous n'avez pas le droit de me traiter comme ça !

Ses cris devinrent des sanglots.

— Quel Dieu vous autorise à faire ça ? Derrière quelle morale vous cachez votre pourriture ? Tuez-moi espèces de lâches, tuez-moi !

— On le fera, t'inquiète pas, aboya Akim. Mais pas maintenant. Seulement quand nous l'aurons décidé.

— Et toi, derrière ton masque, lança Jean à l'une des ombres, qu'attends-tu pour donner l'ordre de m'abattre ? Tu veux encore plus d'humiliation ?

Les kidnappeurs ne répondirent rien. Jean, épuisé, se recroquevilla sur le sol pour reprendre son souffle. C'est alors qu'il aperçut, éclairé par la torche, l'endroit où ils l'avaient conduit. Il parvint à distinguer les berges d'un cours d'eau, en contrebas du talus. Et la suite lui parut évidente.

Il balança son corps et le fit rouler. Il sentit l'herbe mouillée et l'odeur sucrée de la terre, la vitesse qui accélérait. Des pierres le cognaient, entaillaient sa chair. Il devina la course des hommes derrière lui. Puis ce fut l'eau. Elle gifla son visage et une lame froide taillada ses membres. Il ouvrit les yeux et vit le ciel étoilé. Puis son dos s'enfonça dans la rivière sombre et le ciel tangua, les étoiles dansèrent.

C'était enfin fini.

Une mort propre.

Une mort d'homme.

« Suite de cette mystérieuse affaire de kidnapping dont nous vous parlions hier. Un message nous est parvenu il y a tout juste trente minutes. »

— L'enfoiré ! Je pensais que tu avais été clair avec la rédactrice en chef ! rugit le ministre.

Frédéric Lesne haussa les sourcils pour traduire son étonnement et son impuissance tout en continuant à fixer l'écran.

— Je l'ai été, je t'assure.

— Je te croyais plus persuasif !

Lesne maudit intérieurement la rédactrice en chef. Il croyait l'avoir suffisamment impressionnée pour que le sujet ne soit pas abordé.

Les deux hommes se turent pour écouter Éric Suma. Qui, en parfait présentateur, adopta un regard sombre et mystérieux.

« Un message étonnant puisqu'il ne réclame rien, mais pose une question. »

Les lignes typographiées sur la feuille blanche apparurent à l'écran.

« Voici ce message : "Quelle est la valeur de cet homme ?" Une seule phrase tapée sur un traitement de texte. Pas de revendication, mais une question qui raisonne comme une énigme. Que veulent les kidnappeurs ? Nous demandent-ils de fixer nous-mêmes le montant d'une rançon ? Ou cherchent-ils à nous mettre face aux dérives de la société en nous interrogeant sur le sort d'un otage qui semble être un sans-abri ? Toutes les hypothèses sont aujourd'hui permises. Rappel des faits avant de revenir au contenu du message. »

Le reportage qui suivait diffusait les images reçues la veille.

— Il me le paiera ! ragea le ministre.

— Nos hommes ont dû arriver sur place pour récupérer le message, annonça Lesne. Isabelle Cochet a assuré qu'il n'avait pas été manipulé. Peut-être pourra-t-on relever des empreintes et...

— Tu rêves ! Ces ravisseurs ont l'air de savoir ce qu'ils font.

Suma reprit la parole.

« Alors, que veulent les ravisseurs ? S'agit-il d'un enlèvement à caractère religieux ou d'un kidnapping crapuleux ? Avec nous, pour en parler, Fabien Goutheraud, spécialiste des affaires de terrorisme et auteur de nombreux ouvrages sur le sujet. »

Un homme fin et élégant, au regard clair, apparut à l'écran.

— Un chercheur, brillant, murmura Lesne. La SOC a parfois recours à ses conseils.

« Je pense que nous sommes en présence d'une réelle menace, commenta le spécialiste. Le phénomène des prises d'otages destinées à financer les mouvements révolutionnaires était, jusqu'à maintenant, circonscrit aux pays aux régimes politiques instables. C'est donc une première dans un pays riche et démocratique. Ce qui doit nous alarmer parce que ça indique que les mouvements extrémistes ne craignent plus nos services de sécurité. Mais aussi qu'ils sont dans une impasse qui les conduit à agir de la sorte.

— Une impasse ? C'est-à-dire ? relança Éric Suma, grave.

— Eh bien, nous payons peut-être la trop grande efficacité des politiques antiterroristes. La surveillance des flux d'argent destinés à entretenir les groupuscules, les saisies d'armes, la répression menée contre les mosquées illégales qui laissaient des imams venus d'Iran ou d'ailleurs répandre l'appel au Jihad et qui, sous couvert de collectes à dimension humanitaire, récoltaient des fonds importants impossibles à contrôler car en espèces, ont sans doute contraint ces clandestins à chercher de nouveaux moyens de financer leurs actions.

— Oui, mais nous ne pouvons quand même pas reprocher aux autorités d'avoir su contenir le développement des réseaux islamistes, reprit Suma. On ne peut pas à la fois se plaindre de l'émergence de tels réseaux et ensuite du combat mené pour les réduire à néant ! »

« Un point pour toi, Suma », pensa Frédéric Lesne.

« En effet, reprit le spécialiste. Cependant, je pense que les autorités ont mal dosé leurs efforts. Au lieu de démanteler les réseaux, elles ont tenté de les étouffer en les privant d'argent. Or les réseaux existent encore mais ils... cherchent des moyens d'entretenir et de développer leur organisation... ailleurs.

— Vous pensez donc que ce message est destiné à obtenir une rançon ?

— Oui. Même s'il est vrai que sa formulation est surprenante. Soit ces hommes nous demandent de fixer le montant de la rançon, ce qui me paraît peu probable, soit ils souhaitent travestir leur acte crapuleux en lui donnant une couleur idéologique.

— Comment le croire ? Car après tout, l'otage, nous ne le connaissons pas. Il paraît s'agir d'un sans-abri, donc quelqu'un sans réelle attache, pourquoi ce choix ?

— Justement. Ils demandent ce que nous sommes prêts à payer pour un homme... sans valeur, si je peux me permettre cette expression. C'est pour eux une manière de nous interpeller sur nos valeurs, sur le sort que nous réservons aux minorités pauvres et isolées. Cette rançon, formulée ainsi, devient un véritable acte de revendication politique.

— Je vous remercie, conclut Éric Suma avant de se tourner pour fixer la caméra. Vous l'avez compris, mesdames et messieurs, les difficultés que présente cette affaire sont nombreuses. Et la principale tient sans aucun doute à l'identité du kidnappé. Les services de police n'ont, semble-t-il, toujours pas identifié l'otage. Pourtant, il est difficilement concevable de penser que personne ne connaît cette silhouette, cette barbe, ces cheveux... Et si personne n'a remarqué la disparition d'un sans-abri dans son quartier, c'est bien un enjeu de société que l'on nous pose. Et alors la question des terroristes prendrait tout son sens. »

Le journaliste annonça le second sujet.

— Putain, voilà un appel à témoin ! commenta le ministre, éberlué.

— Pas explicitement. Mais il est vrai que sa sortie risque d'être prise comme tel.

— À quoi joue ce journaliste ? fulmina le politique. Il veut prendre de vitesse nos services, nous ridiculiser ?

Lesne hésita.

— Non, je ne pense pas. Pour moi, il cherche seulement à assurer le spectacle... et à se faire mousser.

Le ministre se renfrogna.

— Quels sont, actuellement, les enjeux en termes d'image ? demanda-t-il.

Frédéric Lesne marqua un temps de réflexion. La priorité immédiate, pour lui, était de conserver son poste. Ce qu'il allait dire dans les prochaines minutes pouvait le renvoyer à son agence de conseil en communication et aux chefs d'entreprises neurasthéniques auxquels il voulait échapper. Jusqu'à présent, son expérience et son intuition l'avaient fait passer pour l'un des meilleurs professionnels du secteur. Or il savait devoir une part de son succès à la chance. Il s'évertuait à faire croire que la communication représentait une science mêlant techniques de pointe et connaissances occultes et qu'il était de ceux en possédant la maîtrise, mais, en réalité, il avançait à tâtons, improvisait, surfait sur des logiques opportunistes.

— Je pense que nous devons utiliser ce journaliste et pas chercher à le museler, se lança-t-il. De toute façon, il vient de prouver que nous n'arriverons pas à le faire taire. Alors autant le manipuler, l'utiliser dans nos recherches. Tu devrais intervenir dans son journal, montrer que tu es sur le coup. Ainsi, tu légitimes l'inquiétude des Français devant cette nouvelle menace tout en les rassurant sur ta capacité à gérer la situation et à mener des hommes de qualité. Et si on réussit à arrêter les ravisseurs, tu sortiras grandi de cette affaire.

— Et si nous n'y parvenons pas ?

— Tu feras porter le chapeau à un ou deux membres de la cellule de crise et tu les limogeras. Tu feras arrêter quelques membres de groupuscules, démanteler quelques associations islamistes, renvoyer dans leurs pays des imams et nous communiquerons habilement sur ces démonstrations de force. Nous créerons une confusion qui permettra de ne pas entamer ton crédit, le temps que l'opinion publique passe à autre chose.

Le ministre réfléchit quelques secondes.

— D'accord, nous agirons comme ça. Contacte la chaîne et propose-leur mon intervention.

Frédéric Lesne sentit ses muscles se détendre.

Il avait gagné quelques heures de répit.

DANIEL

— Les premiers résultats sont encourageants.

Venant d'El-Fassaoui, il s'agit d'un compliment appréciable.

Devant nous, deux magazines ouverts présentent les articles vantant les qualités d'un mécène généreux et juste.

— « Le Robin des bois de l'art », « Le Pygmalion des banlieues », « Le blues du businessman », dit-il en souriant, égrenant les titres des articles. Quelle connerie ! Et pourtant ces expressions plaisent. Elles paraissent même s'installer. Une idée de vous ou une pure inspiration des journalistes ?

Il feint la distance, mais il est flatté. Il souhaiterait que ces titres, baume sur son orgueil blessé, aient été inventés par la presse, qu'ils constituent le pur reflet de sa personnalité enfin reconnue. Lui mentir ne servirait à rien, il percevrait ma duperie. Et mon objectif ne consiste pas à lui faire plaisir gracieusement mais à le forcer à admirer mon savoir-faire.

— Disons que je souffle quelques mots et qu'ils ont le sens de la formule pour les restituer.

— Je vois. Mais tout de même... comment peuvent-ils tous abonder dans le même sens ? O.K., cette opération me tient à cœur et je ne pense pas qu'il s'agisse d'une première. Mais l'action ne justifie pas une telle réaction. Comment êtes-vous parvenu à...

Il esquisse un geste au-dessus des revues.

— Simplement, le bon argument au bon moment. Du marketing médiatique en quelque sorte. Le contexte politique nous porte. Dans l'esprit des Français, certains mots font mouche, comme des espèces de tags : banlieue, action sociale, égalité des chances, rééquilibrage, réussite... Et moi j'offre aux journalistes l'opportunité de parler des banlieues avec un angle différent et positif.

El-Fassaoui hoche la tête, pensif, un rictus exprimant sa circonspection.

— Et la vieille rancune que les Français entretiennent vis-à-vis de leurs voisins anglais nous sert. On ne vous aime pas en Grande-Bretagne ? C'est un atout en France. Ces articles prouvent que les Anglais ne savent reconnaître ni la vraie valeur des choses ni celle des êtres.

Je souris, il m'imite. Cet argument le touche.

— D'accord, mais si vous faites de moi le symbole de cette incompréhension, les leaders d'opinion britanniques me détesteront plus encore.

— En effet. Il s'agit donc d'une tactique provisoire. Nous ne devons pas occuper unilatéralement et exclusivement ce territoire de communication. Au contraire, dès maintenant vous allez vous présenter comme un sujet assumé de la couronne anglaise. Nous allons ainsi travailler sur un discours à travers lequel vous revendiquerez votre identité anglaise, votre nationalité, vos valeurs britanniques.

Il fait courir son regard sur un imaginaire horizon, prenant le temps d'évaluer ma proposition.

— La presse française n'y croira pas, assène-t-il enfin. Elle va trouver mes vieux dossiers. Ou leurs confrères anglais vont les leur passer.

— Sans doute. Nous évacuerons alors les sujets polémiques en les réduisant au statut de rumeurs portées par quelques conservateurs à l'esprit étroit. Si la vague de sympathie et le réseau de relations créés au préalable sont aussi forts que je l'espère, nous pourrons nous opposer à ce contre-feu sans problème.

Il plante ses yeux sombres dans les miens, jaugeant ma conviction.

— Ce ne sera pas facile, c'est vrai. Cette seule opération ne suffira pas. Il faudra vous transformer en *people* en vue. Nous devrons donc faire le jeu des magazines spécialisés.

— Jusqu'où ?

— Une histoire d'amour avec une actrice ou une chanteuse appréciée, par exemple. Une fille aimée du public, que vous couvrirez de cadeaux. Une romance. Un beau sujet pour faire de vous le prince charmant d'un conte des *Mille et Une nuits.*

Il éclate de rire.

— Je pourrai choisir ?

— Dans une certaine mesure, dis-je froidement, le laissant seul à son hilarité.

Il ravale son rire et m'offre un sourire complice.

— Vous êtes très fort, Daniel. Mais j'aimerais vous poser une question : pourquoi faites-vous cela ? L'argent ? L'amour de votre métier ? La difficulté du challenge ?

J'adopte son attitude et laisse mon regard flotter derrière lui l'espace de quelques instants, lui donnant à penser que je cherche une réponse intéressante. Mais cette réponse est déjà préparée. Elle fait même partie de mon plan. Et sa réaction me dira si j'ai eu raison de miser sur lui.

— L'argent, bien sûr. Je l'ai admis. Je veux créer mon agence. Or je sais que vous connaissez des hommes influents auxquels vous me recommanderez si vous êtes satisfait. Je veux gagner beaucoup. Peu importe la cause et sa difficulté. Au contraire même : plus la cause est difficile, plus elle m'intéresse.

Ses yeux s'activent. Il envisage mentalement les noms de ceux qu'il pourrait me présenter. Il ne me reste plus qu'à l'inciter à s'arrêter sur quelques-unes de ses fiches. Une en particulier.

J'esquisse un sourire crâneur.

— Si vous connaissez Ben Laden, par exemple, dites-lui que je suis capable de le faire passer dans l'opinion publique française du statut d'ennemi public numéro un à celui de rebelle héroïque.

D'un coup, son visage devient grave. Peut-être suis-je allé trop loin ? Peut-être devine-t-il mes intentions ? Non, pas de parano. Il lui est impossible d'avoir compris.

— Moyennant quelques millions de dollars, bien entendu.

Il éclate alors d'un rire fort.

J'ai avancé d'une case.

L'appel de Pierre me surprend. Me désoriente aussi.

— Papa... quand rentres-tu ?

Je crois d'abord qu'il s'agit d'une simple question. Celle d'un garçon se languissant de son père parti en voyage d'affaires. Comme avant.

— Je ne sais pas, Pierre. J'ai encore pas mal de travail tu sais, et...

— Je m'en fous ! Il faut que tu rentres !

Il tente d'étouffer les sanglots qui menacent la clarté de sa voix.

— Que se passe-t-il ? Quelque chose de grave est arrivé ?

Il ne répond pas tout de suite.

— Oui, mon frère est mort, ma mère pleure tout le temps et mon père est jamais là ! crie-t-il, essayant de noyer sa peine sous un flot de colère.

Mon cœur implose et je murmure « mon amour ». Soudain, l'envie de prendre un avion sur-le-champ, de courir vers lui, de le serrer dans mes bras m'assaille.

— Je sais que c'est dur pour toi, mon cœur.

Je l'entends renifler.

Que puis-je ajouter ? Plus tard, il possédera les informations qui lui permettront de comprendre. En vérité, en suis-je certain ?

Oui, je le suis. Je dois l'être. Il m'est impossible de penser différemment.

— J'ai quelque chose à terminer ici. Je ne peux pas laisser tomber. Pas maintenant.

— Quelque chose de plus important que maman et moi ?

Ce reproche cinglant, j'ai du mal à l'encaisser.

— Non. Mais cela vous concerne aussi. Je ne peux pas t'en dire plus. Je t'en prie, ne me pose pas de question.

Il ne répond rien.

Je sais le courage dont il a fait preuve en me téléphonant, lui, si réservé, si peu prompt à témoigner son affection. Qu'il a dû souffrir en songeant à cet appel ! Hésiter devant l'appareil, chercher les mots à employer pour exprimer son désespoir et celui de sa mère ! Mon petit garçon timide et courageux...

Alors un élan de tendresse et de reconnaissance me pousse à me dévoiler un peu plus.

— Je peux te parler d'homme à homme, Pierre ? Te dire quelque chose qui restera entre toi et moi ? Quelque chose qui n'aura pas de sens tout de suite, mais qui, dans quelque temps, te paraîtra évident et répondra à toutes tes interrogations ?

— Elle est bizarre ta question, marmonne-t-il en reniflant.

— Je le sais. Mais tu dois me promettre d'écouter ce que je vais te dire, de le retenir... et de n'en parler à personne.

— Mmmh...

— Non, je veux que tu me dises clairement que je peux, que j'ai ta parole d'homme. Dis-moi : « Tu as ma parole d'homme, papa. »

— Mais...

— Dis-le-moi, Pierre.

Il hésite puis lâche sa promesse dans un souffle.

— Je suis ici pour redonner un sens à notre vie. Vous pensez que je travaille pour gagner de l'argent ou pour oublier, mais c'est faux. Je ne veux pas oublier. Je suis ici pour ne jamais oublier.

Il tente de déchiffrer mon message.

— Ça veut rien dire tout ça, papa.

— Oui, aujourd'hui, ça ne veut rien dire. Mais bientôt, tu repenseras à ces mots et ils auront un sens. Je te le promets. Et tu sauras alors à quel point je vous aime.

Peut-être a-t-il l'impression de se faire flouer. Peut-être m'a-t-il cru. Comment le savoir ? Mais je dois le laisser. Sa peine fissure mon armure.

— Tu es maintenant l'homme de la famille. C'est à toi de t'occuper de ta mère, mon amour.

— Tu ne vas pas revenir ?

Du désespoir perce dans sa demande. Comme une manière de crier : « Non, pas toi aussi ! » Mon cœur vient cogner dans ma gorge.

— Occupe-toi de maman. Et retiens bien une chose : ce que je vais faire, c'est pour toi, pour maman, pour moi et... pour Jérôme.

Il sanglote.

— Papa, je comprends rien. Je sais pas de quoi tu parles. Je comprends plus rien depuis que Jérôme est... parti.

— Ne pleure pas, mon amour. Ne pleure pas ! Tu comprendras plus tard, je te l'ai promis. Ne parle pas de notre conversation. À personne, tu entends ?

— Mais que veux-tu que je dise ? J'ai rien compris !

Il hurle maintenant.

— Je veux juste que tu reviennes ! Je veux que maman arrête de pleurer ! Je veux qu'on redevienne une famille comme les autres ! Comme avant !

Une larme glisse au coin de ma bouche sans que je l'aie sentie couler.

— Ce n'est plus possible, mon fils. On ne peut pas revenir en arrière.

Je regrette aussitôt ces paroles, ne pouvant lui ôter tout espoir de vie normale.

— Pourquoi tu dis ça ? On peut si on essaye ! Reviens.

— J'ai ta parole d'homme que tu ne raconteras pas notre

conversation, n'est-ce pas mon cœur ? Pardonne-moi le mal que je te fais, je t'en supplie, pardonne-moi. Pas aujourd'hui, pas demain, mais lorsque tu comprendras enfin mes paroles. Ta parole d'homme ?

— JE SUIS PAS UN HOMME !

Je raccroche. Je ne dois plus l'entendre. Il aurait eu raison de ma détermination. Je l'imagine, le téléphone à la main, désespéré par la cruauté de son père. Blessé que je puisse ainsi le renvoyer à ses problèmes, lui faire regretter son appel. Sûrement va-t-il m'en vouloir. Me haïr plus encore.

— Salauds ! Pourris !

Je jette ces cris vers le plafond de ma chambre d'hôtel pour offrir un exutoire à ma douleur. Ne pas la laisser tourner encore et encore en moi, enflammant mes organes, mon esprit pour me rendre plus exalté encore. Je hurle mais ne me vide pas de ma force, ni de ma détermination.

Juste un peu de ma souffrance.

Aujourd'hui, j'ai eu le sentiment d'être épié. Je sortais de l'hôtel. Il était six heures du matin. J'allais marcher un peu pour évacuer les effluves d'alcool qui opacifiaient ma raison et dissoudre mes sombres pensées dans la lueur du jour. Et il m'a semblé percevoir une présence derrière moi. Après quelques dizaines de mètres, je me suis brusquement retourné. J'ai cru voir une ombre disparaître sous un porche. J'ai couru mais n'ai trouvé personne.

L'impression d'une surveillance ne m'a pas quitté de la journée. Est-ce juste une conséquence de mon éthylisme ? Je l'espère. Car la seule pensée d'avoir été repéré par les hommes du cheikh me fait frémir d'angoisse. Je suis le chasseur ! Il est la proie ! Et je ne suis prêt à aucune autre configuration guerrière. S'ils m'ont découvert, alors je tenterai le tout pour le tout. Car seul le résultat comptera. Se peut-il qu'ils m'aient repéré ? M'ont-ils vu les observer de ma fenêtre ? Impossible, je me montre d'une prudence extrême. Ou alors... ai-je été moins vigilant durant l'une de mes périodes d'ivresse ?

Cette éventualité m'effraie, mais je dois l'envisager. Combien de fois me suis-je réveillé sans me souvenir de la soirée de la veille ? L'alcool, libérant ma haine, m'aurait-il conduit à exprimer mes sentiments, à me dévoiler, à me trahir ? J'imagine des scènes terribles dans lesquelles j'ouvre la fenêtre et hurle mon dégoût, laisse mon agressivité prendre la forme de propos orduriers. J'imagine ou je me souviens ? Je ne sais. La scène est tellement plausible qu'elle en devient réelle, comme ces cauchemars dans lesquels je vois Jérôme être déchiqueté et m'appeler.

Le désordre de mes sens est tel que je peine de plus en plus à distinguer la réalité de l'imaginaire. La douleur et la haine tissent des fils poisseux entre ces deux états, provoquant des courts-circuits capables d'abattre les minces cloisons séparant encore mes perceptions et ma raison. Mon cerveau est, ces soirs-là, une masse de neurones suintant un liquide visqueux dans lequel s'enlisent mes contraires.

Seul avantage de cette prise de conscience : la crainte d'avoir dévoilé mes plans malgré moi me dope d'une nouvelle énergie, l'urgence.

JEAN

Jean éprouva une douce sensation de flottement. Comme si une brise bienfaisante s'était engouffrée en lui et caressait son âme. Était-ce cela, la mort ?

Mais, l'instant d'après, un feu ardent embrasa ses poumons et il se mit à tousser. Privé d'air, il se redressa, ouvrit les yeux et la bouche pour appeler la vie. Lentement son souffle revint et espaça les quintes.

Les trois complices l'entouraient, visiblement soulagés de le voir reprendre vie.

Il sentit les hommes défaire ses liens puis le porter. Les sons lui parvenaient de loin. Ils ne marchèrent pas longtemps puis laissèrent tomber son corps sur le sol.

Ses muscles se détendirent et il s'abandonna à l'absence qui l'appelait. Sans savoir s'il s'évanouissait ou seulement s'endormait.

— Nous avons reçu des centaines d'appels ! Des milliers même !

Clara venait d'entrer dans le bureau, interrompant la conférence de rédaction.

— Quel genre ? s'enquit Charles.

— Pas mal d'allumés. Le SDF a été vu partout en France.

— Normal, marmonna Charles. Qu'est-ce qui ressemble le plus à un vagabond qu'un autre vagabond ?

— Merde ! Je comptais sur cet appel à témoin pour l'identifier avant la prochaine édition, fulmina Éric. On a fait 30 pour cent de parts de marché hier. On a presque failli griller le journal de France 2. Si on ne donne pas de nouvelles infos, on risque de tout perdre !

— Je n'aime pas t'entendre parler comme ça, rétorqua Charles. Peu importe la compétition. Si nous faisons proprement notre job, nos efforts seront récompensés. On bosse dans l'info, pas dans le spectacle.

— Oui, bien entendu, grommela Suma. Nous devons rester sur le coup. Être les premiers.

— On le sera. De toute façon, si les ravisseurs continuent à te désigner comme le seul destinataire de leurs messages, nous conserverons l'avantage du scoop. D'ailleurs, as-tu idée de la raison pour laquelle ils t'ont choisi ?

— Absolument pas. Et ça m'intrigue.

— Je pense qu'ils ont misé sur la position d'outsider de la chaîne, proposa Isabelle. Ils pensent que nous sommes plus réactifs.

— Dans ce cas, ils auraient envoyé le DVD et le message à la chaîne, pas nominativement à Éric.

— Éric est le porte-étendard de l'info ici. Il n'est pas personnellement concerné. D'ailleurs, son passé plaide contre lui, argumenta la rédactrice en chef.

— C'est-à-dire ? gronda brusquement Suma, agressé par la remarque.

— Ne le prends pas mal, mais il y a quelques années tu as traité une affaire de prise d'otages en prenant assez ouvertement position contre les islamistes.

— T'as rien compris ! J'avais relaté l'information telle qu'elle m'apparaissait devoir l'être. Pourquoi est-ce que tu sors les vieux dossiers ?

— Éric, s'exaspéra Isabelle, ne me la fais pas ! Tu sais bien que je dis vrai ! Ça t'a valu ta place !

— Attends, c'est pas parce qu'une certaine presse a présenté l'affaire comme ça, que c'est vrai. Et c'est moi qui ai décidé de partir. Rien de plus. Trop de pression et...

— Arrêtez vos conneries ! tonna Charles en tapant du poing sur la table. On se fout du pourquoi et du comment. C'est de l'histoire ancienne. Restons concentrés sur le SDF.

Éric et Isabelle se jaugèrent un instant, les mâchoires crispées, les nerfs à vif. Le téléphone de la rédactrice en chef retentit et elle s'isola pour répondre.

Charles adressa un clin d'œil à Suma pour l'assurer de son soutien. Ce dernier se leva, se servit un café et se planta devant la baie vitrée qui donnait sur la Seine. La colère ne retombait pas. Isabelle avait raison, il le savait. Et c'est justement ce qui l'agaçait. Pourquoi avait-il été choisi par les islamistes alors qu'il avait eu la dent dure contre eux autrefois ?

Isabelle raccrocha et s'approcha des deux hommes, souriante.

— C'était l'homme de *com* du ministre de l'Intérieur, annonça-t-elle.

— Pas content ? demanda Charles.

— Même pas ! Plutôt... compréhensif et conciliant.

— Et ?

— Et la prochaine édition va faire un tabac, le ministre de l'Intérieur propose de nous rendre visite. Une interview exclusive !

Le poignet gauche menotté à un radiateur, près du lit sur lequel il était allongé, Jean détaillait sa nouvelle cellule. Elle ressemblait à la précédente mais avec des murs nus qui laissaient apparaître de vieilles pierres humides sur lesquelles des taches de moisissure proliféraient. Il observa ses vêtements. Ceux-ci portaient encore des traces de boue mais ils étaient secs, laissant penser que son plongeon remontait à quelques heures déjà. Des ecchymoses marbraient sa peau.

Il se sentit las. Le combat contre ses kidnappeurs était inégal.

Mais celui qu'il menait contre le manque d'alcool et contre lui-même était autrement plus violent. Les premiers jours de sevrage étant passés, sa raison reprenait le dessus sur les douleurs immédiates de l'organisme en manque. Et se retrouver face aux tourments de son âme plus que de son corps s'avérait bien plus pénible. Car que voulait-il au juste ? Mourir ou vivre ? Il devait, contraint et forcé par la détention et la cure obligée, mettre de l'ordre dans ses idées. Comprendre ses réactions durant ces derniers jours. Puis remonter lentement et explorer les années d'avant avec la même lucidité. Pas de misérabilisme, de compassion, juste un peu de raison. Mais où puiserait-il la clairvoyance nécessaire ? Les événements allaient trop vite. Son histoire lui échappait encore.

Il y avait ces hommes, cette torture mentale, la lutte contre l'absence d'alcool, contre la peur, contre la mort. Mais il lui fallait aussi réagir sur un autre front, recommencer à penser sa vie. Ne pas laisser ces barbares, une fois de plus, avoir raison de lui.

Il devait se battre.

Je le ferai pour toi

Pas pour vivre, ou pas seulement, mais pour vaincre ses ennemis.
La fuite, peut-être.
Un ultime combat.
Ensuite, il aviserait.
La mort ou la vie ? C'est lui qui choisirait.

Le journal venait de prendre fin.

Éric s'avança vers le ministre.

— Je vous remercie de cette invitation, dit ce dernier en lui serrant la main.

— Ce fut un plaisir, monsieur le ministre.

Ce début d'échange lui donna envie de sourire. Mais certaines formules devaient être prononcées.

— Qu'avez-vous pensé de mon intervention ? interrogea le politique, sur le ton de la confidence et en lui prenant le coude pour l'entraîner loin des techniciens qui rangeaient le plateau.

— Elle était parfaite. Vous avez eu le ton ferme que les Français attendent de vous.

Le ministre acquiesça, pensif.

— Cette affaire tombe mal, vous l'avez compris. Nous sommes à moins d'un an de l'élection présidentielle.

La conversation prenait une tournure délicate. Éric fronça les sourcils et accorda toute son attention à cette discussion possiblement périlleuse.

— Vous êtes un homme d'expérience, M. Suma. Vous savez que certaines situations comportent des risques apparents et d'autres plus sournois.

Aïe, songea le journaliste. Bientôt les menaces.

Le ministre planta son regard dans le sien.

— Vous-même, il y a quelques années, avez fait les frais d'une situation dont les risques avaient été mal évalués, d'après ce que je sais.

Éric ne broncha pas. Il fit un effort pour ne pas baisser les yeux et ne rien laisser paraître de ses sentiments. Les hommes de pouvoir jugent leurs interlocuteurs à leur maîtrise des émotions.

— Une seconde affaire te serait fatale, je pense.

Éric bloqua sa respiration pour endiguer l'agitation qui gagnait son visage. Le brusque tutoiement traduisait une connivence doucereuse et dangereuse car elle cachait mal la mise en garde. Mais son expérience d'homme de télévision lui permit de conserver sa placidité. Il osa même un petit sourire. Le ministre évaluait sa détermination, sa force de caractère. S'il flanchait, il lui faudrait déployer des tonnes d'efforts pour regagner le niveau d'estime qu'il était censé inspirer au politique.

— Je vais te faire une proposition, Éric. Tu permets que je te tutoie, n'est-ce pas ?

Le ministre se rapprocha pour bien appuyer le caractère confidentiel de ce qu'il allait dire. Éric en profita pour avaler quelques bouffées d'oxygène.

— Nous allons travailler ensemble et tenter de sortir grandis tous les deux de cette affaire. Ta chaîne et toi vous allez nous confier les informations que vous recevrez et nous vous donnerons la primeur de celles que nous découvrirons. Nous allons établir un plan de communication et tenter de nous y tenir.

Éric s'éclaircit la voix pour répondre, mais le ministre leva la main.

— Je sais ce que tu vas me dire : liberté de la presse, déontologie journalistique, etc. Mais, ne t'inquiète pas. Je ne cherche pas à vous brider. Je veux juste être certain de ne pas être mis dans une position délicate. Comprends-moi. Tu es le premier informé. Le ton que tu donnes à l'information influence celui des autres médias. Donc le rôle que tu me feras jouer dans cette histoire sera déterminant pour mon image. Nous sommes face à une situation complexe dont nous maîtrisons peu de paramètres. Elle peut nous exploser au visage à tout moment. Comme moi, tu peux toi aussi tout perdre en un instant. Tu as pris des risques dès la réception de ces images. J'apprécie ton courage et la manière habile avec laquelle tu as su gérer le dossier... et même, en tirer un profit. Tu es un roi de la *com*, qui plus est quelqu'un qui as appris de ses erreurs passées. Je ne te demande donc pas de te taire ou de porter mes messages, mais de me prévenir des informations que la chaîne et toi vous posséderez et de la manière dont vous les traiterez. Je ne veux pas être pris au dépourvu.

— Je comprends, monsieur le ministre, murmura le présentateur d'une voix neutre en conservant un vouvoiement de déférence montrant qu'il tenait, lui, à conserver ses distances.

— Je sais que vous comprenez, M. Suma, répliqua l'autre sur le même registre. Je sais aussi que vous avez des ambitions autres que celles de présenter un journal télévisé sur une petite chaîne jusqu'à ce que la retraite vous pousse à partir...

Le ministre maintint ses yeux plantés dans ceux d'Éric pour laisser les sous-entendus s'insinuer.

— Restons-en là pour l'instant, continua-t-il. Voici le numéro de téléphone de Frédéric Lesne, mon conseiller en communication. N'hésitez pas à le solliciter pour obtenir les informations dont vous pourriez avoir besoin. Il a ordre de vous les fournir dans les plus brefs délais.

Éric prit la carte et la rangea dans la poche de sa veste. Puis raccompagna l'invité à la porte du studio.

Une fois le ministre parti, il se rendit rapidement à la régie où Isabelle l'attendait.

— Tu as tout ? lui demanda-t-il.

Elle appuya sur un bouton, ouvrit le chargeur DVD et agita la galette devant les yeux d'Éric.

— Notre assurance chômage ! déclara-t-elle. Mais j'espère que tu sais ce que tu fais.

— Au moins, grâce à ça, si ça tourne mal, nous aurons un moyen de nous en sortir...

DANIEL

Ma chambre a été visitée. J'en ai l'intime conviction. De bonne heure, je suis sorti faire quelques pas. Et cette fois encore, il m'a semblé qu'un homme me suivait. J'ai essayé de ralentir le pas, suis entré dans une boutique, mais je n'ai aperçu personne. Je me suis calmé avant de revenir vers mon hôtel. Et là, en entrant dans la chambre, j'ai cru déceler un parfum étranger. J'ai fait le tour de la pièce sans rien repérer d'anormal. Pourtant, je suis persuadé qu'une personne est venue en mon absence. J'ai regretté ne pas avoir photographié mentalement la disposition de chaque objet.

Peut-être était-ce seulement une femme de ménage ou un garçon d'étage ? Ou la sécurité de l'hôtel, intriguée par l'attitude du client bizarre que je suis.

Je me suis rendu à l'accueil.

— Quelqu'un m'a-t-il demandé ? ai-je questionné d'une voix trop excitée.

— Personne, monsieur, fit le concierge avec un accent parfait.

— Savez-vous si un membre du personnel est entré dans ma chambre ?

Le jeune homme a rajusté ses lunettes et m'a lancé un regard inquiet.

— Quel est le problème, monsieur ? Quelque chose vous a été dérobé ?

— Non. Répondez à ma question, s'il vous plaît.

— Je ne sais, monsieur. Mais je peux me renseigner. Peut-être un membre du service entretien.

— Tâchez de le savoir. J'attends votre appel.

Les yeux du réceptionniste se sont agités derrière ses lunettes.

— Je reviens vers vous aussi vite que possible, monsieur, a-t-il promis sur un ton révérencieux et néanmoins inquiet.

Remonté dans ma chambre, j'ai arpenté chaque mètre de moquette pour tenter de dénicher l'indice d'une présence étrangère. En vain.

Le téléphone a sonné et le réceptionniste m'a rassuré : aucun membre du personnel n'avait pénétré dans ma chambre.

— Monsieur, si toutefois quelque chose d'anormal s'était produit, je vous serais reconnaissant de nous prévenir afin que la sécurité enquête.

Est-ce un nouveau tour de ma parano ? Ou juste l'expression de cette angoisse que j'ai de plus en plus de mal à contenir ?

Quoi qu'il en soit, j'ai encore attiré l'attention du personnel de l'hôtel. Grave erreur.

Il pose sa tasse de thé, parcourt du regard la salle du pub puis glisse la main dans sa poche. Il en sort une enveloppe et me la tend.

Je la prends, l'ouvre et vérifie. Il sourit en constatant ma méfiance. Je me doute que l'homme ne s'amuserait pas à me tromper, mais ma supposée cupidité doit apparaître. Il ne doit plus voir le professionnel froid mais l'être avide et manipulable.

— Je suis très content de vos services, lâche-t-il tandis que je range l'enveloppe contenant son chèque.

— J'en suis certain. Les résultats sont probants. Nous avançons plus vite que je ne le prévoyais.

Il acquiesce en silence.

Cette semaine, l'ambassade de France à Londres l'a invité à un vernissage. Il y rencontrera tous les Britanniques introduits dans le monde de la culture et se réjouit déjà de voir leurs réactions quand ils le découvriront parmi les convives.

Un carton envoyé grâce à une relation de mon réseau politique. Sans peine en vérité, tant les articles parus en France sur le nouveau mécène suscitent d'innombrables convoitises dans les milieux à la recherche de riches donateurs.

— J'ai peut-être une autre mission, autrement plus difficile, à vous confier, lance-t-il d'un coup, énigmatique.

Je ne réponds rien, attendant qu'il se dévoile plus.

— Une mission qui pourrait vous faire gagner beaucoup d'argent. Et vous permettre de créer votre affaire dans les meilleures conditions.

— Acceptons-en l'augure. De quoi s'agit-il ?

Il se penche un peu vers moi.

— Vous souvenez-vous de notre conversation sur votre capacité à gérer les cas les plus complexes ?

Il m'offre un large sourire de connivence, comme si nous étions deux étudiants partageant le souvenir d'une soirée mémorable.

— Vous parliez même de vous occuper de la communication de... Ben Laden, continue-t-il.

Je sens mon cœur s'accélérer, ma respiration se bloquer, mais je fais des efforts pour ne pas montrer mes émotions.

— Vous l'avez retrouvé ? Ce n'est pas trop tôt...

Ce trait d'humour lui arrache une moue faussement désolée.

— Non. Cependant, une de mes relations a besoin de vos services.

Il guette ma réaction un instant avant de lâcher :

— Connaissez-vous le cheikh Fayçal ?

Je reste silencieux. Un malaise m'envahit. La sensation d'avoir déjà vécu ce moment émerge en moi. Comme l'écho des scènes que j'avais imaginées, le choc de l'instant où la réalité rencontre le fantasme provoque en moi une infime confusion. Je dois me ressaisir. Ne pas ruiner mes chances de parvenir à mon but. Demeurer imperturbable. Trouver une réponse, vite !

Mon esprit tangue. Vais-je parvenir à assumer mon rôle jusqu'au bout ?

— Le chef religieux ?

J'ai baissé les yeux, ma voix a légèrement tremblé. S'est-il aperçu de mon trouble ? Je porte la tasse de café à mes lèvres et la chaleur du liquide rencontre la colère froide qui m'étreint. Une colère contre l'imbécile que je suis, contre mon incapacité à me maîtriser en cet instant si longtemps attendu. Je viens peut-être de ruiner ma seule chance de rentrer en contact avec le cheikh. Mais je parviens à me ressaisir. Trop tard ? Je lève les yeux sur mon interlocuteur. Pourquoi ne répond-il pas ? Il semble soudain absorbé par une scène à l'extérieur du pub et paraît préoccupé.

— Ne restons pas là, dit-il enfin. Allons faire quelques pas.

Il sort un billet, le pose sur la table et se lève.

— Il y a un problème ?

— Non, répond-il. Mais je préfère que nous parlions en marchant.

Il continue d'observer la rue, inquiet.

Nous nous retrouvons sur le trottoir. Son chauffeur sort de la voiture. El-Fassaoui s'approche et lui murmure quelques mots. Le chauffeur opine, regarde la rue alentour et entre dans le véhicule.

Moktar me prend le bras.

Je ne dois pas trembler.

— Allons par là, dit-il en m'entraînant.

La Jaguar démarre et nous suit au ralenti.

— J'ai parlé de vous à cheikh Fayçal, confie-t-il. De votre professionnalisme. De ce que vous avez réalisé pour moi. Il m'a dit être intéressé par vos services.

— Je vous en remercie. Mais quel est son problème ?

— Vous n'êtes pas sans savoir qu'en Angleterre la compréhension traditionnelle envers les groupes religieux a changé. Auparavant, ils jouissaient d'une totale liberté d'expression, mais depuis les prises de position de certains contre la participation de la Grande-Bretagne à la guerre en Irak puis les attentats de Londres et ceux de Paris, la donne a évolué. Ils sont désormais surveillés, contrôlés, haïs par une grande partie de l'opinion publique.

— Je sais tout cela. Il faut d'ailleurs avouer que les propos tenus par le cheikh ont été assez... véhéments. On le suspecte même d'être à l'origine de certains attentats.

— Foutaises ! s'emporte Moktar. Il est vrai que quelques chefs religieux ont une fâcheuse propension à parler durement de l'Occident et à fustiger le gouvernement britannique, mais il ne s'agit pas d'acteurs. Leur objectif est simplement d'être entendus par les musulmans, de créer une réaction identitaire capable de souder les différentes familles religieuses afin de construire le socle d'un mouvement politique fort, s'appuyant sur une prise de conscience des injustices qui frappent nos frères à travers le monde.

Ses propos m'exaspèrent. Me prend-il pour un imbécile ? Croit-il vraiment que je suis dupe, que je considère moi aussi cette guerre idéologique comme une simple querelle d'opinions ? Ou pense-t-il simplement que ma cupidité a pris le pas sur ma morale ? L'idée me révolte, même si c'est moi qui l'ai suscitée.

— Il est vrai que leurs propos sont toutefois très... durs, concède-t-il, comme s'il avait lu dans mes pensées. Mais vous êtes un homme de communication et vous savez à quel point il est parfois nécessaire de durcir le ton, de forcer le trait, d'exagérer le discours pour arriver à se faire entendre. D'ailleurs, si les médias relaient les propos de ces hommes, c'est pour leur dimension provocatrice. Entendez-vous parler de tous ceux qui prêchent la non-violence, le respect des lois du pays d'accueil, la fraternité entre les religions ? Non. Pourtant, ils représentent 99 pour cent des musulmans d'Occident. Les médias sont complices de ce jeu.

— Sans doute. Mais que souhaite le cheikh Fayçal ?

— Il souhaite... faire passer son message sans que celui-ci soit parasité par la forme, disons, guerrière de ses propos.

Je m'arrête de marcher et le dévisage.

— Je ne comprends pas.

— Cheikh Fayçal est présenté partout comme un chef terroriste, un homme sanguinaire et le responsable de nombreux attentats. Certes, c'est une image, comment disiez-vous... souhaitée et à la fois perçue. Le problème est que cette image ne sert plus ses intérêts alors qu'elle continue à vampiriser son message. Or son objectif est que celui-ci soit relayé auprès de ceux qu'il veut convaincre. Disons donc que son image souhaitée a changé.

Il m'adresse un sourire complice auquel je réponds avec un temps de retard.

— J'ai bien appris ma leçon, n'est-ce pas ?

— En effet. Mais j'avoue ne pas comprendre sur quoi le cheikh veut communiquer.

— Il vous l'expliquera lui-même. Disons qu'il s'agit d'un message... humaniste, comme il le déclare lui-même.

Je n'ai pu m'empêcher de tressaillir. A-t-il senti les muscles de mon bras se contracter ? Il jette un coup d'œil dans ma direction, un air narquois sur ses lèvres.

— Vous sentez-vous prêt à relever ce défi et accepter cette mission ?

J'esquisse un geste pour dire mon accord.

— Bien entendu.

— Parfait. Êtes-vous disponible mercredi à 17 heures ?

— Je le serai.

— Rejoignons-nous dans le pub où nous nous sommes rencontrés la première fois. Quinze minutes avant le rendez-vous. Je tiens à vous le présenter personnellement, m'étant porté garant de votre professionnalisme et de votre intégrité.

Je lui sers la main. Sa voiture arrive à notre niveau et s'arrête. Le chauffeur sort rapidement et lui ouvre la porte.

Je suis sur le point de m'éloigner quand il m'interpelle :

— Daniel ? Je sais qu'au fond de vous la cause de cet homme vous est étrangère. Je pense également qu'elle vous dérange. Mais vous m'aviez dit ne pas vouloir mêler la morale au business. Et je pense que c'est la bonne attitude pour un homme ambitieux. Vous pouvez gagner beaucoup d'argent avec le cheikh, n'en doutez pas.

Il entre dans sa limousine et m'adresse un signe de la main.

Je touche enfin au but.

J'ai trois jours pour me préparer.

Dans trois jours, je serai face au cheikh Fayçal et plus rien ne m'arrêtera. Des dizaines de questions se bousculent dans ma tête.

Ses gardes du corps resteront-ils près de lui durant l'entretien ? Me fouilleront-ils ? Me tiendront-ils à distance ?

Quelle sera ma réaction quand je le verrai ? Combien de temps devrai-je jouer la comédie avant de pouvoir agir ? Le courage me manquera-t-il ?

Au pied du mur, je découvre combien je ne me connais pas réellement. Je ne parviens pas à anticiper mes réactions, mes sentiments et cette face obscure de ma personnalité m'effraie. Il me faudra improviser.

J'imagine des scènes. Les images défilent dans mon esprit où je suis à la fois spectateur, metteur en scène et comédien. Je le vois m'accueillir, me tendre cette main meurtrière qu'il me faudra serrer, me sourire. Je l'entends me parler, me confier sa vision du monde. Ses mots me tombent dessus comme des crachats brûlants, un fiel acide qui atteint ma raison et la perfore, mais je ne bronche pas. Assis face à lui, je mesure mes réponses, mes attitudes, mes gestes. Parfois, je sors du rôle et m'engage malgré moi dans une joute verbale où je lui hurle ma haine, lui raconte le mal qu'il a fait. Je déverse des mots forts, des paroles qui le giflent et le contraignent à implorer mon pardon. Si ces digressions me font du bien, rapidement je reviens au script, reprends mon texte. Jusqu'au moment où...

Mais ce moment arrivera-t-il ? Je ne peux en douter. Je dois continuer à imaginer les situations, comme des répétitions virtuelles.

Car le moment se présentera.

JEAN

Akim pénétra dans la chambre, le regard mauvais.

— Ça va, Kelb ?

Jean aurait tout donné pour lui faire ravaler son air arrogant.

— Tu comptes refaire le coup de la grande évasion ? Te casse pas, la prochaine fois, on te laissera crever.

Intérieurement, Jean traita son ravisseur d'imbécile. Il avait cherché à mourir, pas à s'évader.

— Moi, je voulais te laisser te noyer, mais les autres ont préféré plonger pour te récupérer. Ils ont risqué leur vie pour sauver la tienne. Bizarre non ? On a pour mission de te descendre et eux, ils viennent à ton secours.

Akim s'assit sur la seule chaise et se balança en observant son otage, pensif.

— Tu te demandes pas pourquoi ?

Jean savait que le ravisseur déroulerait son propos quelle que soit sa réponse. Il attendit donc, imperturbable.

— Ça te va de jouer au dur ! Tu frimes, là, mais quand la mort se présente, tu fonds comme une gonzesse. Vous êtes comme ça, les Occidentaux. Vous pensez qu'aux loisirs, aux fêtes, aux mariages et aux divorces... Du mouvement, de la frénésie, de faux drames, des bonheurs fabriqués. Tout ça pour oublier la mort. Vous grandissez jamais. Et si elle est là, face à vous, comme des gosses vous vous mettez à pleurer. Maman ! Pas le noir !

Akim avait hurlé ces derniers mots en adoptant la voix d'un enfant hystérique. Il ricana de sa parodie.

— Nous, on a intégré la mort car elle fait partie du parcours. Nous sommes capables de nous scratcher sur un building ou...

Il observa Jean, avec dureté.

— ... de nous faire sauter au milieu d'une foule.

Jean retint l'insulte qui voulait jaillir de ses tripes.

Akim comprit et une lueur sournoise de victoire dilata ses pupilles.

— Tu veux pas savoir pourquoi ils t'ont sauvé ? Si, en fait, t'aimerais bien comprendre, mais tu refuses de le demander. C'est ta manière de retrouver un peu de fierté, non ?

Il marqua un temps d'arrêt, affichant encore le rictus sardonique que Jean aurait adoré effacer d'un coup de poing, puis se leva.

Devant la porte, il considéra l'otage et lui lança :

— Parce que ta vie a de la valeur.

Et il sortit en laissant Jean ruminer cette phrase sibylline.

— On n'a rien de nouveau pour la prochaine édition ! s'alarma Isabelle.

— Nous pouvons nous contenter d'un sujet récapitulatif, proposa Éric.

Charles haussa les épaules.

— Bien entendu, concéda-t-il, mais sans doute la Place Beauvau peut-elle aussi nous fournir des infos sur les moyens engagés pour trouver la trace des ravisseurs ?

— On n'apprendra rien de plus que ce que le ministre a déclaré lors de l'interview d'hier, intervint Isabelle. J'ai eu Lesne ce matin. Il me rappelle s'ils ont quelque chose.

Charles afficha une moue sceptique.

— Vous croyez vraiment qu'ils vous téléphoneront s'ils apprennent un truc ?

Éric hocha la tête, pensif.

— Je ne suis sûr de rien. Mais sans doute chercheront-ils à nous apporter une preuve de leur bonne volonté.

La rédactrice en chef approuva.

— Nous devrons leur rendre la monnaie de leur pièce à un certain moment, jouer le jeu. Au moins, en apparence.

— Tu as raison, acquiesça Éric. Il s'agit à coup sûr d'un jeu de dupes, mais nous n'avons pas le choix : il faut y participer si on veut pas voir l'Intérieur livrer une info à une chaîne concurrente.

Charles se leva, nerveux. La gestion du dossier le rendait de plus en plus mal à l'aise. Lui, le journaliste éprouvé, rusé, au parcours jonché de très beaux scoops, ne parvenait plus à discerner la frontière entre son vrai métier, celui qu'il avait appris à la dure, sur le terrain, auprès de noms illustres, et celui que les nouvelles générations pratiquaient désormais, assimilant scoops et coups, investigation et copinage et, au bout du compte, info et spectacle. Était-il éthique d'entrer dans le donnant, donnant du ministère pour garder leur avance ? Était-il normal de diffuser un sujet sur l'otage sans véritables éléments ? À contrario, pouvaient-ils abandonner un tel sujet ? L'affaire était belle et leur rôle précurseur. Enfin – il devait se l'avouer –, montrer ce dont il était encore capable avant la retraite ne lui déplaisait pas.

Aussi allait-il taire ses scrupules et continuer. Pour le frisson, pour le plaisir d'appartenir à ceux qui faisaient l'actualité, pour avoir le fin mot de cette histoire. Il observa alors Isabelle et Éric qui discutaient, détendus. La rédactrice en chef était, elle aussi, émotionnellement désarçonnée, tiraillée même. L'affaire l'inquiétait mais elle désirait saisir sa chance. Après un moment de panique, elle avait donc décidé de faire confiance à Éric. Lequel jouait son retour sur le devant de la scène, trop heureux de goûter à nouveau au plaisir de la célébrité. Tous avaient donc intérêt à pousser les feux le plus loin possible. Ensemble. Et qu'importe la manière.

Charles s'isola et contacta son assistante.

— On a quelque chose ?

Clara s'était vue confier la mission de récupérer et trier les informations parvenues au standard. Depuis la diffusion des images de l'otage, des centaines de téléspectateurs téléphonaient pour dire leur indignation, confier leur avis sur l'identité de l'inconnu, proposer des solutions... La plupart émanaient de détraqués ou d'esseulés pour lesquels la télévision constituait l'unique compagne d'une vie morne.

— Eh bien... je sais pas. En fait, on a toujours ceux qui pensent l'avoir reconnu mais leurs témoignages ne se recoupent jamais. Il y a encore ceux qui manifestent leur compassion... Plus quelques islamistes qui soutiennent les ravisseurs, et...

— Et ? marmonna Charles, nerveux.

— Et bien nous avons reçu des chèques au courrier, ce matin.

— Des chèques ?

— Oui, des téléspectateurs semblent avoir pris la question des ravisseurs au premier degré. Ils demandent que nous offrions une somme d'argent pour la libération du SDF et envoient leurs contributions. Nous avions eu des appels du même type hier, après la fin du journal, mais je n'y avais pas prêté attention. Des promesses de dons quoi, comme au Téléthon.

Charles envisagea la situation avec circonspection.

— Combien ?

— Combien de quoi ? D'appels ?

— Non ! De fric.

Il entendit le bruissement de papiers manipulés sans ménagement.

— Je sais pas, je n'ai pas fait le compte. Il y a des petites sommes et quelques gros chèques...

Charles expira.

— Clara, je ne te demande pas un chiffre exact ! Une somme approximative suffira !

L'assistante paniquait. Elle préférait la douceur d'Éric et le stress aisément gérable d'Isabelle à l'autoritarisme de Charles.

— Je dirais... quelque chose entre 5 000 et 20 000 euros.

— Ça, c'est de la fourchette !

— Ben... je t'appelle dans quelques minutes pour te donner un montant plus précis. Mais on n'a pas comptabilisé les promesses de dons. On ne les a pas prises au...

Charles raccrocha sans entendre la fin de la phrase.

Il réfléchit un instant.

Où était donc la putain de frontière entre l'information et le spectacle ?

« La valeur de cet homme est celle de nos cœurs », « Humanisme contre terrorisme ! » « Dons anonymes pour otage anonyme ». Toute la presse titrait sur l'info révélée par Éric durant son dernier journal. L'angle était nouveau, le sujet inépuisable. Les télés reprenaient le sujet de TV8. Il suffisait de tendre le micro aux passants pour recueillir des témoignages de soutien et alimenter les prochaines éditions.

Suma, lui, jubilait. Ses confrères le sollicitaient pour des interviews. Sa photo était associée à la plupart des articles, ses déclarations reprises. On vantait son professionnalisme, sa sobriété. Quelle hypocrisie, pensa-t-il ! Expérience ? Pondération ? Retenue ?... alors qu'ils l'avaient voué aux gémonies quelques années auparavant pour avoir défendu une cause aussi belle, alors qu'il s'était montré bien plus prudent qu'aujourd'hui. Incapable un jour, héros le surlendemain ? Ces grands écarts l'écœuraient. On l'avait cloué au pilori autrefois seulement parce que ses propos ne s'accordaient pas avec la pensée unique du moment. Il n'avait pas été « raccord » avec son temps. Une pensée unique dont désormais il était le moteur. Quel pitoyable retournement de situation ! Mais si les choses avaient changé, pas lui. Lui était resté le même. Ce sont les autres qui variaient leurs discours, modifiaient leurs valeurs, réinventaient leur vision du monde. Sa route croisait enfin celle de son époque. Or, comme il le savait, toutes les réussites expriment l'accord parfait entre un homme, ses idées et son temps. Les médias, les politiques, les âmes bien pensantes se cristallisaient sur cette affaire. L'histoire était belle, intrigante, porteuse de la doctrine en vogue. Et, par chance, il en était le dépositaire exclusif.

En vérité, Éric Suma aurait été pleinement heureux de sa situation s'il avait réussi à faire taire la voix qui, du fond de son âme, là où s'étaient forgés tant de pressentiments avérés, lui murmurait que cette aventure dissimulait quelque chose de plus profond encore.

Quelque chose qui bouleverserait sa vie.

DANIEL

Je n'ai pas quitté ma chambre. J'y tourne en rond la tête pleine de séquences irréelles, de plans, de tactiques. Je ponctue mes phases de préparation mentale par des séances de remise en forme. Pompes, abdos, assouplissements. J'avale des repas consistants et ne touche plus à l'alcool. Demain, je sortirai faire un jogging, puis quelques courses. Je suis un soldat s'apprêtant à combattre. Je ne veux presque rien laisser au hasard. J'ai ainsi plusieurs fois répété les gestes qui me permettront de le supprimer. Et à chaque fois que j'appuie sur la gâchette, un intense soulagement me fait frissonner.

Je ne laisse aucun répit à mon esprit, enchaînant les schémas tactiques. Si une scène présente un trop fort potentiel émotionnel, je la répète mentalement en boucle pour circonscrire ses aspects les plus affectifs, évacuer toute sensiblerie capable, au dernier moment, de m'empêcher de faire feu.

Avec cet entraînement je tiendrai bon.

Plus que deux jours.

Sullivan a tenté de me joindre. Je ne réponds plus au téléphone. Je me suis arrangé pour le rappeler à son bureau à un moment où je le savais occupé par le comité de direction. J'ai demandé à son assistante de lui signaler que tout allait bien, que j'étais très occupé et le recontacterai le lendemain.

Betty aussi m'a téléphoné. Je n'ai pas décroché. Je l'ai imaginée se posant mille questions sur mon attitude, se morfondant à la maison. Pierre lui a-t-il rapporté notre discussion ? Non, je refuse de penser à eux. L'action ! L'action ! L'action !

Depuis quand la douleur m'a-t-elle fait sombrer dans l'hystérie vengeresse ? Depuis le jour de la mort de Jérôme ? Depuis son enterrement ? Au moment où Betty s'est jetée sur moi pour me reprocher de ne pas être allé le chercher à l'entraînement ? Lorsque cheikh Fayçal a félicité le courage du terroriste ou à la première apparition de Jérôme dans le jardin ?

Peu importe. J'accepte cette démence structurée, car elle m'a empêché de mourir. Car elle n'est pas pire que la folie de celui que j'éliminerai bientôt. Car elle n'est pas plus fautive, coupable, que l'aveuglement de ceux qui lui permettent de s'exprimer librement. Car elle n'est pas moins légitime que la névrose des tordus qui compatissent au sort des meurtriers parce qu'ils n'ont plus le courage d'avoir une opinion.

En ce monde dérangé, la folie niche partout. Les hommes ont oublié le discernement, ne savent plus quelle part accorder à l'émotion et quelle place offrir à la compassion dans leur jugement.

Ma rage n'est pas pire que l'égarement général.

JEAN

— Nous avons peut-être une piste.

Clara tentait de calmer son excitation. Une journaliste professionnelle ne montre pas ses sentiments, jugeait-elle. Elle avait le droit de vibrer, d'accord, mais pas de paraître dépassée par son émotion. Surtout devant Éric, ce mentor, cette figure dont elle rêvait de prendre un jour la suite. Devenir présentatrice du journal, son ambition. Ayant la chance de travailler auprès d'un pro, ce Suma au charme si discret, à la voix chaude, au regard tourmenté, elle devait apprendre et se blinder. D'ailleurs n'était-ce pas ce même Suma qui lui avait donné envie de faire ce métier lorsque, lycéenne active, elle admirait son charisme ? Maintenant, elle espérait qu'il remarquerait ses qualités, deviendrait son pygmalion, lui transmettrait son savoir-faire pour qu'enfin elle accède au plateau. À tout le moins, elle possédait les atouts nécessaires songeait-elle souvent : elle était sortie d'une bonne école de journalisme avec d'excellentes notes et était plutôt jolie. Ce qui comptait. N'avait-on pas vu de nombreuses consœurs devenir stars grâce à une parfaite combinaison de compétences et de beauté ? Les chaînes cherchaient des présentatrices « mannequins », capables d'attiser le désir du grand public et d'occuper les unes des magazines *people* ; audience et pub garanties. Tous les moyens devaient être mis en œuvre pour accroître l'audimat.

— Calme-toi, ma chérie, la taquina Charles. Avale ta salive, prends une bouffée d'oxygène et explique-nous ça calmement.

« Merde ! ragea-t-elle. J'ai déconné. *Ma chérie*, il m'a appelé *ma chérie*, comme si j'étais une assistante débutante sans envergure ! »

— Je suis calme, répliqua-t-elle, sèche, tentant d'insuffler à sa voix une tonalité professionnelle.

— Je le vois bien..., ironisa l'autre.

Clara ne moufta pas, se contentant de jeter un rapide coup d'œil vers Éric. Elle fut rassurée de ne lire aucune raillerie sur son visage.

— Parmi les centaines d'appels reçus, expliqua-t-elle sobrement, plusieurs témoignages concordent. Ce SDF aurait été vu dans la région lyonnaise, près de Villeurbanne. Il s'appellerait Jean. Et ceux qui disent le reconnaître signalent qu'il a disparu depuis maintenant plusieurs jours.

— Ça colle ! Quoi d'autre ? questionna Suma, en se redressant.

— C'est un ivrogne. Un doux emmerdeur. Un gars débarqué voilà quelques années, qui n'a pas quitté l'endroit et se voit vaguement aidé par les commerçants du coin : Ils lui filent un peu de fric pour qu'il aille se saouler plus loin mais tolèrent qu'il dorme sur le pas de porte de leurs boutiques. C'est tout pour l'instant.

— Déjà pas mal ! Vérifiez ces informations. On envoie une équipe sur le lieu pour recueillir des témoignages.

— C'est fait, reprit fièrement Clara. J'ai téléphoné à notre correspondant régional. Il est en route avec un pool technique.

— Bonne initiative, lui dit Éric avec un clin d'œil.

Le pouls de la jeune femme s'emballa mais elle sut dissimuler sa joie et répondit seulement d'un léger mouvement de tête.

Charles maugréa. Il n'appréciait guère ne pas être consulté avant toute décision. Ces jeunes ne respectaient pas la hiérarchie et le poussaient lentement vers la sortie, mais que pouvait-il dire ? Clara était une bonne journaliste, un peu immature certes, mais en l'occurrence elle avait pris la bonne décision et agi efficacement.

— J'ai demandé au correspondant d'interviewer les commerçants et de filmer l'endroit que le SDF occupait, ajouta-t-elle. Il paraît que les cartons qu'il utilisait pour s'abriter et son sac de couchage sont toujours sur place. Un argument supplémentaire pour penser qu'il s'agit bien du type que nous recherchons. Un SDF n'abandonne jamais ses derniers biens, ses ultimes moyens de survie.

— Et pourquoi n'irions-nous pas sur place ? On pourrait monter une émission spéciale en direct de Villeurbanne ? suggéra Isabelle.

— Non, trop risqué ! clama Charles. Il s'agit seulement d'une piste. Imagine que ce ne soit pas la bonne personne, de quoi on aurait l'air ?

— Tu ne vois pas qu'un clochard débarque en pleine émission et nous reproche d'être là ? renchérit Éric en s'esclaffant.

Ils rirent, heureux de leur connivence.

— Peut-être devrions-nous appeler la Place Beauvau et leur donner l'information, essaya Isabelle. En contrepartie, ils pourraient nous renseigner sur ce que la police possède le concernant. Il a dû être contrôlé par les flics, comme tous les sans-abri.

Éric acquiesça.

— Bonne idée. De plus, ça les rassurera sur notre volonté de collaborer.

— Je suis d'accord, approuva Charles. Et du même coup nous testerons leur fiabilité. S'ils laissent transpirer l'info vers d'autres médias, nous saurons à quoi nous en tenir. Je préfère me faire une idée avec une info de ce type plutôt que sur un truc plus lourd.

L'atmosphère était devenue pesante, le silence menaçant. Depuis deux jours, ses geôliers apparaissaient seulement de manière fugace, posant un plateau sans le regarder ni lui adresser la parole. Lagdar, durant ces brèves incursions, semblait absent, usant de gestes mécaniques comme s'il pénétrait dans la cage d'un animal dont il se serait lassé. Même Akim ne le provoquait plus. Et quand il avait tenté de les interpeller, l'un et l'autre l'avaient ignoré.

Jean se demandait à quoi rimait ce nouveau comportement. Le préparaient-ils à mourir ? Essayaient-ils de se détacher de lui pour l'abattre plus facilement ?

Il en vint presque à regretter leurs altercations. La solitude, sans alcool, relevait de l'insupportable. Car il avait beau résister, des images de son passé revenaient sans cesse l'agresser.

Sa femme et son fils se dressaient devant lui, l'obligeant à leur faire face. Ils lui parlaient, le pressaient de questions sur ces années passées loin d'eux. Et lui, se gorgeant de la douceur de leur présence, engageait des conversations silencieuses, les interrompait, tentait de les oublier avant de les accepter à nouveau dans son cerveau. À ces échanges brisés se mêlaient parfois des bribes de son histoire. Des scènes qu'il pensait avoir éradiquées de sa mémoire remontaient à la surface et s'animaient sous ses paupières closes. Certaines évoquaient la chaleur d'un instant, d'autres brûlaient de violence et de douleur.

Pour la première fois depuis très longtemps, il était en fait seul avec lui-même.

Olivier Cholley, jeune journaliste à l'allure soignée, planta son regard bleu dans celui d'un commerçant intimidé et tendit le micro.

— Êtes-vous catégorique ? L'avez-vous formellement identifié ?

Le libraire hésita. Là, devant la caméra, ses propos prenaient une autre importance qu'au *Café de la Poste*, proférés entouré d'amis.

— Oui... enfin... non. Je pense qu'il s'agit de lui en effet, mais je ne peux pas être catégorique. Il faut dire que, sur la photo, on ne le voit pas bien.

Le reporter fronça ses minces sourcils, dépité par une réponse aussi évasive. En lançant le sujet, il s'était montré bien plus affirmatif, recourant au conditionnel uniquement pour couvrir ses propres propos. Quel con ! Pour une fois qu'il se trouvait à l'avant-poste d'une information d'importance nationale, il avait mal évalué son interlocuteur. Pas de bol quand même. Il l'avait sélectionné pour son caractère mesuré, sa parfaite élocution, mais devant la caméra sa prestance avait fondu d'un coup. Paris ne lui pardonnerait pas ce fiasco. Il fallait réagir sous peine d'être à jamais considéré comme le petit localier sans envergure ni compétence.

Cholley chercha le commerçant le plus volubile du quartier et l'aperçut à quelques mètres. Renfrogné, frustré de ne pas avoir été retenu pour l'interview, les bras croisés sur son ventre proéminent, le marchand de tabac observait l'interview. En maudissant le journaliste de lui avoir volé ses instants de gloire alors que c'était lui qui l'avait accueilli. Il lui avait raconté tout ce qu'il savait devant un café avant que ses collègues arrivent au bistrot. Mais l'autre avait préféré le libraire. À cause du prestige de son commerce sans doute. Quelle injustice ! D'accord, lui, le buraliste avait une grande gueule et faisait peut-être quelques fautes de français, mais au moins il savait ce qu'il disait ! Et puis, qui connaissait le mieux Jean ? Qui lui offrait des cigarettes, lui donnait quelques Ticket-Restaurant ? C'était vraiment injuste !

— Il est vrai que, sur les images, le visage du kidnappé n'est pas réellement visible, improvisa Olivier Cholley en se dirigeant vers le buraliste. C'est pourquoi certains commerçants préfèrent demeurer prudents quand on leur demande s'ils pensent que le SDF qu'ils connaissent et qui répond au prénom de Jean est bien l'homme vu sur la vidéo des ravisseurs. Mais d'autres sont plus affirmatifs. Ainsi, le buraliste que j'aperçois ici se montrait autrement plus catégorique ce matin.

« Pourvu qu'il ne me casse pas la figure », pensa Cholley.

De fait, en voyant la caméra s'approcher, le buraliste se figea et fronça les sourcils.

« Putain, ils vont me foirer mon sujet, ces cons ! Faut que je le déride. »

— Voici donc M. Jean-François Hazo, véritable personnalité du quartier. Un géant au cœur d'or ! Qui, généreusement, offrait ses cigarettes et parfois un déjeuner à Jean, le sans-abri. Le Poète comme on l'appelle ici.

D'un coup détendu, le commerçant releva le menton et offrit son plus beau sourire à la caméra.

— M. Hazo, pensez-vous avoir identifié l'homme pris en otage ? Est-ce bien celui que vous aidiez chaque jour avec tant d'attention ?

— Oui, je suis formel ! C'est bien lui.

Olivier Cholley se sentit soulagé. Les flatteries marchaient toujours.

— Pourtant, sur la vidéo, comme je le disais son visage n'apparaît pas clairement ?

— Ce n'est pas le visage que j'ai reconnu. Ce sont les vêtements. Il porte une veste et une chemise que je lui ai données il y a quelques mois. Enfin, quand je les lui ai filées elles étaient en meilleur état, bien entendu.

Le reporter jubilait.

— S'agit-il des seuls éléments qui vous permettent de l'identifier formellement ?

— Ben c'est déjà pas mal, non ? rétorqua le buraliste, avec défiance.

— En effet, mais vous m'avez aussi parlé d'autres indices.

— J'ai sûrement pas dit le mot indice parce que c'est un mot de flic, pas de marchand de cigarettes. Mais c'est vrai, y a d'autres « éléments ». Par exemple, la manière de se tenir, un peu voûtée, la forme du visage, la longueur des cheveux. Non, franchement, tout colle. Je suis sûr de moi. C'est bien Jean.

— Très bien. Alors parlez-nous de cet homme. Qui est-il ? D'où vient-il ? Vous a-t-il raconté son histoire ?

— Non, c'est un garçon très secret, qui cause pas. Contrairement à tous les ivrognes que je connais, il ne décrit jamais sa vie d'avant. À jeun, c'est un garçon gentil, poli, discret. Quand il a bu, il devient plus bruyant, il marmonne aussi, et crie des trucs qu'on comprend pas. Des conneries, des insultes, ce genre de choses. Mais c'est un bon gars. Il est arrivé y a quelques années. On l'a tout de suite eu à la bonne, parce qu'il a débarrassé le coin d'une bande de voyous assez agressifs qui gênaient le commerce. C'est qu'il a un sacré caractère, le Jean. Et il sait se battre. Alors, pour le remercier, on l'a aidé. Un petit café, un sandwich, des cigarettes et du fric de temps en temps. La seule chose qu'on lui demandait c'était d'aller gueuler ailleurs quand il avait ses crises. Et il le faisait. Un gars gentil, je vous dis. Juste complètement perdu.

— Vous n'avez jamais rien su de son passé ?

— Rien. Je lui ai posé quelques questions au début, mais j'ai compris qu'il appréciait pas. Alors j'ai respecté son choix. Ce genre de type, ça a le passé douloureux à ce qu'on dit.

— On récupère l'antenne dans trente secondes, avertit Isabelle à l'oreillette.

L'annonce agaça Cholley. Il avait de quoi tenir encore deux ou trois minutes.

Sur le plateau, Éric fit un petit signe de tête.

— Super, le reportage ! lança-t-il à la rédactrice en chef.

— O.K., Olivier. Merci. Éric te félicite, reprit cette dernière dans le casque du correspondant régional.

Olivier reçut le compliment avec plaisir et termina son interview. Ragaillardi, il rendit l'antenne avec un grand sourire.

— Comme vous avez pu le voir dans ce reportage, la piste de Jean le SDF est sérieuse. Une piste que les services de police ont très rapidement explorée. Nous avons ainsi interrogé le commissaire Masse, responsable du secteur dont dépend le quartier dans lequel vivait le fameux Jean. Écoutons-le :

« Comme pour toutes les personnes itinérantes, nous avons contrôlé la carte d'identité de ce SDF dès son arrivée dans le quartier des Gratte-Ciel à Villeurbanne. Il s'appelle Jean Larrive. Il est né le 8 mai 1962 à Lyon. Il n'a jamais posé de problèmes aux riverains et n'a donc jamais été inquiété par nos services. Nous n'avons aucune autre information le concernant. »

Suma reprit la parole.

— Le passé de cet homme demeure donc une énigme. Or, c'est peut-être dans son histoire que se trouvent les raisons pour lesquelles il a été enlevé. À moins qu'il n'ait été choisi au hasard par ses ravisseurs. Votre avis, Jacques Lumbroso ?

Un chroniqueur apparut à l'écran :

« Tout d'abord, conservons les précautions d'usage. Nous ne sommes absolument pas sûrs que l'otage soit Jean Larrive. Contentons-nous donc d'analyser les raisons pour lesquelles un SDF, quel qu'il soit, aurait été kidnappé par des terroristes islamistes. Un motif lié à son passé ? Personnellement, je ne le crois pas. Dans un tel cas, les ravisseurs nous auraient révélé les motivations de leur acte puisqu'elles l'auraient justifié. Alors, un sans-abri enlevé au hasard ? Je le pense. Sinon, comment comprendre le message étrange adressé par les kidnappeurs. Rappelez-vous : "Quelle est la valeur de cet homme ?" demandent-ils dans le seul courrier envoyé à notre antenne à ce jour. Un peu comme si les terroristes, à travers cette question, nous interpellaient sur la morale de notre démocratie. Quelle est en effet la "valeur" d'un système qui accepte que certains de ses membres sombrent dans la misère ? Car, vous le savez, pour les islamistes, la démocratie est un leurre. À leurs yeux, sous prétexte de garantir la liberté, notre organisation produit des inégalités. Vous critiquez notre foi, vous trouvez la charia injuste, mais avez-vous réellement pris conscience de la permissivité de votre monde ? Voilà ce que semblent nous expliquer les ravisseurs de ce sans-abri. Dans ce cas, vous l'admettrez, l'identité de l'homme et son histoire ont bien peu d'importance. »

Éric Suma remercia le chroniqueur et reprit le fil du journal.

— Des centaines d'hommes et de femmes ont préféré, eux, prendre la question au premier degré, et, fait incroyable, nous ont envoyé des chèques ou fait des promesses de dons par téléphone ou via notre site web. Dès lors, si la question des preneurs d'otage est de savoir quelle somme les Français sont prêts à verser pour un inconnu, un être *sans valeur* selon la société de consommation, la réponse est aujourd'hui... 200 000 euros ! Une réponse spontanée qui traduit un sens profond de la solidarité.

Le journaliste marqua un temps d'arrêt pour laisser la somme annoncée peser de tout son poids dans les esprits.

— Voilà ce que nous pouvions dire pour l'heure, conclut-il. Nous vous tiendrons informés des suites de cette incroyable affaire au cours de nos prochaines éditions. Les autres nouvelles maintenant.

Devant son poste de contrôle, Charles soupira.

— Là, je crois qu'on se plante. En présentant les faits de cette manière, on incite les téléspectateurs à envoyer de l'argent.

— Oui, et ces sommes ne pourront jamais être utilisées pour verser une rançon, renchérit Clara. Le gouvernement ne l'acceptera jamais. Mais bon, l'objectif d'Éric était de faire monter la sauce. Pour l'instant, ça a l'air de ne pas trop mal marcher.

— Certes, mais nous dépassons le cadre de notre seule mission : l'information.

— C'est pas un peu le cas depuis le début de cette histoire ?

Charles posa son regard bleu sur celle qu'il considérait encore comme une gamine. Le machiavélisme de cette génération l'inquiétait. Elle connaissait parfaitement le code déontologique mais s'amusait à le transgresser en permanence pour ses bonnes causes : l'audience et la notoriété.

Le ministre de l'Intérieur fit un signe et Frédéric Lesne coupa le son du téléviseur.

— Cette histoire de dons ne me plaît pas du tout. C'est comme si l'opinion négociait avec les ravisseurs le montant de la rançon ! On n'a aucun contact, aucune piste, rien, mais on parle déjà de sommes faramineuses, ça ne tient pas debout. Est-ce que les ravisseurs nous manœuvrent pour nous pousser à négocier à leur guise ? Qu'en penses-tu ?

Le ministre observa Frédéric Lesne.

— Deux options s'offrent à nous, hésita le conseiller en communication. La première : nous convainquons Éric Suma de faire cesser l'envoi d'argent en expliquant clairement que le gouvernement ne pourra utiliser la somme, même au cas, peu probable, où nous accepterions de négocier. La seconde... revient à laisser le mouvement prendre de l'ampleur. Après tout, il s'agit d'un élan populaire s'appuyant sur une valeur forte, la solidarité. Une valeur à laquelle on nous reproche de ne pas être attachés. Si nous réussissons à faire libérer l'otage sans engager la moindre discussion, nous serons des héros et en plus des gestionnaires remarquables puisqu'on va proposer de rembourser les donateurs ou de verser leurs dons à une association d'aide aux victimes du terrorisme. Et si on doit négocier, on dira que c'est pour répondre à la volonté des Français. Et là, on fait d'une pierre deux coups : notre incapacité à résoudre l'affaire autrement que par un contact avec les ravisseurs deviendra le signe d'une écoute des attentes du public. Bref, on rafle encore la mise.

Le ministre se leva et arpenta son bureau, les mains dans le dos, envisageant les deux hypothèses avec son sens politique plus que ses sentiments personnels, qui l'incitaient à envisager la confrontation.

— D'accord, laissons faire.

— 300 000 euros ! claironna Clara en entrant dans le bureau de Charles.

Éric émit un sifflement et Isabelle ouvrit de grands yeux pour marquer son étonnement.

— Et ça ne s'arrêtera pas là. Vu le rythme auquel les dons affluent, nous devrions atteindre le double en fin de semaine.

— C'est incroyable... murmura la rédactrice en chef.

Charles haussa les épaules.

— On entre dans l'irrationnel total. Des ravisseurs inconnus, un otage inconnu, sans fortune ni notoriété, un message sibyllin et une opinion publique qui s'emballe. Et nous, au milieu... Je vous le redis : on joue un jeu hyper dangereux. Ça risque de nous dépasser alors que nous ne maîtrisons pas grand-chose.

Isabelle acquiesça :

— Je suis de ton avis. Nous sommes tous partagés entre la joie d'être au centre de l'affaire et d'en tirer des bénéfices médiatiques, et la crainte d'être accusés demain d'avoir agi de manière irresponsable.

Éric se leva.

— Avons-nous le choix ? Les infos passent par nous, donc nous les traitons et les renvoyons vers les destinataires. Nous sommes le cœur du système.

— O.K., s'agaça Charles, mais qui en est le cerveau ? Qui dirige ?

— Bien sûr qu'on est manipulés, répliqua Suma piqué au vif. Mais quand on lit les dépêches de l'Élysée, quand on interviewe le Président ou le Premier ministre à sa demande, tu nous crois plus libres ? Nous sommes tout autant des relais d'information dans ces cas-là !

— La différence, tu vois, c'est que nous ignorons qui sont les expéditeurs de l'information, quels sont leurs objectifs mais que nous avons fait naître un phénomène incontrôlable.

Isabelle soupira, exaspérée.

— Écoute, nous n'allons pas encore reprendre l'éternel débat du qui manipule qui. Nous sommes tous conscients des risques et des enjeux, et tous d'accord pour continuer, non ? J'étais effrayée au début, eh bien depuis je me suis fait une raison. D'autant que nous ne sommes plus les seuls à être mouillés : tous les confrères nous suivent. Si tout foire, qui pourra légitimement nous attaquer ?

— C'est vrai, confirma Clara. Certains vont même plus loin. Regardez ces titres.

La jeune journaliste présenta deux journaux. Sur l'un, une pleine page reproduisait l'image vidéo floue de l'otage sur fond blanc agrémentée du slogan : « Quelle est, pour vous, la valeur de cet homme ? » Sur l'autre, un titre en forme d'interpellation : « Et vous, qu'êtes-vous prêts à faire pour libérer ce SDF ? »

Et de préciser :

— Ils demandent carrément aux lecteurs d'adresser leurs dons à leurs rédactions. Nous n'avons jamais été aussi directs.

— Du moins, jamais aussi explicites, rectifia Charles.

— Et que vont devenir ces dons ? Qui les récupérera ? Qui va garantir leur bonne utilisation ?

Charles esquissa un geste exprimant son incapacité à répondre.

— Les chèques qui arrivent ici sont réunis dans un coffre de la direction, expliqua Isabelle.

Un éclair de malice apparut alors dans le regard d'Éric.

— Nous tenons notre prochain sujet.

Ses trois collègues l'observèrent, étonnés.

— Nous allons soulever le problème du stockage et de la conservation de ces sommes. En posant cette question de fond, on va pouvoir adopter une position plus morale.

— Génial ! lança Clara.

Éric lui offrit son plus beau sourire.

— On pourrait désigner un huissier ou suggérer la création d'une instance de contrôle, rebondit Isabelle. Et aussi interviewer des responsables d'organismes caritatifs et un représentant du ministère de l'Économie sur le sujet.

— Charles ? intervint Éric. Ton avis ?

Le vieux professionnel haussa les épaules.

DANIEL

La limousine noire s'arrête devant le pub. À l'intérieur, Moktar m'accueille avec un sourire emprunté.

— C'est un rendez-vous important. Je joue ma crédibilité, dit-il pour excuser son attitude.

— Je suis nerveux moi aussi, voyez-vous !

Je sens mon cœur battre violemment et mes jambes secouées par des tremblements impossibles à réprimer. Un courant électrique me parcourt l'échine, rendant mon corps sensible à toute perception. J'ai l'impression de pouvoir compter chacun de mes poils, de mes cheveux, de sentir chaque pore aspirer l'oxygène indispensable à mon apaisement. Je connais ces symptômes. Ce sont ceux qui me prenaient avant chaque cambriolage, chaque mauvaise action, vingt ans plus tôt. Mais si, à l'époque, cette émotion étrange s'apparentait à une forme de plaisir extrême, aujourd'hui elle traduit plutôt un affreux malaise. Une sourde angoisse qui perce dans mon esprit et que je mets sur le compte de l'importance du combat à mener.

Pendant le trajet, Moktar reste silencieux, regardant la foule s'agiter à travers la vitre. Son comportement m'intrigue. Que redoute-t-il réellement ? Je m'attendais à le voir me rassurer, me préparer à la rencontre, me prodiguer quelques conseils, mais son mutisme me trouble.

À notre arrivée devant la maison, le chauffeur nous ouvre la portière. En sortant du véhicule, je suis tenté de me retourner pour regarder la fenêtre de ma chambre d'hôtel, mais un garde du corps s'avance déjà vers nous. Il serre la main de Moktar, me salue d'un signe de la tête et envoie dans le micro qu'il porte au cou une information à un interlocuteur invisible.

La grille s'entrebâille. Nous longeons une allée. J'ai l'impression d'être déjà venu tant je connais chaque bosquet, chaque objet de décoration pour avoir souvent fait ce parcours dans ma tête.

Deux gorilles nous font entrer dans la maison. Leurs regards agressifs se plantent en moi et je prie qu'ils ne puissent rien y lire.

L'un d'eux interroge Moktar d'un geste.

— Je me porte garant de lui, déclare-t-il.

J'avais vu juste. Ils ne me fouilleront pas. Et, bien qu'une fouille en règle leur eût laissé peu de chance de trouver mon arme, plaquée contre mon sexe, je suis soulagé.

Un homme vient à la rencontre de Moktar. Ils s'embrassent, conversent en arabe et m'ignorent.

— Je vous laisse un instant, me dit Moktar. Je dois voir quelques affaires avec le secrétaire du cheikh. Je vous rejoindrai.

Les deux gardes du corps m'entraînent dans une pièce décorée de meubles orientaux, une sorte de salle d'attente. Je m'assieds. Les colosses me font face sans mot dire. Je n'ai pas le temps de reprendre mes esprits qu'une nouvelle porte s'ouvre. Je m'attends à voir apparaître Moktar mais, soudain, je vacille : le cheikh s'est arrêté à l'entrée. Je connais chaque trait de son visage pour m'être souvent retrouvé face à lui dans mes cauchemars. Les masses sombres que forment ses yeux, ses épais sourcils et sa barbe paraissent vouloir gagner les derniers espaces de chair encore apparents. Ses lèvres sont fines, pincées comme si elles retenaient une insulte. Son regard vif, intelligent, me scrute avec insistance.

D'un coup mon cerveau se liquéfie, ma peur s'est évanouie et je deviens un guerrier porté par sa mission.

— Soyez le bienvenu, dit ma cible avant de s'asseoir sur le fauteuil qui me fait face, sans me serrer la main.

Le cheikh porte une longue tunique blanche qui le fait paraître plus petit et replet que dans la réalité.

Je ne lui réponds pas, obnubilé par le revolver pressé contre mon sexe, le geste qu'il me faut accomplir. Le cheikh esquisse un signe en direction des gardes du corps qui s'éclipsent, facilitant son exécution.

— Nous allons commencer sans monsieur El-Fassaoui, explique-t-il. Il m'a déjà vanté vos qualités.

— Nous avons fait du bon travail ensemble.

Ma voix me surprend. Je n'ai pas pensé cette phrase, ne l'ai pas formulée, elle est sortie seule, comme si j'agissais automatiquement. Mes sens semblent dirigés par une partie de mon cerveau échappant à toute volonté.

— Ce que j'attends de vous est très particulier, vous devez l'avoir compris... Mais je vous avoue ne pas croire qu'un Occidental puisse réellement se mettre au service de ma cause. Tout est tellement compliqué. Car il s'agit ici de valeurs. Or je doute que les vôtres soient compatibles avec les miennes, même que vous puissiez me comprendre et, a fortiori, me défendre.

— Alors pourquoi faire appel à moi ?

Il prend le temps de réfléchir, la tête oscillant un peu.

— Parce que Moktar m'a confié que l'argent était votre principale, sans doute même votre seule valeur, explique-t-il. C'est quelque chose que je ne comprends pas mais que je sais exister chez les Occidentaux. Et j'ai suffisamment d'argent pour vous motiver.

— Oui, l'argent...

Je laisse la phrase en suspens, comme pour valider son propos mais surtout éviter de répondre trop vivement. Je dois gagner du temps. Dans l'état où je me trouve, je sais être incapable d'agir correctement. Je dois calmer mes pulsations, oxygéner mon cerveau, ralentir les battements de mon cœur. Un lambeau de conscience me maintient dans mon rôle afin de laisser au guerrier le temps de préparer l'assaut.

— J'aime l'agent, en effet. L'argent permet de réaliser ses projets, ses rêves. Et j'ai tellement de rêves...

— C'est le rêve qui caractérise l'Occidental. Votre système est conçu autour de l'appétit des hommes. Le désir et l'envie en sont les moteurs. Normal, après tout, puisque vous pensez que l'existence en ce bas monde est une finalité, que le paradis s'achète en dollars ou en euros. Nous autres, musulmans fidèles à la loi du Prophète, pensons uniquement l'argent comme un moyen, parmi d'autres, d'atteindre nos objectifs.

— Vos objectifs ?

— Réunir tous les musulmans pratiquants, fidèles à la loi du Prophète. La chère et précieuse Oumma. Édifier un État islamique au cœur du monde musulman pour que tous les croyants puissent vivre leur foi et gagnent leur place dans l'autre monde. Le vrai monde.

Il édulcore son programme, m'en sert une version aseptisée, vidée de violence. Je cherche à maîtriser les muscles de mon visage afin de ne rien laisser paraître de mes convictions, de mes sentiments, de l'action que je mijote.

N'ayant aucune envie de l'entendre déblatérer davantage, je profite d'une respiration pour l'interroger

— Et comment un homme tel que moi pourrait-il vous aider à atteindre ces objectifs ?

— Il ne s'agit pas de ça. Enfin... pas directement. J'ai besoin de vous pour... aborder une autre problématique.

Il se concentre un instant, fermant presque les yeux, cherchant les mots justes.

— Les choses sont simples : aux yeux des Occidentaux, je suis le diable. Un homme méchant capable du pire pour parvenir à mes fins. Chez certains musulmans, je suis un être respecté, craint, voire adulé. Je voudrais donc réduire l'écart existant entre ces deux perceptions. Je voudrais que les médias occidentaux comprennent mes messages afin de pouvoir les porter. Une partie de l'opinion publique se montre déjà réceptive à mes arguments. Pas à mes pratiques bien sûr, mais beaucoup perçoivent l'humanisme qui sous-tend mon propos.

Il n'a pas sourcillé en assenant sa contrevérité, convaincu que le mot « humanisme » convient à la nature de son combat. Je tente de réprimer un frisson, mais il a perçu mon trouble.

— C'est le terme humanisme qui vous fait réagir ? Pourtant, il s'agit précisément du fondement de mon action, cher ami. Il est évident que ce mot ne possède pas la même signification dans mon monde et dans le vôtre. Les Occidentaux le voient porteur d'une vision idéaliste du monde, parce qu'il fait appel à la bonté des hommes, à la force compassionnelle que Jésus a léguée à ses descendants. Une conception belle, certes, mais terriblement naïve puisqu'elle consiste à ne plus distinguer le mal du bien, à envisager les fautes, les péchés et les crimes comme le résultat de la faiblesse de l'homme, à les excuser, les pardonner afin de l'amener, reconnaissant d'avoir été compris, à laisser jaillir sa source de bonté. C'est pour cela que l'Occident est faible : il refuse de juger, de punir, de combattre. Il préfère compatir, faire croire qu'il comprend. L'Occident ne réfléchit plus, il culpabilise. Il ne condamne plus, il s'apitoie. Et tout cela n'est qu'une immense hypocrisie. Car, par ailleurs, il asservit, envahit, torture, affame, tue les peuples qui ne lui ressemblent pas. La miséricorde, la charité, les missions humanitaires lui donnent la bonne conscience nécessaire à la perpétration de ses propres meurtres.

Il fait une pause, regarde par la fenêtre, réfléchit un instant avant de reprendre.

— Mon humanisme est celui transmis par le Prophète. Il consiste à faire de sa loi une grille de lecture du monde. La charia est le seul moyen de pallier la corruption de la morale. Toutes les valeurs fondatrices de l'humanité ont été dévoyées. La pornographie s'est substituée à l'amour, la relation d'intérêt à la fraternité, l'argent et le pouvoir à l'équité. L'homme d'aujourd'hui est soumis, la femme humiliée, l'enfant abusé. Mon humanisme consiste à revenir à une morale capable de redonner à l'individu sa dignité.

— En tuant d'autres hommes ?

La question a fusé des profondeurs de mon esprit, portée par la colère qui lentement me submerge, réchauffe mes muscles et tord mon ventre. Ses paroles entament la carapace où je m'étais retranché en attendant le moment propice pour agir. Je pourrais sortir mon arme et l'abattre mais, paradoxalement, ce prédicateur de l'enfer me fascine. À vrai dire, il m'intrigue surtout. Je veux en effet l'entendre, comprendre derrière quels propos il abrite son délire.

Il ne réagit pas. Le ton de ma voix a sans doute trahi mon agressivité mais, si tel est le cas, il fait mine de ne pas l'avoir perçue.

— Oui, en tuant d'autres hommes, répond-il placidement. Parce qu'il s'agit d'une guerre. Parce que nous n'avons pas d'autre possibilité. Cette guerre, ce sont les puissances occidentales, aidées par le judaïsme et la chrétienté, qui l'ont initiée.

— Mais la guerre, c'est une armée contre une autre. Non une armée contre des innocents !

Cette fois encore, je n'ai pu me maîtriser. Je crois même discerner un léger sourire sur son visage. Il baisse les yeux et cherche ses mots.

— Vos propos illustrent parfaitement le problème pour lequel j'ai fait appel à vous. Nous parlons ensemble de choses graves, utilisons les mêmes termes, pourtant nous ne pouvons nous comprendre car ces mots ne possèdent pas la même signification. Innocents ? Armée ? Guerre ? Personne n'est innocent. L'ensemble de la population occidentale constitue une armée. Elle vote pour élire ses gouvernements, donc elle valide leurs options politiques, leurs choix militaires, donc elle accepte la dérive des valeurs que les médias, à la solde des gouvernants, lui imposent. Il n'y a pas de victimes, juste des soldats. Certains plus actifs que d'autres, c'est tout.

Ses paroles ont fini par débusquer ma haine. Du fond de mon cœur, elle jaillit, source impétueuse trop longtemps contenue.

Brusquement je me lève, plonge la main dans mon pantalon et sors mon arme.

Le cheikh, impassible, m'observe avec calme, ignorant le canon du pistolet pointé sur son visage.

— Mon fils n'appartenait à aucune armée ! Mon fils ne votait pas ! Il n'était pas un soldat mais il a été déchiqueté par une de vos bombes ! Quelle cause justifie cela ? Quelle cause permet de détruire une famille ? Quel combat autorise cette barbarie ?

Je ne hurle pas. Les mots fusent à travers mes dents. Je veux que mes propos portent ma peine, celle de Betty et celle de Pierre, qu'ils deviennent des gouttes d'acide éclaboussant son visage et son âme.

Mais lui ne manifeste aucune émotion. Pis, il ne paraît absolument pas surpris par la tournure de l'entrevue. Comme s'il s'attendait à la scène ou l'avait vécue de nombreuses fois déjà.

— Les enfants tombés sous les armes de l'impérialisme américain et du sionisme ont eux aussi laissé des mères et des pères éplorés, lâche-t-il laconique. Mais pour vous autres, la vie d'un petit Arabe ou d'un petit Noir n'a pas la même valeur que celle d'un petit Blanc.

Mon arme le tient toujours en joue. Guettant l'arrivée des gardes du corps, je suis prêt à tirer s'ils surgissent. Mais nos échanges ne les ont pas alertés.

— Vous utilisez les mêmes procédés que ceux que vous condamnez, vous devenez même pire qu'eux, prends-je plaisir à lui cracher froidement au visage. De votre appartement cossu, vous dirigez des armées de pantins aveuglés par les promesses d'un paradis dans lequel ils seront accueillis comme des héros ! Vous ne savez rien du mal que vous faites. Vous n'entendez pas les cris des familles qui ont perdu un enfant, un parent. Vous ignorez tout de la douleur de devoir accompagner un petit cercueil, de le mettre en terre ! Vous n'imaginez pas une seconde ce que ça fait de savoir que l'on n'entendra plus jamais la voix de son enfant, que plus jamais il ne vous accueillera devant la porte de la maison, que plus jamais il ne se blottira dans vos bras. Vous ne concevez pas combien c'est atroce de penser aux jours, aux semaines, aux années remplies de son absence, à cet avenir entier sans lui ! Vous n'êtes qu'un fou utilisant un discours religieux pour perpétrer ses meurtres. Vous n'êtes pas mieux que ceux que vous haïssez.

— Vous vous trompez, Daniel. Je sais tout cela, répond-il d'une voix blanche. J'ai perdu ma femme et mes enfants. Une bombe américaine, lancée sur mon village en Afghanistan. Ma femme, mes deux fils et ma fille.

Des paroles et des images viennent brouiller mes pensées. Je vois une maison détruite, des corps calcinés. Je le visualise pleurant au milieu des ruines.

— Vous mentez ! Vous essayez d'échapper à la mort qui vous attend, car je vais vous tuer. J'y pense depuis si longtemps. Je ne vis même que pour ça.

— Je ne mens pas. Je n'ai pas peur de la mort. Je l'attends en vérité depuis longtemps. Mais je sais que vous ne me tuerez pas. Vous n'êtes pas un assassin, Daniel.

Mes genoux se dérobent, mes jambes tremblent. Je refuse de laisser le doute forer mon esprit.

— Aujourd'hui, je vais le devenir. Ma vie n'a aucun sens. Tant que vous serez en vie, elle ne pourra en avoir.

— Pensez-vous que Jérôme aurait aimé vous voir agir ainsi ?

Je titube. Immédiatement, mes muscles me lâchent et mon bras ne supporte plus le poids de l'arme.

— Comment...

Je suis incapable de parler. Les mots fondent sur ma langue, se dissipent dans mon souffle court.

— Je sais tout de vous, Daniel Léman. Car voilà plusieurs jours que nous vous surveillons, maintenant. L'hôtel *Bristol* nous a informés qu'un client curieux avait pris des notes me concernant. Vous n'êtes pas très discret. Un de leurs salariés est un fidèle. Nous en comptons beaucoup dans le quartier. Ensuite, nous avons pu reconstituer votre histoire. Nous avons rapidement compris que vous aviez décidé de *le* venger. Le tout était de deviner comment. Nous pensions à une simple attaque, un jour de prêche. Je ne suis donc plus sorti de chez moi. Mes hommes vous ont suivi, notamment lors de vos rendez-vous avec Moktar. J'ai d'ailleurs apprécié l'ingéniosité de votre tactique, bien que hasardeuse et risquée. Sachez que jamais vous n'auriez pu m'atteindre de cette manière. Pensiez-vous que nous allions réellement vous laisser m'approcher sans vérifier votre identité ? Vous êtes un homme intelligent, Daniel, mais la douleur vous a fait perdre tout sens des réalités. Vous avez commis des erreurs d'appréciation grossières. Cependant, lorsque j'ai compris que vous étiez déterminé à entrer en contact avec moi, plutôt que d'attendre que vous agissiez, mieux valait provoquer la rencontre. J'ai informé Moktar de vos intentions et lui ai demandé d'arranger cette... disons entrevue.

Accablé, je ne parviens plus à faire le moindre geste. Mon esprit est la proie d'images, de mots, d'émotions qu'il est incapable de trier, d'ordonner. Toutes ces journées perdues à échafauder des plans, à me croire plus malin, plus intelligent, invincible... Je suis un imbécile, humilié et impuissant.

— Pourquoi ne pas m'avoir tué ? Pourquoi m'avoir laissé venir jusqu'à vous ?

— Mon humanisme, répond-il en écartant légèrement les bras. J'espérais que vous finiriez par abandonner votre projet. Je l'ai même espéré jusqu'à l'instant où vous avez sorti l'arme. Je voulais que mes propos vous touchent, vous aident à comprendre mes motivations. Mais non, il a fallu que vous jouiez votre rôle jusqu'au bout.

Un sursaut de fierté me fait relever mon revolver.

— Allons, Daniel, vous imaginez bien que nous ne vous aurions jamais laissé entrer avec une arme chargée !

Son visage est toujours impassible et sa voix adoucie, comme pour manifester de la pitié pour ma naïveté.

— Mes hommes ont remplacé les cartouches par des balles à blanc.

Mon esprit s'emballe. J'appuie sur la détente. Une détonation. Le cheikh cligne des yeux, reste stoïque. Il pose sur moi son regard froid.

Deux gardes du corps se précipitent.

— Je suis désolé, Daniel. Je comprends votre abattement, votre solitude.

Avant qu'ils ne me saisissent, je pousse un cri de rage, d'impuissance outragée et me jette sur lui. Pour l'étrangler ? Le frapper ? Je n'en ai pas le temps. Un coup de poing à l'estomac me suffoque. Les gorilles m'immobilisent. J'entends l'impact de leurs coups sur mon corps, mais ne sens rien. Le goût du sang se mêle à mes larmes.

— C'est une guerre, Daniel. Et vous êtes un soldat. Un combattant dangereux car haineux. Mais inoffensif aussi, car naïf.

Il se lève et s'adresse à ses sbires en arabe. Ils me tiennent debout, les bras dans le dos, face au cheikh.

Je hurle ma hargne.

— Je vous tuerai ! Je vous tuerai...

Ma voix, plaintive, est celle d'un enfant exténué et désemparé.

— Non, vous ne me tuerez pas. Je comprends votre colère. Elle était la mienne au milieu des ruines de ma maison. Nous nous ressemblons. Nous nous sommes abreuvés à la même source, mais j'ai su m'en remettre à Dieu, organiser mes pensées et mes actions. Vous, votre rancœur vous a perdu. Elle s'est transformée en folie et vous a empêché d'agir intelligemment. Vous avez échoué.

Je lui crache au visage.

Un coup de poing écrase mon nez, que j'entends craquer. Les hommes s'apprêtent à me rouer de coups mais le cheikh les stoppe d'un signe de la main. Son visage a perdu son impassibilité et affiche un rictus de mépris. Il essuie sa joue.

— Vous pensez être meilleur que moi, Daniel, n'est-ce pas ? Mais la vie de votre fils vaut-elle plus que celle des enfants morts en Afghanistan ou en Irak ? Un enfant musulman a-t-il moins d'importance qu'un enfant américain ? Posez-vous ces questions et essayez d'y répondre avec le peu de clairvoyance qu'il vous reste. Vous me faites pitié, vous autres, mécréants ! Vous êtes outrés par les attentats, vous pleurez les victimes du 11 Septembre, mais que des enfants meurent par milliers de maladie, de malnutrition ou tués par des armes vendues par vos pays... Vous manifestez juste un peu de compassion pour vous dédouaner moralement entre deux restaurants, deux éclats de rire. Même votre colère n'est pas sincère Daniel. Si elle l'était, vous m'auriez déjà tué. Vous n'auriez pas commis toutes ces erreurs.

Il relève la tête, jauge mon état, hésite à continuer. Mais mon regard haineux le défie et il se résout à aller plus loin encore.

— Notre colère est vraie, lance-t-il en tapant du tranchant d'une main le plat de l'autre. Elle conduit des hommes à sacrifier leur vie pour défendre leur cause. Des combattants prennent des leçons d'aviation, disent adieu à leurs familles, montent dans un avion et se font exploser en percutant des gratte-ciel : voici ce qu'est la sincérité. Vous vous complaisez dans l'apparence, la plainte, l'imprécation. Vous n'avez plus de cause. Juste des désirs, des envies, des appétits. Vous ne m'auriez pas tué, Daniel. Maintenant, si mes hommes vous lâchaient, peut-être le feriez-vous. Et ce ne serait pas pour venger votre fils, non, juste pour laver votre affront et me faire ravaler mes paroles. Hélas pour vous, je ne vous en laisserai pas l'occasion. Je suis désolé, Daniel, c'est une guerre.

Il dessine un léger signe de sa main et ses hommes m'entraînent.

JEAN

Éric se dirigeait vers sa voiture d'un pas lent. La journée se terminait sans nouvelle de la prise d'otage. Le journal avait perdu quelques parts de marché et continuerait sans doute à décliner dans les jours à venir. Des critiques commençaient à émerger. Il y avait ceux qui s'élevaient contre l'incapacité des forces de l'ordre à trouver une piste tangible et auxquels le ministère de l'Intérieur faisait savoir, sur un mode laconique, que « des options sérieuses avaient été envisagées et continuaient d'être explorées ». Il y avait aussi ceux qui contestaient la collecte de dons, arguant que le public et les médias avaient fait le jeu des terroristes, allaient susciter des vocations parmi tous les groupuscules en manque de moyens ou les moindres voyous. Enfin, des débuts de rumeurs couraient sur le détournement d'une partie des fonds adressés aux médias. L'affaire s'embourbait, le public conjecturait et lui, Éric Suma, doutait sérieusement. La roue de la chance avait-elle déjà tourné ?

Certes, c'était le propre de son métier : il vous réservait des moments de joie exceptionnels et d'autres de désolation. Il avait supporté aisément ces revirements de situations, ces tête-à-queue de la réussite quand il était un journaliste jeune et encore optimiste. Mais maintenant, chaque contrariété résonnait en lui comme le signe avant-coureur de sa prochaine déchéance. Avait-il à rougir de ce qu'il avait entrepris ? Peut-être. Il refusait en tout cas d'aborder la question avec franchise. Tout comme il refusait d'ausculter son parcours avec lucidité.

Une image lui vint à l'esprit et le fit amèrement sourire. La une improbable d'un journal à scandale qui montrerait son visage avec cette interrogation : « Quelle est la valeur de cet homme ? »

Je le ferai pour toi

Qui pourrait répondre à cette question ?
Lui.
Mais il n'aimait guère la réponse.

Akim et Lagdar entrèrent dans la chambre sans parler. Ils portaient un petit téléviseur qu'ils posèrent au bout de la pièce.

— Que faites-vous encore ? Vous ne m'avez pas assez torturé ? cria Jean, presque heureux de rompre le silence.

Ils l'ignorèrent à nouveau.

Ils installèrent un lecteur de DVD, le connectèrent au poste, insérèrent un disque et se retirèrent.

Jean fixa l'écran, curieux – et anxieux – à l'idée de ce qu'il allait découvrir.

Quand la première image apparut, il eut l'impression de tomber à l'intérieur de lui-même.

Une chute vertigineuse qui l'emmenait dans les tréfonds de sa mémoire. Mais l'image le rappela et il se ressaisit.

Sur l'écran, sa femme était assise à la terrasse d'un café, buvant un *espresso*, absente, le regard dans le vague.

Ils l'avaient réellement approchée, savaient où la trouver et voulaient qu'il en soit convaincu. Dans quel but ? Qu'attendaient-ils de lui ?

Le cœur battant, il tenta d'avancer vers le téléviseur autant que ses menottes le lui permirent.

Dix ans s'étaient écoulés sur le visage de son épouse, éteignant l'éclat de ses yeux, effaçant les traces du bonheur qu'ils avaient connu. Pourtant, elle était encore si belle.

Elle remuait machinalement la cuillère dans la tasse, comme absorbée par la contemplation d'un horizon imaginaire.

Que préparaient ces hommes ? Qu'allaient-ils faire à celle qu'il avait tant aimée ? À quoi rimait cette torture psychologique ?

— Salauds, vous n'avez pas le droit ! Elle n'est pour rien dans tout ça ! Elle ne savait rien !

Ses cris se perdirent dans le silence de l'appartement vide.

La scène cessa après quelques minutes. Puis recommença. Le DVD était programmé en boucle.

DANIEL

Ils m'ont menotté au radiateur d'une pièce sombre située sous la maison.

Un homme me surveille avec curiosité. Je soutiens son regard.

— Baisse les yeux, Kelb !

Je n'obéis pas. Que resterait-il de ma dignité si j'obtempérais ?

Il s'approche et me décoche un coup de poing à l'estomac.

Je tombe.

Il se penche sur moi et pose son doigt sur mon front.

— Ce soir, dit-il, en mimant la détente d'un revolver.

J'ai envisagé ma mort avec sérénité durant toutes ces semaines, mais elle devait suivre celle du cheikh. Eh là, je vais mourir pour rien.

Je suis allongé depuis près de trois heures quand j'entends des bruits sourds.

Mon gardien se redresse, inquiet.

Il se dirige vers la porte, l'ouvre avec précaution. Un violent coup le projette en arrière. Il tente de saisir son arme mais deux hommes se ruent sur lui et l'immobilisent.

— Il est là !

Un homme apparaît. Deux yeux intenses percent à travers les orifices de sa cagoule. Qui sont ces types a priori venus à mon secours ? À nouveau, les événements me dépassent, mon histoire m'échappe et je ne maîtrise plus rien. Ni ne comprends plus rien.

— Putain, il est là, les mecs ! répète-t-il, excité.

Derrière lui, un autre cagoulé assène un violent coup sur le crâne du gardien.

— Allez, magne-toi ! ordonne le premier en me saisissant.

Je résiste, dégage mon bras, ne sachant que faire. Je veux comprendre.

— Allez, merde, suis-nous ! Faut pas qu'on s'éternise. Pour l'instant tout va bien, mais ça va pas durer !

— Mais qui... ?

L'homme réalise alors mon étonnement. Il s'arrête et fait signe à son compère. Tous deux soulèvent leurs cagoules.

Salomon et Vitto.

Je ne réagis pas, stupéfait de voir des visages familiers dans cet enfer.

— Putain, ils l'ont mis dans un sale état. Pourritures ! grogne Vitto en m'aidant à me relever.

Puis, m'offrant son plus beau sourire :

— Alors, Daniel, content de revoir tes potes ?

Salomon fouille les poches du gardien, sort les clés de mes menottes et me détache.

— Allez, dépêche-toi, frérot. On n'a pas trop l'habitude de ce genre de situation et je ne sais pas si on pourra jouer les durs longtemps. On t'expliquera tout dehors. Et surtout, ne prononce pas nos prénoms.

Mon cœur s'emballe. Je crois délirer. Que font-ils ici ? Comment ont-ils su ?

Mais déjà ils me soulèvent et me précipitent hors de la pièce.

— Merde, t'as grossi, Daniel, murmure Vitto.

À l'étage, je vois les deux autres gardes, allongés sur le sol.

— Le boulot de Bartholo et Nabil, me dit Salomon à l'oreille en désignant le reste du groupe de mes sauveurs.

— On se magne ! déclare d'ailleurs Bartholo. Faut qu'on se casse très vite d'ici, les mecs.

Le cheikh, lui, est assis derrière son bureau, les mains liées. Celui qui le tient en respect, appuyant un revolver contre sa nuque, me fait un signe de la main. Je reconnais les larges épaules de Rémi.

Si je ne m'explique pas leur présence, l'euphorie du moment me porte. J'aimerais les prendre dans mes bras, leur exprimer ma gratitude, leur crier mon amour. Mais d'autres urgences nous attendent : fuir sans laisser de traces.

Le cheikh a perdu son impassibilité. Les mouvements rapides

des yeux par lesquels il tente d'embrasser la situation traduisent sa panique.

— Allez, on dégage ! crie Salomon.

— Qu'est-ce qu'on fait de lui ? s'enquiert Rémi en désignant le ligoté.

Salomon m'interroge du regard.

— On l'emmène.

Je devine qu'il doute.

— Écoute, je te comprends, mais si on en reste là tout peut encore rentrer dans l'ordre.

— On l'emmène !

— Putain, j'étais sûr que cette histoire ne serait pas simple. Allez, embarquez-le. Tout le monde est prêt à filer ?

— Non, le cousin a disparu, répond Nabil.

— Où il est encore passé celui-là ? s'énerve Salomon.

Vitto réapparaît, un sac en bandoulière.

— Hé ! on n'allait pas partir les mains vides ? Objets en or, petites coupures de banque, appareil photo, caméscope... On pourra rembourser les frais du voyage.

— Avance la camionnette jusqu'au perron, ordonne Salomon à Rémi. Faut pas qu'on nous voie sortir.

Le soleil a commencé à se coucher. Nous nous engouffrons dans le véhicule. Vitto pousse le cheikh, silencieux, le contraint à s'allonger sur le plancher en métal et lui bande les yeux. Bartholo et Nabil ôtent leurs cagoules et grimpent avec lui à l'arrière.

Salomon, Vitto et moi prenons place à l'avant, séparés des autres par une cloison en fer. Rémi s'installe au volant

— Allez, allez ! Démarre !

Le van roule en direction des faubourgs de Londres. Nous demeurons silencieux un moment, reprenant notre souffle, laissant la tension retomber et nos émotions s'éclaircir.

Puis Vitto me regarde, amusé.

— Alors, mon bourgeois, belles retrouvailles, non ?

Je pose ma main sur son épaule et la serre. Comment exprimer ce que je pense de tout cela ?

D'un coup il règne dans l'habitacle une excitation proche de celle que nous connaissions lorsque nous avions réussi un cambriolage et partions le coffre plein.

— Comment avez-vous su ? réussis-je enfin à demander.

— Quand tu as voulu du matériel, j'ai compris ce que tu allais faire, explique Salomon. Car j'aurais fait la même chose. Je savais que je ne pourrais pas t'imposer mon aide, alors, je t'ai suivi jusqu'ici. Tu crois que je t'aurais laissé te débrouiller tout seul ? On a toujours marché ensemble, Daniel. Seul, face à ces pros, ton combat était perdu d'avance. Un jour, je les ai vus entrer dans ton hôtel et parler à un loufiat. J'ai compris que ça commençait à pas sentir bon. J'ai appelé les potes. On s'est planqués et on t'a pas lâché d'une semelle. Apparemment, on a bien fait. On est là depuis une semaine.

— Putain, une semaine à se la jouer agent secret et à se taper une bouffe à la con dans une baraque pourrie à l'extérieur de Londres, ajoute Rémi. Faut vraiment qu'on t'aime.

— Et quand on t'a vu arriver ici avec l'autre mec qui se la joue *play-boy*, puis qu'il est ressorti sans toi, on a eu la trouille, reprend Salomon. Au bout de quelques heures, on a compris que ça avait mal tourné. Comme on avait déjà un peu repéré les lieux, on a joué le tout pour le tout. Ils te croyaient seul, alors on a eu l'avantage de la surprise. Même s'ils étaient armés, à nous cinq on a cogné dur.

— Où va-t-on ? je demande, en poussant un soupir de soulagement.

— Vers une petite maison louée en banlieue.

La vieille bâtisse en pierre flotte sur le brouillard, au milieu de champs que l'on devine étendus et profonds. Le premier village se situe à un kilomètre.

Nous nous engouffrons discrètement dans la maison. Bartholo et Nabil portent le cheikh dans une chambre isolée et l'attachent. Quand ils reviennent, nous sommes tous debout, dans la salle à manger, laissant nos sourires et nos regards exprimer les mots qui, parce que notre excitation est trop grande, ne viennent pas. Puis Vitto pousse un cri de joie qui libère la tension cumulée et les autres l'imitent aussitôt. Les rires fusent sans qu'aucune parole ne les suscite. Nous nous étreignons et je passe dans les bras de chacun. Tous m'embrassent, me serrent, me disent leur plaisir de me revoir.

Bartholo sort quelques bières. Mes amis trinquent à leur incroyable aventure, à la joie d'en être sortis vivants, de m'avoir retrouvé, sauvé, et de m'étreindre. Puis chacun y va de son commentaire, explique les sensations éprouvées durant l'expédition, ce qu'il a redouté...

L'ambiance survoltée me porte un moment et je me sens presque bien au cœur de cette ambiance surréaliste, au milieu de la seconde famille que j'avais oubliée.

Nous nous attablons, mangeons quelques sandwichs et buvons d'autres bières.

Vitto et Bartholo monopolisent la parole, tentant de combler les années d'absence de mots forts et colorés, de faits importants et d'anecdotes. Chacun se raconte, dit où il en est.

Les deux cousins m'annoncent être mariés à deux sœurs en affichant un large sourire, comme si la bonne blague datait encore de la veille. Ils dévoilent les prénoms de leurs enfants, fiers du clan qu'ils perpétuent.

— Pour moi, le plus dur c'est de voir mes fils traîner avec des petits vauriens, assène Bartholo, sans rire.

— Oui, aujourd'hui les petites frappes n'ont plus aucun sens de l'honneur.

Vitto passe rapidement sur les mois de prison dont il a écopé après un cambriolage. Salomon, lui, évoque cet épisode malheureux comme le point de départ d'une prise de conscience l'ayant incité à apprendre un métier. Désormais, il élève seul ses trois filles et restaure de vieilles demeures. Parfois pour des familles britanniques à la quête d'une vie française. C'est d'ailleurs grâce à l'une d'elles qu'il a trouvé la maison.

Quant à Nabil, il a ouvert un garage qui lui permet d'offrir à sa femme et à ses deux enfants un cadre de vie confortable.

— Tu verrais mon fils et ma fille ! Deux petits Français. Pas un gros mot, pas une faute. J'en suis très fier.

Rémi s'est arrangé pour continuer à vivre en marge.

— Je fais des saisons, raconte-t-il. Dès que j'ai du fric je pars en voyage, j'achète une bagnole, je flambe tout. Ensuite, je reprends un boulot et je recommence. J'aime cette vie. J'ai deux enfants, de mères différentes, mais je ne les vois pas. Je ne suis pas un bon modèle.

La tribu se réunit de temps en temps, à l'occasion d'un anniversaire, des fêtes de fin d'année. À leurs joies partagées, je me sens stupide d'être exclu de leur vie. Ils étaient mes frères d'armes. Mes frères tout court. Je sais qu'ils ne m'en veulent pas de les avoir quittés puisqu'à la première alerte ils ont abandonné leurs situations, leurs familles et ont accouru pour me prêter main-forte. La culpabilité et la reconnaissance se mêlent alors en un élan d'affection que je n'ose exprimer. J'ai envie de leur présenter mes regrets, de m'excuser, de les remercier, mais aucun mot n'est capable d'effacer dix ans d'absence, aucune attitude n'est digne de leur amitié.

L'atmosphère est irréelle et, d'une certaine manière, euphorisante. Alors que les fidèles du cheikh et la police britannique doivent être sur le pied de guerre, nous voilà comme une bande de vieux potes, chacun racontant sa vie, ivres de joie d'avoir réussi à retrouver nos forces et nos réflexes communs pour sortir vainqueurs d'une situation risquée, pressés aussi de confier à la magie de l'instant toute l'excitation et le stress longtemps contenus. Nous sommes une bande de jeunes de retour d'un cambriolage réussi, heureux d'être ensemble.

Durant ce frugal repas, le temps n'existe plus. Le passé et le présent se rencontrent, fusionnent.

Nous ne nous sommes jamais quittés.

Mon fils n'est pas mort.

JEAN

À cette heure, les bureaux étaient encore vides. Éric passa son badge sur le détecteur électronique et pénétra dans le bâtiment. Insomniaque, il arrivait souvent le premier. Ses collègues y voyaient le signe d'un grand professionnalisme. Pour lui, il s'agissait plutôt d'un moyen d'échapper à ses angoisses. Il prit un café au distributeur et remonta le long couloir. À sa surprise, il aperçut une lueur dans une salle de réunion et entendit le martèlement du clavier d'un ordinateur. Et il découvrit Clara penchée sur son écran, absorbée par son travail.

— Salut, lança-t-il.

La journaliste se retourna, souriante.

— Bonjour Éric. Je t'ai entendu arriver.

— Que fais-tu là ? Il est encore tôt.

— Je pourrais te retourner la question.

— J'arrive souvent de bonne heure.

— Je sais. C'est peut-être pour ça que je suis arrivée avant toi ?

Elle avait dit la phrase en l'accompagnant d'un regard énigmatique.

— Tu voulais me parler ?

Éric s'assit près d'elle et avala une gorgée de café. Sa voix étant encore rocailleuse, il lui faudrait quelques tasses de liquide chaud pour décontracter ses cordes vocales.

— Oui... enfin, non, bafouilla Clara, embarrassée.

— Pas très claire ta réponse, plaisanta Éric.

La jeune femme esquissa une mimique de gamine désolée.

— Oui mais pas très facile non plus de s'adresser à toi. Tu es tellement insaisissable. J'ai plein de choses à te dire. J'ai eu plusieurs fois envie de te parler mais, en pleine journée, avec tout ce monde autour de toi, je n'ai pas pu... Ou pas eu le courage.

— Bon, alors veux-tu que je t'interviewe ?

Clara laissa échapper un petit éclat de rire, espérant qu'il la délesterait de son trac.

— Non, je vais y arriver seule... Je me lance. Je le regretterai sans doute plus tard mais tant pis.

Elle inspira profondément.

— D'abord... je veux que tu saches que j'ai énormément d'admiration pour toi. Quand j'étais encore étudiante, tu étais une sorte de... modèle.

— Voilà une belle manière de m'expliquer que je suis un vieux journaliste, plaisanta Suma.

— Ne m'interromps pas, s'il te plaît. C'est déjà assez dur comme ça.

Elle baissa les yeux à la recherche des mots les plus justes et les releva subitement pour les planter dans ceux du présentateur.

— Je te trouve admirable, Éric. Ta manière de bosser, de prendre des décisions, de t'adresser aux téléspectateurs... tu maîtrises les situations, domines tes sujets... C'est pour moi une chance de travailler avec toi.

— Ne te fie pas aux apparences, Clara.

— Je ne me fie pas qu'aux apparences. Je pense aussi avoir percé la réalité de celui qui se cache derrière l'image du professionnel sûr de lui.

Suma haussa les sourcils. Il la dévisagea. Son joli visage, la fougue de sa jeunesse, son trouble le touchaient. Il n'était pas insensible à sa beauté mais n'avait jamais rien tenté pour la séduire, s'estimant trop vieux pour ce genre de conquête, pas suffisamment disponible non plus. Et s'il l'avait souvent encouragée par des œillades, des compliments, il ne s'était pas aventuré plus loin. Peut-être aussi par crainte d'être éconduit et d'entamer le peu d'amour-propre qu'il lui restait.

— Et quelle est cette réalité ? demanda-t-il.

— Celle d'un être extrêmement sensible. Blessé par la vie. La profession t'a maltraité. Et je crois qu'au niveau personnel les choses ne sont pas faciles non plus.

Éric se braqua. Non parce qu'elle entrait sur le terrain de la vie privée mais parce qu'il était préjudiciable qu'une jeune journaliste ait décelé ses faiblesses et s'autorise à lui en parler.

— Je n'aime pas la tournure de cette conversation, maugréa-t-il. J'ignore même où tu veux en venir et je n'ai pas besoin de ta compassion, ajouta-t-il avec véhémence tout en se levant.

Clara se redressa, atteinte par la remarque.

— Ce n'est pas de la compassion, bredouilla-t-elle. J'essaie seulement de t'expliquer que j'ai autant de respect pour le professionnel que pour l'homme. En fait, pas du respect... des sentiments...

Sa voix avait faibli. Éric se figea, essayant de déceler sur le visage de la jeune femme la confirmation de ce que ses mots laissaient entrevoir.

Le ronronnement d'un ascenseur se fit entendre.

— Je te laisse, murmura Éric.

— Peut-être que nous pourrions reparler de tout ça un soir ? questionna Clara.

— Oui... peut-être, lâcha-t-il avant de lui tourner le dos.

— Ce soir ? proposa Clara.

Suma ne répondit pas.

— Je passe te prendre à 19 heures, osa-t-elle.

Pris au dépourvu et ne sachant quelle attitude adopter, il préféra lui adresser un petit signe de la main et s'éclipser. Pour la première fois depuis des années, il se sentit émotionnellement troublé.

DANIEL

La nuit pèse sur la vieille bâtisse à bow-windows. Mes amis somnolent assis autour de la table, allongés sur le canapé ou affalés dans les fauteuils du salon. Debout devant la fenêtre, j'essaye de deviner la campagne, cherchant à ancrer dans mon esprit un morceau de réalité. J'ai presque réussi à me fondre dans l'obscurité de la prairie anglaise quand Salomon s'approche de moi, une cigarette à la bouche. Il reste en retrait et laisse son regard flotter sur la surface du verre.

— Putain de journée ! marmonne-t-il.

— Tu sais, je voulais te remercier, je...

— C'est bon. On n'en est plus là.

Je me tais l'espace d'un instant.

— Que vas-tu faire du cheikh ? demande-t-il à brûle-pourpoint.

— Le tuer.

Dans le reflet de la vitre, je le vois hocher la tête, jeter son mégot au sol et l'écraser.

— Des conneries. T'es pas un tueur. Nous étions de gentils petits voyous, de vrais bagarreurs, c'est vrai. Mais tuer, c'est autre chose.

— Je sais ce qu'est un meurtre. J'en ai senti toute la douleur.

— Ne mélange pas tout, Daniel. Et fais pas semblant de pas comprendre. Je ne sais pas ce que tu as enduré. Je sais en revanche que si un de mes enfants avait été assassiné, j'aurais réagi comme toi. Mais à chaud. Pas après plusieurs semaines d'attente, de guet, d'espoirs et d'angoisse. Pas en laissant derrière moi une famille. Tout à l'heure, dans le feu de l'action, j'aurais pu tuer pour sauver ma peau ou celle de l'un d'entre vous, mais je tremblais rien qu'en y pensant. Je t'ai observé te terrer dans ta chambre d'hôtel, préparer ton coup, jouer la comédie. Et je ne t'ai pas reconnu, Daniel. Je t'ai laissé faire, persuadé que tu allais te réveiller, reprendre un avion pour revenir auprès des tiens, faire ton deuil et les aider à entreprendre le leur. Tu as toujours été le plus déterminé d'entre nous, c'est vrai, mais j'ai du mal à t'imaginer entrant dans cette pièce, levant ton arme, la pointant sur le visage du type en bas, supporter son regard en appuyant sur la détente. C'est pas toi ça, Daniel.

— Je n'ai pas pu récupérer ce qu'il restait de la dépouille de mon fils après l'explosion... les enquêteurs m'ont dit qu'ils avaient besoin d'une photo, de connaître les vêtements qu'il portait, de disposer de ses empreintes dentaires. C'est comme ça qu'ils ont identifié quelques parties de son corps. Ils ont placé le tout dans une boîte. C'est cette boîte que nous avons enterrée. Et... et je ne suis même pas sûr que tous ces morceaux de chairs appartenaient à mon fils.

— Je sais, Daniel.

— Non, tu ne sais pas.

— J'aurais aimé le connaître.

— C'était un gentil garçon. J'étais tellement fier de lui.

— Tu as un autre fils. Es-tu moins fier de lui pour refuser de rester son père ?

Sa remarque me sonne.

— Si je ne tue pas cet homme, je ne serai plus rien.

— Si. Une victime. Un homme qui pleure.

Je le vois lever sa main, vouloir la poser sur mon épaule. Mais il aperçoit mes larmes et, par pudeur, retient son geste.

— On en reparle demain. Nous sommes tous fatigués.

Ils ont veillé sur le cheikh Fayçal à tour de rôle, allongés sur un matelas à même le sol, près du lit auquel nous l'avions entravé. Ils n'ont pas voulu que je prenne de tour de garde, prétextant que mon état réclamait du repos. Je devine qu'ils craignent que je me venge froidement et espèrent que je renoncerai à le tuer. C'est pour cela qu'ils ont bandé les yeux du cheikh pour ne pas qu'il voie leurs visages.

Je n'ai pas dormi. Ou peu. Les phases de sommeil léger et celles d'éveil se mêlaient, m'empêchant de distinguer les rêves de la réalité fantasque que je venais d'endurer. C'est pourtant dans cet état d'abrutissement qu'a jailli l'idée.

Je me suis alors levé, douché et j'ai préparé le café.

Vitto me rejoint dans la cuisine, les cheveux mouillés, une serviette autour des hanches. Il saisit une tasse, allume une clope et s'assoit face à moi, un sourire aux lèvres.

— J'ai rajeuni de vingt ans, plaisante-t-il.

Nous demeurons silencieux un instant. Un échange s'installe, fait de regards, de sourires. Puis, pour échapper à l'embarras qui nous gagne, je l'interroge.

— Qui le surveille ?

— Nabil. Il a pris son tour il y a une heure. Mais bon, ça ne sert à rien : comment veux-tu que ton terroriste s'échappe ?

Rémi nous rejoint, les cheveux en bataille, l'air mauvais, se contentant d'un geste de la main pour nous saluer.

— On le sait, t'es pas du matin donc faut pas te parler, ricane Vitto.

Soudain, des éclats de voix nous parviennent de la pièce dans laquelle le cheikh est enfermé. Nous nous précipitons.

Nabil marche de long en large en pointant du doigt Fayçal qui s'adresse à lui en arabe.

— Ne me parle pas en arabe, crie Nabil. Je t'ai déjà dit que je ne comprends pas ! Et que j'en ai rien à foutre de tes leçons de morale ! Je suis autant musulman que toi, je pratique, mais on n'a pas dû lire le même Coran. Moi, j'ai lu celui qui parle d'amour, dans lequel le Prophète appelle les musulmans à donner l'exemple d'une bonne conduite. Le tien, il est taché de sang !

Le cheikh durcit le ton, toujours en arabe.

— Tu ne m'impressionnes pas. Tu peux me citer toutes les sourates et les hadiths que tu veux, me promettre l'enfer, moi, j'ai pas de sang sur les mains. Toi, tu devras rendre des comptes là-haut ! Leur expliquer comment tu as pu utiliser le nom d'Allah pour prendre la vie d'innocents.

Il place une respiration dans sa colère.

— J'ai fait la connerie de lui dire que j'étais musulman, que je ne comprenais pas ses appels au meurtre. Depuis, il essaie de me retourner le cerveau, veut me culpabiliser. Il me dit que nous sommes de la même race, du même sang. Il voulait que je le détache pour sa prière. Il me prend pour un con ou quoi ! Je veux pas rester à surveiller ce taré.

— O.K., je te remplace, le rassure Vitto.

— C'est pas nécessaire, laissons-le tout seul. Je veux que nous parlions dans la cuisine.

— Moi, je vais faire ma prière, espèce d'illuminé ! lance Nabil. Qui saura entendre la tienne ?

Les cris ayant réveillé Salomon et Bartholo, ils ont assisté à la fin de la scène et, maintenant, les yeux à demi fermés, se dirigent vers la salle de bains.

Nous sommes réunis à la cuisine, assis devant une tasse de café. Quelques plaisanteries fusent, des rires, mais je sens l'atmosphère tendue. Le sort du cheikh les préoccupe. Si tout s'arrête maintenant, ils s'estimeront heureux de s'être retrouvés pour vivre une incroyable aventure et s'en être sortis à bon compte. Leur vie les attend, de l'autre côté de la Manche : une compagne, des enfants, une situation durement acquise et bientôt des jours à ressasser avec excitation les folles journées vécues à Londres. Bien sûr, ils ne m'abandonneront pas, quelle que puisse être ma décision, mais ils espèrent une issue honorable, sans savoir comment l'honneur peut encore composer avec la situation ni même mon état d'esprit.

Je prends la parole, hésitant.

— J'ai beaucoup de choses à vous dire. Par quoi commencer...

Je scrute les visages penchés au-dessus de la table, ne trouve pas les mots.

Où ai-je laissé l'aisance avec laquelle je m'adressais à mes collaborateurs ou à mes clients ? Sûrement avec mes déguisements et compositions, là où on a entreposé ma vie d'avant. J'ai face à moi des hommes à qui je voue une réelle affection, une admiration. Quelles paroles attendent-ils ? Uniquement celles que portera mon cœur, sans travestissement.

— D'abord, sachez que je vous aime.

Ils laissent échapper quelques rires, surpris par la sincérité et le sérieux avec lesquels j'ai énoncé cette vérité.

— Pas nous. Nous, on n'est là que pour l'aventure et le goût du voyage, lance Vitto pour désamorcer l'embarras qui les gagne.

— Je n'oublierai jamais ce que vous avez fait pour moi. J'ai compris que vous étiez aussi ma famille. Plutôt, je m'en suis enfin souvenu.

— Bon, fais pas chier, Dany ! s'exclame Rémi. Arrête tes grandes déclarations, on sait tout ça. Tu ne nous dois rien. On est heureux de t'avoir donné ce coup de main et on s'est fait de nouveaux souvenirs pour les vieux jours.

— Sans compter que ce que j'ai ramassé chez l'autre allumé devrait nous payer des vacances. J'ai calculé, doit y en avoir pour près de 20 000 euros. On pourra réfléchir à un séjour quelque part, tous ensemble !

Divers commentaires viennent accueillir ce projet. Seul Salomon conserve son sérieux, ses yeux plantés dans les miens.

— J'ai pris une décision. Et, je vous demande de ne pas la commenter, de ne pas vous y opposer.

Ils redeviennent graves, se taisent.

Salomon allume une autre cigarette, se penche en arrière pour mieux embrasser la scène du regard.

— Vous allez rentrer chez vous et me laisser seul avec le cheikh.

— Te laisser seul ? Et pourquoi on te laisserait seul ? tempête Nabil.

— Parce que, maintenant, cette histoire ne vous regarde plus.

— Tu plaisantes ? s'emporte-t-il. C'est aussi la nôtre ! On ne t'abandonne pas. On va jusqu'au bout ensemble et on rentre ensemble.

Les autres acquiescent.

— Non. Vous en avez fait assez pour moi. Nous avons eu de la chance, tout s'est bien passé. Mais les choses pourraient mal tourner. Les hommes du cheikh ont déjà dû donner l'alerte, ils ont sans doute averti les flics. En partant maintenant, vous pouvez rentrer en France sans ennui. Dans quelques heures, il sera peut-être trop tard.

Rémi m'interrompt.

— Dany, tu nous gonfles. Comme tu l'as dit, les choses pourraient mal tourner. Donc on reste.

— D'autant qu'on a vu ta capacité à te tirer d'affaire ! ironise Bartholo. Moi, je refuse.

— On reste ! confirme Nabil.

— Non, j'ai besoin de vous ailleurs. L'histoire ne devait pas se dérouler comme ça. Je pensais, naïvement c'est vrai, pouvoir éliminer le cheikh sans être identifié. Mais ses hommes savent qui je suis. Je crains qu'ils rendent visite à Betty et à Pierre. Je voudrais que vous alliez les chercher et les emmeniez en lieu sûr.

Ils demeurent un instant pensifs. Le propos les a touchés. Je ne les congédie pas, je sollicite leur aide.

— Pas la peine que nous partions. Il suffit que j'appelle ma femme et que je lui dise de les mettre en lieu sûr.

La bande approuve.

Je les regarde, désemparé. Que puis-je argumenter pour les faire changer d'avis ?

— Non, Dany a raison, tranche Salomon.

Il s'est tu jusqu'alors, se contentant, comme à son habitude, d'observer.

Vitto, Bartholo, Nabil et Rémi le scrutent, étonnés. La bande reconstituée se plie aux mêmes règles qu'autrefois.

— Mais, enfin, Salomon... murmure Vitto.

— Vous allez rentrer et vous occuper de Betty et Pierre. Moi je reste avec lui, assène-t-il fermement, en plantant ses yeux dans les miens.

— Salomon...

Il m'interrompt.

— Le jeu est trop dangereux pour que nous te laissions seuls ici. Mais si je ne pars pas, ils accepteront de rentrer. Tu n'as pas vraiment le choix, Dany.

Je réfléchis.

— O.K., Salomon.

— Et nous autres, cons que nous sommes, nous retournons

chez nous ! Merci les mecs, râle Rémi pour signifier à la fois son mécontentement et son accord.

— Je vais prendre soin de lui, ne vous inquiétez pas. Allez, rangez vos affaires et cassez-vous !

Ils obéissent au chef, se lèvent, résignés et boudeurs, et regagnent leur chambre.

Trente minutes plus tard, comme ils sont prêts à partir, nous nous étreignons.

— On va s'occuper des tiens, Dany, ne t'inquiète pas. Mais faites gaffe quand même ! conseille Rémi.

— Et si ça tourne mal et que vous avez besoin d'aide... glisse Nabil.

Bartholo me serre dans ses bras.

— Merde, la dernière fois que je t'ai dit au revoir, c'était il y a vingt ans. Débrouille-toi pour mettre moins de temps la prochaine fois, sinon on risque de se croiser dans un hospice.

— Oui, et je te rappelle qu'on a des vacances à passer ensemble, ajoute Vitto. Salomon, tiens-nous au courant. Lui, il le fera pas.

Je prends le bras de Vitto et l'entraîne à l'écart. Je lui tends une enveloppe.

— Voici un mot pour Betty. J'espérais qu'on le retrouverait sur moi au cas où ça tournerait mal et qu'on le lui expédierait. Maintenant, si je ne reviens pas, c'est toi qui le lui donneras.

— Putain, ce que t'es sombre comme mec ! Toujours à imaginer le pire... grince-t-il en rangeant de mauvaise grâce la lettre dans sa poche.

Ils s'éloignent dans le brouillard matinal. Quand ils arrivent devant la voiture, je discerne de vagues silhouettes qui nous adressent un signe.

— Je les adore, murmure Salomon.

— Moi aussi.

J'ai le cœur serré. Le pressentiment sournois que jamais je ne les reverrai me vrille les tempes.

Je confie à Salomon mon plan et nous nous organisons en conséquence.

Après avoir enfilé sa cagoule, il fait entrer le cheikh dans la cuisine et le force à s'asseoir. Fayçal promène son regard apeuré sur le lieu, sur mon visage.

— Qu'allez-vous faire ? demande-t-il.

Le prédicateur terroriste a perdu de sa superbe. Son masque d'impassibilité plein de morgue se fissure. Il tente de maîtriser ses émotions mais les événements des dernières heures ont laminé sa résistance.

— Vous tuer, énoncé-je calmement.

Il cherche sur mon visage un indice capable de démentir ma déclaration, mais ne décèle rien. Il se tourne alors vers Salomon.

— Ne le laissez pas faire, implore-t-il. Dites-lui que c'est une erreur.

Salomon se montre impavide

— Je ne suis pas le commanditaire de l'attentat dans lequel votre fils a perdu la vie ! hurle-t-il alors. Je ne commande rien ni personne. Les médias m'ont mis ça sur le dos parce qu'il fallait désigner un coupable. Et je n'ai pas démenti parce que ça servait ma cause.

— Vous êtes membre de l'organisation Al-Qaïda, dit Salomon.

— Mais non, personne n'est membre d'Al-Qaïda ! Ce n'est pas une organisation mais un état d'esprit, une volonté, une démarche. Tous les désespérés du monde musulman peuvent s'en réclamer. Pensez-vous que j'ai rencontré Ben Laden, lui ai parlé ? Allons... Je suis d'accord avec lui sur de nombreux sujets, c'est vrai, mais je ne cautionne pas tout. Loin de là ! Je suis comme vous, un homme de communication... Je me positionne entre les peurs des Occidentaux et la haine de ceux qui soutiennent Ben Laden et ses disciples ! Je connais le pouvoir des mots quand les cartes sont brouillées. Mon objectif, je vous l'ai dit, c'est de réunir le plus possible de malheureux autour de moi !

— Alors vous êtes une sorte de traître pour votre camp, proclame Salomon.

La peur, insidieusement, a transformé son visage, tordant ses traits, voilant son regard.

— Traître... les mots, vous savez... J'utilise les moyens à ma portée afin d'atteindre mon but.

— Pour ceux qui vous adulent, vous êtes un traître alors, lui dis-je froidement. Les mots se révèlent précis quand il s'agit de désigner ceux qui mentent à leur camp. Si les vôtres entendaient vos propos, ils vous qualifieraient sur-le-champ de traître.

— Sans doute, concède-t-il en bredouillant et baissant les yeux. Mais c'est parce qu'ils ont simplement une vision à court terme du combat mené.

Je me lève, saisis mon pistolet, pose le canon contre son front.
— Il est temps d'invoquer Dieu.
Le cheikh se met à trembler.
— Non, je vous en supplie, ne faites pas ça ! implore-t-il.
— Je pensais que vous ne craigniez pas la mort ? Vous allez mourir en martyr, réjouissez-vous.
— Non ! Je ne veux pas mourir !
— Et vos soixante-dix vierges ?
— C'est une allégorie ! Je vous en supplie...

— Alors, vous mentiez en promettant ce harem aux désespérés à qui vous demandiez de sacrifier leur vie.

— Non, je ne mentais pas. Pas vraiment ! Vous devriez comprendre ça, vous, un homme de communication.

— Vous utilisez leur crédulité, leur désespoir.

— Bien entendu ! Comment croyez-vous que l'on gagne une guerre ? Que disait Napoléon à ses troupes ? Que promettait Hitler aux siennes ? Le bonheur, la félicité, le pouvoir, la fierté... Une guerre est une guerre.

— Voilà donc vos modèles... En fait, vous recherchez uniquement le pouvoir. Vous vous foutez de la cause.

— La cause justifie le pouvoir, réplique-t-il.

— Non, dans votre cas, c'est le pouvoir qui justifie la cause. Vous êtes allé jusqu'à me mentir au sujet de vos enfants et de votre femme morts en Afghanistan, n'est-ce pas ?

Il lève les yeux sur moi, étonné.

— Comment le savez-vous ?

— Je ne le savais pas, j'avais seulement des doutes. La manière dont vous m'en aviez parlé sonnait faux. Mais, maintenant, je sais.

Il détourne le regard, rageant de s'être laissé piéger si facilement. Je ressens maintenant du dégoût pour lui, pour son hypocrisie, ses mensonges.

— Inventer cette contre-vérité vous a aidé à asseoir votre réputation de martyr révolté. À berner vos disciples. Vous n'avez aucun sens de l'honneur et vous me dégoûtez. Vous ne méritez pas de vivre.

J'accentue la pression du canon du pistolet sur son front.

Il s'adresse à Salomon, suppliant, effrayé.

— Faites quelque chose ! S'il me tue, mes hommes le retrouveront.

— Vous m'avez déjà tué, dis-je.

— Ils s'en prendront à votre famille !

— Elle sera protégée. Faites votre prière.

Le cheikh baisse la tête. De la sueur perle sur ses tempes, coule le long de ses joues pour se perdre dans sa barbe.

Il murmure une prière.

— Selon vous, combien d'hommes ont connu la peur que vous ressentez là, maintenant ? Combien n'ont même pas eu le temps d'invoquer Dieu avant que des fanatiques leur tranchent la gorge ?

Il s'interrompt une seconde. Peut-être veut-il me répondre, mais il se ravise et reprend ses litanies.

J'arme le pistolet. Il plisse les yeux comme pour résister à la balle et se met à pleurer, sans cesser de prier.

Je recule de quelques pas, assure mon geste et appuie sur la détente. La détonation met fin à son murmure.

Deux secondes s'écoulent avant qu'il ouvre les yeux, un peu plus avant qu'il comprenne.

— Vos balles à blanc, dis-je.

Il balbutie quelques mots incompréhensibles puis se laisse tomber sur le sol et éclate en sanglots.

— Si les pauvres types qui se sont fait sauter après avoir écouté vos prêches vous voyaient...

Je sors de la pièce, gagné par l'impression glauque d'être trop longtemps resté en apnée. Il me faut avaler de grandes rasades d'air frais pour reprendre mon souffle.

Je suis incapable de définir mon état. Suis-je soulagé ? Frustré de ne pas l'avoir abattu ? Des sentiments contraires soufflent dans mon esprit, m'empêchent de réfléchir.

Comme s'il devinait mon trouble, Salomon vient vers moi.

— C'était la bonne décision, Dany.

— Je devrais le tuer.

— D'une certaine manière, c'est ce que tu as fait. En ne devenant pas, comme lui, un assassin.

— Tu as sûrement raison. Mais tout est tellement compliqué.

— Allez, viens. Nous devons terminer le boulot.

Je le suis, convaincu que la seule attitude à adopter dans mon état est de me fier à son discernement.

JEAN

Boris Debruyne relut une énième fois les notes transmises par ses services. L'affaire se compliquait. Chaque fois qu'une piste s'ouvrait, une information la rendait inexploitable, réduisant d'un coup tout espoir de voir avancer l'enquête. Il avait réussi la prouesse d'amener les services liés à la sécurité du territoire et à la lutte antiterroriste à collaborer, mais ses efforts n'étaient toujours pas récompensés.

Le ministre ne cessait de l'appeler, exigeant des résultats. Cet homme l'avait nommé à ce poste et pourtant Boris Debruyne ne l'appréciait pas. Car s'il lui avait confié ces responsabilités, c'était uniquement à cause de son parcours d'homme d'honneur acquis à sa mission, aux relations connues et aux exploits suffisamment significatifs pour qu'aucun autre prétendant ne vienne contester son choix. Debruyne avait passé sa vie à servir l'État, à constituer des dossiers, à rendre des rapports rarement utilisés, à se dévouer corps et âme pour une certaine idée de la France, de la République qui, s'il l'avait exprimée, l'aurait fait passer pour un fossile de la technocratie. Mais c'est avec la même ferveur qu'il s'employait à traquer les terroristes, à faire infiltrer leurs réseaux par des agents courageux, lesquels, il le savait aussi, ne l'aimaient guère plus.

Le ministre n'était pas de sa trempe. Opportuniste, surfant sur la vague médiatique de l'insécurité pour construire son image, il incarnait tout ce que le responsable de la SOC détestait. Pourtant, comme il était son patron et lui homme de devoir, Boris obéissait à ses moindres requêtes.

L'ennui, c'est qu'à cet instant précis, il devait lui téléphoner pour lui faire part de l'information que ses services venaient de lui communiquer. Une info qui allait les contraindre à abandonner toutes les pistes en cours pour en envisager d'autres. Mais lesquelles ?

Le directeur de cabinet décrocha. Boris Debruyne déclina son identité et on lui passa immédiatement le poste du ministre.

— Des nouvelles, Debruyne ? De bonnes nouvelles ?

Le ton était menaçant.

— Non, monsieur le ministre, une nouvelle mais pas réellement bonne. Pas une bonne nouvelle du tout, même.

Le ministre marqua un temps d'arrêt pour exprimer silencieusement son exaspération.

— Allez-y, ordonna-t-il.

— Jean Larrive est mort il y a quinze ans.

Éric avait un quart d'heure de retard. Il avait passé une mauvaise nuit. Sa femme et ses enfants étaient venus converser dans des rêves étranges. Il ne se souvenait pas des propos échangés, mais était certain de s'être disputé avec eux. Le remords, songea-t-il. Un remords qu'il endossait comme certains portent sur eux la photo d'un être disparu : avec la volonté de l'oublier mais pas le courage de la jeter.

Dès qu'il pénétra dans les locaux de la chaîne, il perçut une agitation particulière.

— Salut Éric ! T'es au courant ?

Clara l'avait interpellé dès sa sortie de l'ascenseur, comme si elle guettait son arrivée.

— Isabelle a dû te laisser des messages, non ? ajouta-t-elle en lui caressant discrètement la main.

Depuis la soirée qu'ils avaient passée ensemble, même si elle n'avait pas encore réussi à le séduire, elle s'amusait à flirter avec lui au travail. Des petits gestes discrets que personne ne repérait mais qui détenaient le pouvoir de le troubler.

— Je n'ai pas allumé mon téléphone, répondit-il, pressentant la nature de l'information même s'il n'en avait pas connaissance.

— On a reçu une nouvelle enveloppe ! Pardon, *TU* as reçu une nouvelle enveloppe. Un bout de vidéo montrant le visage de l'otage !

Éric sentit un courant électrique naître sur sa nuque et se propager dans tout son corps. Il avait suffi d'une phrase pour que son esprit soit à nouveau gagné par une frénésie confinant au bonheur. Seule l'information était capable de lui procurer ces envolées passionnelles. Qu'importe que cette addiction soit aussi responsable des crises de manque qui l'enfonçaient parfois dans le désarroi, là, durant ces quelques minutes, ces quelques heures à venir, il vivrait pleinement. Il eut l'impression de redevenir jeune et son esprit évacua les images négatives qui avaient encombré sa nuit pour laisser place à toute l'acuité journalistique dont il allait avoir besoin. Il déposa une bise sur la joue de Clara et se dirigea en hâte vers la salle de réunion.

Isabelle et Charles s'y trouvaient avec la rédaction au grand complet.

— Merde, Éric, où t'étais passé ? J'ai essayé de te joindre plein de fois.

— Je sais, lança Suma en se jetant dans son fauteuil et en fixant l'écran plasma sur lequel l'équipe venait de visionner les images. Montrez-moi ça.

Charles appuya sur la télécommande.

— Ça dure juste quelques secondes, prévint-il. Les images ne sont pas de très bonne qualité, en revanche nous voyons distinctement ses yeux et ses traits, même si la barbe et les cheveux en dissimulent une bonne partie.

La vidéo débutait par un plan flou. Il fallut deux secondes pour qu'elle devienne plus nette et laisse apparaître le visage de l'otage, regard perdu, apeuré, longue barbe et cheveux hirsutes. L'homme, terrorisé, cherchait à échapper à une lame posée sur sa gorge et ses yeux affolés couraient d'un point à l'autre pour finir par se fixer sur l'objectif de la caméra.

— Voilà, c'est tout, annonça Clara.

Charles intervint.

— Ces images ont été prises en même temps que les précédentes. Les plans, le son, sa position et certains détails de la chevelure et de la tenue du SDF nous l'indiquent assez clairement. Un peu comme si les ravisseurs les avaient volontairement extraites afin de nous les envoyer dans un second temps.

— Ils jouent avec nous ? demanda Éric.

— On peut dire ça comme ça, approuva Charles. Ils veulent relancer l'intérêt des médias et de l'opinion publique en révélant le visage de l'otage.

— Y avait-il un message avec le DVD ?

— Oui. La même question que précédemment : « Quelle est la valeur de cet homme ? », expliqua Isabelle.

Charles s'agita.

— C'est un peu comme s'ils n'étaient pas satisfaits de la réponse apportée jusqu'à maintenant. Ils livrent un élément supplémentaire mais posent la même question.

Il s'interrompit un instant, puis lâcha :

— Ce qui veut dire que la somme récupérée est insuffisante ou... qu'ils ne veulent pas d'argent.

— Ou qu'ils veulent toucher le fric récolté jusqu'à maintenant, intervint un chroniqueur.

— Non, objecta Charles, car ils n'ont jamais fait savoir comment le leur envoyer. Ce qu'ils contestent, c'est notre réponse.

Éric gardait le silence, l'esprit en alerte. Quelque chose l'avait troublé sans qu'il puisse définir de quoi il s'agissait. Son excitation se muait en une angoisse sourde qui le surprenait, lui pinçait le cœur et le désorientait. Était-ce l'étrange dialogue avec les ravisseurs tournant à la manipulation ? La menace qui pointait dans la répétition de la question par les preneurs d'otage ? Peut-être. En tout cas, c'est ce qu'il se résolut à croire pour se débarrasser du poids qui écrasait sa poitrine.

— Nous devrions prendre des précautions et prévenir la Place Beauvau avant de diffuser ces images, déclara-t-il, troublé, en fixant avec insistance le portrait de l'homme sur l'écran.

Les journalistes accueillirent la proposition avec circonspection.

— Qu'est-ce qu'il t'arrive, Éric ? questionna Isabelle.

Suma esquissa un mouvement des mains pour exprimer son incapacité à s'expliquer clairement.

— Je ne sais pas... Quelque chose ne me plaît pas. Je préférerais que nous nous couvrions.

Charles se leva, en proie à l'excitation.

— Je suis d'accord. On peut retarder la diffusion des images d'une demi-journée, voire d'une journée, dans l'attente d'informations sur l'otage. Histoire de montrer également aux ravisseurs que nous ne sommes pas leurs diffuseurs et ne leur obéissons pas au doigt et à l'œil.

— Mais s'ils ne voient pas leurs images au journal de ce soir, ils risquent de les envoyer à d'autres rédactions qui, elles, n'hésiteront pas ! s'exclama Clara.

— Je n'y crois pas trop. Nous avons été jusqu'à maintenant leurs destinataires exclusifs, répondit Charles.

Éric intervint. La possibilité de voir le scoop lui échapper constituait une menace bien plus concrète que celle, floue, qu'il pressentait depuis la diffusion de la vidéo.

— Il y a une position intermédiaire, déclara-t-il. On peut mentionner la réception du DVD et du message mais annoncer qu'ils sont à l'étude et seront diffusés dans une prochaine édition...

— Excellente idée, conclut Isabelle. Et ça fera un très bon *teasing*.

Il n'avait pas fallu plus d'une demi-journée aux services de police pour identifier l'otage.

« Monsieur Suma, nous avons une information à vous transmettre. Une information très importante » avait expliqué Frédéric Lesne au présentateur dans un coup de fil. La voix était grave, le ton impérieux, le rendez-vous fixé pour l'après-midi même au ministère de l'Intérieur.

Dans le taxi qui le conduisait place Beauvau, des sentiments contraires agitaient le journaliste. Tout d'abord, la fierté d'être devenu l'interlocuteur d'un des hommes les plus puissants du pays. Éric aurait voulu échapper à la puérilité de cette sensation mais il ne put que lui céder en entrant dans la cour du majestueux bâtiment. Le doute, ensuite. Celui de ne pas faire son travail convenablement, d'entrer dans un jeu dont il n'était que l'un des pions quand il se plaisait à croire en être l'instigateur.

La crainte enfin. La logique de cette histoire lui échappait. Et il pouvait, à tout moment, devoir affronter une déconvenue de taille. Or il pressentait que ce rendez-vous ne flatterait pas forcément son ego mais lui offrirait plutôt une raison de douter de son autorité, de la pertinence de son jugement. Car il s'agissait moins d'un rendez-vous que d'une convocation, qui plus est pas dans une salle de presse ou sur un plateau de télévision, mais au ministère lui-même.

Dès qu'il entra dans la salle de réunion, Éric Suma perçut une lourde atmosphère. Les hommes présents affichaient des mines fermées. À leur manière de le saluer, de fouiller son regard, de lui opposer une unité de façade, il comprit qu'il n'était pas là pour échanger des informations.

Seul Frédéric Lesne arborait un visage détendu. Les présentations faites, le conseiller en communication annonça que le ministre arriverait d'un instant à l'autre. Un silence envahit la pièce. Éric en profita pour se redresser et montrer à ses interlocuteurs qu'il n'était pas impressionné par eux.

Le ministre entra et, après de rapides saluts, s'assit au côté d'Éric. Qui se sentit involontairement réconforté par cette proximité. Il décala légèrement son fauteuil pour faire face à la fois à ses subalternes et au présentateur.

— Savez-vous pourquoi le ministre vous a demandé de venir ? questionna Boris Debruyne.

Éric jugea l'entrée en matière assez déplaisante. Pourquoi cet homme s'adressait-il à lui ? Il pensait s'entretenir avec le boss de la Place Beauvau et son conseiller en communication, non devoir comparaître devant une sorte de tribunal lui assenant des questions aussi absurdes que celle-ci.

— Parce que vous avez une information importante à me communiquer, répondit-il. Sur l'identité de l'homme, sans doute.

Debruyne acquiesça d'un léger mouvement de tête.

— Avez-vous des soupçons quant à cette identité ? demanda le patron de la SOC.

Éric n'appréciait vraiment pas d'être interrogé de la sorte.

— Aucun, bien sûr ! s'insurgea-t-il.

Un signal d'alarme résonna dans son esprit. Comme la vibration émise par un test de vérité attestant d'un mensonge. Un mensonge qu'il se serait fait à lui-même.

— Je ne comprends pas le sens de vos questions !, lança-t-il avant de regretter sa remarque et le ton sur lequel il l'avait proférée.

Il ne devait surtout pas adopter l'attitude d'un suspect.

— Excusez ma brusquerie, déclara Debruyne. Elle n'est pas volontaire. J'essaie simplement de...

— De savoir si je ne vous cache rien, l'interrompit sèchement Éric.

D'une mimique, le responsable de la SOC confirma.

— Et pourquoi vous cacherais-je quelque chose au sujet de l'otage ? s'irrita Suma.

Boris Debruyne jeta un coup d'œil vers ses hommes, puis vers le ministre, jaugeant s'il pouvait ou non répondre à cette question à ce stade de l'entretien.

— Parce que cet homme... vous le connaissez, annonça-t-il d'une voix neutre.

Éric fronça les sourcils, mais ne broncha pas. Il attendait d'autres informations sur cette vérité qui, bien que le surprenant, ne lui parut pas tout à fait inattendue.

D'un geste discret, Debruyne demanda à Samuel Merle d'intervenir. Celui-ci saisit une enveloppe et en sortit trois photos.

Il tendit la première : une capture d'image issue de la dernière séquence reçue.

— Nos spécialistes l'ont retouchée afin de débarrasser le visage de la barbe et de lui redonner une apparence plus commune.

Il saisit la deuxième photo et la plaça à côté de la première, face à Éric.

— Voici le résultat. Ce travail nous a permis d'identifier le SDF. Une vieille connaissance.

Il montra la dernière image. Celle d'un homme plus jeune.

Mais Éric avait déjà compris.

Voilà ce qui lui avait échappé lors du visionnage. Ou, pis, il n'avait pas voulu affronter la réalité. Une réalité qui le propulsait dix ans en arrière.

— Vous le remettez ? s'enquit Debruyne, une flamme dans le regard.

— Oui, bien entendu, murmura Éric Suma. C'est Daniel Léman.

DANIEL

Salomon ôte son imper mouillé.

— Je suis allé en plein centre de Londres, dans un cybercafé. J'ai fait ce que tu m'as dit. Tu penses que ça suffira ? Ils consultent leurs e-mails, ces gens-là ? J'ai aussi ramené la presse. Tous les journaux parlent de l'enlèvement.

— J'ai entendu la radio et regardé la télé. Ils ont mon nom maintenant.

— Ah ? J'ai écouté aussi, mais je ne comprends rien, ils parlent trop vite. Dans les journaux français, les garçons et moi on est « le commando non identifié ». « Commando de choc » ajoute même un quotidien. Ils nous croient mercenaires. Ça va leur plaire ça, aux copains. Et l'autre allumé, il en est où ?

— Il s'est ressaisi. Et se tait.

Salomon a ramené une pizza. Il en porte un morceau au cheikh qui la refuse. Nous mangeons sans parler. La tension des heures précédentes flotte encore, presque palpable. Et le bruit sourd de la pluie qui s'abat contre le toit et les vitres emplit la maison d'une tristesse confinant au désespoir.

Nous allumons la télé à l'heure des informations.

L'enlèvement fait partie des titres majeurs. Les premières images montrent la maison du cheikh. Des policiers s'affairent, entrent et sortent de la zone sécurisée, tandis que d'autres maintiennent les badauds à distance. L'envoyée spéciale raconte ce qu'elle sait de l'enlèvement, soit peu de chose.

— Je ne comprends rien, se plaint Salomon. Zappe sur une chaîne française.

Je fais défiler les canaux et en déniche une.

— Regarde, ils ont reçu la photo ! Putain, ce qu'ils sont rapides les mecs !

Le cliché du cheikh, pistolet contre la tempe, apparaît à l'écran.

« Les ravisseurs ont fait parvenir cette photo, il y a un peu plus d'une heure, raconte la voix *off*. Aucun commentaire ne l'accompagne. On peut très distinctement voir le cheikh Fayçal, le regard apeuré, une arme le tenant en joue. Si les enquêteurs ont d'abord pensé à l'opération commando d'un groupuscule rival, nous savons maintenant que l'action pourrait avoir été menée par cet homme. »

Je vois mon visage apparaître. Tiré d'une image parue dans la presse un an auparavant, lors d'un dîner de gala que je présidais au nom de l'agence.

« Cet homme s'appelle Daniel Léman. Français, il est le père d'une victime de l'attentat du bus de la ligne 83, à Paris, il y a deux mois. »

Je tressaille à la vision du portrait de Jérôme. Mon fils sourit, offrant l'expression de l'enfant heureux au jour de son dernier anniversaire, un polaroïd repris dans la presse suite à l'attentat et vendu à *Paris Match* par un voisin dont l'enfant avait été invité. Après le décès de Jérôme, j'avais évité de feuilleter la presse.

« L'homme aurait agi par esprit de vengeance, à en croire l'entourage du prédicateur islamiste. Il est vrai que le cheikh Fayçal était soupçonné par les enquêteurs d'être le commanditaire de cette opération sanglante. Mais, suite à une audition de Scotland Yard, aucune poursuite n'avait été décidée à son encontre. Peut-être est-ce ce qui a poussé Daniel Léman à faire justice lui-même. D'après certaines sources, il aurait été aidé par un commando. Des mercenaires ? La possibilité peut être envisagée. »

Les phrases me parviennent, parlent de moi, racontent ma vie avec des termes dénués de tout sentiment, réduisant l'histoire à une succession de faits et de dates censés avoir une signification, mais je suis parti ailleurs. Vers la suite, la fuite obligatoire.

Salomon pose sa main sur mon épaule. Je crois un instant à un geste de réconfort, mais la pression de ses doigts m'incite à regarder l'écran.

Une caméra filme ma maison.

« Selon un voisin, poursuit la voix *off* du reportage, l'épouse et le fils de Daniel Léman ont quitté leur domicile tôt ce matin. Que savent-ils de l'entreprise de leur mari et père ? »

— Rémi a dû les contacter, me rassure Salomon. Ils doivent être quelque part, protégés.

« Daniel Léman a-t-il tué le cheikh ? scande le commentateur, enchaînant une succession de questions qui me donnent le tournis. Le garde-t-il en otage ? Et si c'est le cas, quel est son objectif ? Telles sont les interrogations des enquêteurs à l'heure actuelle. »

Un policier anglais est interviewé, mais je ne l'écoute pas. Je n'écoute plus. Je me précipite à l'extérieur du cottage et je cours, cours, cours. Je m'arrête uniquement lorsque j'arrive à sentir que la pluie mouille mon visage. Je la laisse se mêler à mes larmes, tant j'aimerais qu'elle lave mes idées noires, efface mon passé récent, me ramène à ma vie d'avant le cauchemar.

Salomon m'a posé une serviette autour du cou et un verre de whisky dans la main.

— Écoute, c'est une bonne chose, affirme-t-il. Les flics vont les protéger maintenant.

— Je les ai mis dans la merde. Ils n'avaient pas besoin de ça.

— Mais non. Je suis même sûr qu'ils sont fiers de toi... Et là, ils comprennent ton attitude, tes semaines de silence et de fuite. Je suis certain qu'ils se sentent mieux qu'avant.

— Dans quelle vie les ai-je propulsés ?

— Ils seront protégés. Moi, vois-tu, je pense plutôt à toi. Il va falloir que tu te planques, et longtemps. Je sais pas, j'y ai pas encore réfléchi, mais on arrivera sans doute à vous réunir quelque part. Peut-être dans un autre pays...

Je suis désemparé. Mon esprit n'arrive plus à aligner deux pensées logiques de suite sans se voir bousculé par une idée sombre.

— Écoute, voilà ce que je propose : on va envoyer la cassette comme prévu. Ensuite, on relâchera le cheikh à plusieurs dizaines de kilomètres. Nous, on restera planqués dans la maison pendant une semaine ou deux. D'ici là, les copains m'auront fait parvenir en poste restante de faux papiers pour toi. Ensuite, on se casse par la route, on prend un ferry et, une fois en France, on te planque. On arrivera à te faire passer à l'étranger sans problème.

Tu patientes et, quand l'affaire est oubliée, on t'envoie Betty et Pierre.

Sa proposition me paraît bien romanesque, tant elle omet tous les obstacles à surmonter. J'acquiesce cependant, trop conscient de permettre ainsi à Salomon d'entrevoir l'avenir sous un jour meilleur.

En vérité, je ne le crois pas dupe lui-même.

— Vous me relâchez ? s'étonne le cheikh, incrédule.

— Oui. En vous laissant à quelques kilomètres d'ici, rétorque Salomon.

— Je ne comprends pas.

— Vous aviez raison, je n'ai pas le courage de vous tuer, lui dis-je mâchoire serrée.

Il réfléchit l'espace d'une seconde.

— Et vous en resteriez là ? Je ne peux pas le croire.

— Non, je n'en reste pas là. Car je vais à jamais vous empêcher de reprendre votre rôle de conspirateur.

Il fronce les sourcils et son regard panique.

— Comment ? En me demandant de jurer que jamais je ne reprendrai la tête de mes troupes ?

— Non, en vous empêchant de retourner auprès des vôtres !

J'adresse un signe à Salomon. Il saisit le caméscope et l'enclenche.

— Nous avons enregistré notre dernière conversation. Et la copie, on l'a envoyée à votre domicile. Vos hommes apprécieront sûrement.

Le visage du cheikh se décompose.

— Vous n'avez pas osé... Ils ne vous croiront pas. Je leur dirai... que je mentais pour sauver ma peau.

— Vous pourrez. Mais ils se poseront des questions, fouille-ront votre passé, douteront, vous en voudront.

Il tente de se remémorer la teneur de ses propos, d'en imaginer les conséquences. Et, soudain, il s'adresse alors à moi, presque suppliant.

— Vous ne pouvez pas me... faire ça ! Autant me tuer tout de suite. Vous ne connaissez rien de ce milieu.

— Vous avez choisi vos amis, votre vie et les risques qu'elle implique. Au pire, vous deviendrez un paria. Comme moi. Obligé de fuir, de vous cacher. Au mieux, vous perdrez votre audience et retournerez à une existence banale. Privé du plaisir jouissif que procure le pouvoir, vous deviendrez aigri et mourrez seul. Quelle plus belle punition ?

— Vous ignorez ce que vous dites. Ils vont me tuer, vous comprenez : me tuer !

— Oh, j'en suis désolé

— Mais ma mort ne servira à rien, s'emporte-t-il. Un autre me remplacera, plus dur encore.

— Sans doute

— Tout ça n'a aucun sens !

Pour interrompre une discussion qui me met mal à l'aise et ne mène à rien, Salomon bâillonne le cheikh, lui bande les yeux et l'entraîne vers l'extérieur. Il ouvre le coffre du véhicule et le contraint à s'y recroqueviller. Puis démarre. Il va rouler durant une heure avant d'abandonner l'otage en pleine nature.

Cette aventure a-t-elle un sens ?

J'attends le retour de Salomon, inquiet, et tourne dans la maison en ressassant les mêmes questions. À quoi tout ça a-t-il servi ? Avais-je raison ou tort ? Je me sers un verre de whisky et arpente les pièces désertes. Je songe à Betty et Pierre. Ont-ils reçu ma lettre ? Peut-être penseront-ils à la remettre aux enquêteurs pour démontrer qu'ils ne savaient rien ? N'y tenant plus, harassé de me morfondre, je finis par allumer la télé.

Quand Salomon revient, le plaisir de le revoir ne dissout en rien mon abattement.

— Je l'ai laissé en pleine campagne à 40 kilomètres, s'esclaffe-t-il en ôtant son blouson trempé. J'ai tourné un bon moment pour lui laisser croire que nous avions parcouru une plus grande distance que cela. Merde ! Tu t'es tapé la moitié d'une bouteille, mon salaud.

Mon regard fiévreux l'arrête.

— Qu'est-ce qu'il y a ? Tout s'est bien passé, on sera bientôt tirés d'affaire.

— Les infor... mations, articulé-je avec peine.

— Qu'est-ce qu'il s'est passé ?

— La presse me présente comme un irresponsable, a pris fait et cause pour le cheikh. Les hommes politiques se sont succédé à l'antenne pour me condamner. Je suis l'homme à abattre.

— Tu croyais quoi ? Qu'ils te présenteraient comme un héros ? Un justicier ?

— Non, mais, ce qu'ils ont dit... traduit leur peur. Ce n'est pas le côté moral de mon action qui les pousse à faire de moi le salaud de service. Ce n'est même pas parce que j'ai voulu me faire justice seul, non, c'est la trouille des représailles qui les incite à me condamner ! Ils clament sur toutes les chaînes qu'ils m'attraperont et me jugeront durement sous prétexte que je fais courir un risque énorme à la population... Ils ont déjà reçu des menaces.

— Enfin, tu sais bien que c'est comme ça que ça marche. Les islamistes aussi le savent, et ils jouent sur les peurs de ces connards de politiciens. Pourquoi tu oublies tous ceux qui ont dit comprendre ton geste ? Tous ces pères qui ont avoué que, dans la même situation, ils auraient aimé avoir le courage d'en faire autant ? Tu es un héros pour les familles de victimes n'ayant jamais vu les assassins de leurs proches arrêtés. Tiens, regarde, j'ai acheté des journaux français.

— Combien sont-ils à oser admettre ce genre de choses ? Demain, ils ne seront plus écoutés. Et ce que j'ai fait n'aura plus aucun sens.

— Dany, tu fais chier : l'alcool te rend pessimiste et con.

Il m'arrache la bouteille des mains.

— J'ai de bonnes nouvelles, moi, si ça t'intéresse. J'ai appelé Vitto d'une cabine et il m'a dit que Betty et Pierre allaient bien. Betty a été entendue par les flics mais elle pense être mise hors de cause. Il a aussi promis des papiers pour dans deux jours. D'ici là, ils réfléchissent à une manière de nous faire passer en France.

— Je vous ai tous foutus dans la merde, bredouillé-je en ne l'écoutant plus.

— Daniel, regarde les choses de manière positive : tu as permis à Betty de penser à autre chose qu'à la mort de Jérôme ! C'est pas essentiel, ça ? Écoute, tu n'es pas dans ton état normal, viens, il faut que tu dormes maintenant.

Il m'aide à me lever et me conduit à mon lit.

Salomon essaie à plusieurs reprises d'engager la conversation pour m'extraire de ma prostration. Il tente de m'embarquer sur le radeau léger des souvenirs d'enfance, de me raconter un bout de sa vie, de m'interroger sur mon métier et la manière dont j'ai accédé à un poste important, mais je n'arrive pas à me détendre pour lui proposer autre chose que de brèves réponses et de mièvres sourires.

Lassé de ses efforts, il s'allonge sur le sofa, allume la télé, son éternel paquet de cigarettes à la main, et fait mine de s'intéresser à un match de football. Mais je sens ses yeux posés sur moi de temps à autre.

— Tu es inquiet ? finit-il par demander.

— Putain, qu'est-ce que tu crois : ça fait deux jours maintenant qu'on a libéré le cheikh, et rien. Pas de trace. Où est-il passé ? Pourquoi les médias ne parlent-ils pas de sa réapparition ?

— Les flics le tiennent peut-être au secret, argue-t-il sans conviction. Et l'interrogent pour recueillir des infos permettant de nous dénicher. Ils veulent jouer la surprise.

— J'y crois pas. Si la police l'avait retrouvé, elle l'aurait annoncé pour calmer la colère de ses partisans.

Salomon hausse les épaules avec scepticisme, peu convaincu de l'existence d'une quelconque logique chez les flics.

— De toute manière, ça sert à rien de s'exciter. Nous sommes là encore pour un moment. Quelques jours. Quelques semaines peut-être.

Salomon associe désormais son destin au mien. Il va même jusqu'à réfléchir pour nous deux, mission que je lui ai volontiers déléguée tant je me montre incapable d'envisager le futur au-delà des heures à venir. Je suis un homme sujet au vertige, dont les jambes se dérobent à quelques mètres du vide et qui n'arrive à rien faire d'autre que les observer en train de trembler.

Mon futur ressemble à un précipice.

— J'ai les papiers !

Salomon vient d'entrer, sourire aux lèvres, une enveloppe à la main. Quand ses yeux croisent les miens, il se fige.

— Qu'est-ce qu'il y a ?

— Ils ont tué le cheikh.

Il met deux secondes avant de comprendre, puis se laisse tomber sur le sofa.

— Merde ! Pour se venger quand ils ont vu la cassette ?

— Peut-être, mais pas seulement. En me faisant porter le chapeau, ils trouvent un prétexte idéal pour laisser éclater leur colère, impressionner les gouvernements et, sans doute... commettre de nouveaux attentats.

— Les salauds ! rage Salomon.

— J'ai vraiment tout fait foirer ! Comment n'ai-je pas envisagé ça ? Maintenant, on les a tous sur le dos. Les flics vont tout mettre en œuvre pour m'arrêter et espérer calmer les mouvements extrémistes qui, eux, vont essayer de me descendre avant, pour éviter que je raconte ma version des faits.

Salomon devient sombre. Les événements le dépassent.

J'aimerais qu'il s'en aille, sauve sa peau. Hélas, je sais qu'il n'acceptera pas.

— Il faut rester ici, finit-il par conclure. Le temps que tout se calme.

Je ne réponds rien, lui laissant croire que je suis d'accord.

Mais j'ai déjà pris ma décision.

Je suis parti. Avec d'infinies précautions pour que Salomon ne s'aperçoive de rien. J'avais préparé quelques affaires, les avais posées près de l'entrée et je m'étais couché habillé. Puis, silencieusement, j'ai pris le baluchon et refermé derrière moi avant de filer dans la nuit humide.

C'était la seule issue. Salomon ne m'aurait jamais laissé fuir. Et moi je ne pouvais plus supporter de le voir perdre de longues journées près de moi et loin des siens, en courant des risques inutiles. L'affaire a viré au cauchemar insensé, si tant est que cette histoire ait jamais eu un sens. Je sens que je ne pourrai pas entrer en France de sitôt, qu'il me faut disparaître ou simplement mourir, mais je n'en ai pas le courage. Je veux d'abord me retrouver seul, débarrasser mes proches de ce fardeau qu'est mon existence dangereuse, noyer ma vie dans l'alcool, ne plus penser à cet échec.

Car je refuse de partager mon fiasco. Je sais que les hommes du cheikh finiront par me retrouver un jour. Pour venger l'affront, m'empêcher de parler, faire un exemple. Demain, dans quelques jours, quelques semaines ou mois peut-être. Peu importe, je n'ai plus d'avenir.

Sur les faux papiers parfaitement imités donnés par Salomon, un nouveau nom apparaît : Jean Larrive. Le mien désormais. Pour le restant de ma stupide vie.

La nuit qui m'accueille se révèle lugubre et froide. À quelques pas, la campagne dessine un gouffre sombre et inhospitalier qui m'avertit de la noirceur des jours à venir. J'avance quand même. Dans l'obscurité, sans but ni repère, mais j'avance.

Adieu Salomon. Et merci. Je sais que tu veilleras sur les miens. Que tu leur raconteras les heures passées ensemble. Que tu entretiendras ma mémoire auprès de Pierre, diras à Betty mon amour pour elle. N'en fais toutefois pas trop : il leur faudra m'oublier, se délester de mon souvenir afin d'inventer un autre futur.

Je vais écrire mon histoire. Lier les mots, les idées, m'aidera peut-être à y déceler un sens. Je vais l'écrire pour moi mais aussi, et surtout, pour eux. Si la mort ne me surprend pas avant de la finir, je leur enverrai mes mots. Je sais qu'ils en auront besoin pour mieux comprendre, faire leur deuil et se tourner vers l'avenir.

Boire, écrire et mourir, comme Fante.

Sans illusion, sans espoir.

Depuis maintenant deux heures, elle tournait sa cuillère dans son café. Daniel avait tenté de l'ignorer, s'était recroquevillé contre le mur, avait caché son visage sous un oreiller, mais les images l'appelaient et il finissait par se retourner, les regardant à nouveau, tentant de deviner les pensées de celle avec laquelle il avait partagé des instants si beaux et si douloureux.

Et puis il avait cessé de lutter pour fixer intensément l'écran.

— À quoi penses-tu, Betty ? marmonna-t-il, s'adressant au téléviseur. Qu'est-ce qui te rend si mélancolique ? Jérôme toujours ? Comme moi, tu n'arriveras pas à l'oublier ? Vient-il te parler de temps en temps ? Moi, il ne me rend plus visite. Il ne voulait pas que j'aille là-bas tuer son assassin, il me l'avait dit. Sans doute, savait-il ce qui allait se passer. Il voulait me protéger d'eux et de moi, refusant que son père, à son tour, devienne un meurtrier. Je ne l'ai pas écouté, Betty. J'ignorais ce que je faisais. Ma douleur était si forte, ma culpabilité trop grande pour un cœur d'homme. Il fallait que j'agisse. Je connaissais les risques : celui de mourir, celui de vous perdre Pierre et toi. De vous infliger un autre deuil. Mais il m'était impossible de rester assis à disséquer ma peine. Je n'ai pas été élevé ainsi. Je me suis construit dans le combat, dans la lutte contre les autres, contre moi-même.

Ses larmes coulaient lentement sur ses joues.

— Qu'es-tu devenue ? Qu'as-tu fait après ma disparition ? Qu'as-tu pensé de tout ça ? Et Pierre, comment a-t-il grandi, privé de son frère et de son père ? Mon petit garçon courageux. Qu'a-t-il

fait de sa douleur ? S'est-elle transformée en force ? Me ressemble-
t-il ? M'en voulez-vous de vous avoir causé tous ces torts ?

Il entendit un bruit derrière la porte.

Ses tortionnaires l'écoutaient-ils ?

Se réjouissaient-ils de l'efficacité de leur supplice ?

Désemparé, noyé de sanglots, Daniel s'adressa alors à eux :

— Pitié, ne lui faites pas mal ! Je vous en supplie. Je suis prêt à
me jeter à vos pieds, à vous implorer mais ne faites rien à ma femme !
Battez-moi ! Humiliez-moi ! Tuez-moi ! Mais ne lui faites rien ! Elle a
suffisamment souffert ! Elle ne méritait rien de tout cela !

La lueur de la lune se reflétait sur les arêtes du mobilier, dessinant une perspective inachevée et menaçante de nuances grises. Éric n'espérait pas dormir. S'il avait éteint la lumière, c'était pour s'oublier dans l'obscurité, n'être plus qu'une des ombres figées de ce tableau lugubre. Il détestait la nuit, la considérant comme une démission, un renoncement. Ne pas dormir, substituer à la clarté du soleil celle de la ville, des lampes raffinées de sa maison ou de l'éclairage blafard de son bureau représentait à ses yeux un acte de résistance. Résister contre le néant, l'absence, l'angoisse de la mort.

Mais ce soir, il avait éteint la lumière surtout pour stopper le flot de ses pensées. Pour faire cesser la torture des interrogations auxquelles il ne pouvait répondre.

Il n'entendit pas la porte du bureau s'ouvrir. Les néons clignotèrent quelques secondes avant de s'allumer et il fut contraint de fermer les yeux pour échapper à leur éclat agressif.

— Merde, qu'est-ce que tu fous dans le noir ? marmonna Charles.

Il s'agissait moins d'une question que d'une tentative embarrassée de s'excuser du dérangement.

— J'ai essayé de te téléphoner, poursuivit-il. Tu as coupé ton portable ?

Suma ouvrit les yeux. Son vieux confrère se tenait debout, évitant son regard, se balançant d'un pied sur l'autre, hésitant à s'asseoir.

— Bon, il faut que nous ayons une conversation. Que nous essayions de comprendre ce qui t'arrive. Ce qui nous arrive, rectifia-t-il aussitôt.

— Pas ce soir, Charles, demain.

— Non, ce soir. Demain, nous n'aurons pas le temps d'organiser nos idées. Il faudra affronter l'actu. Les événements semblent se précipiter et arrêter une position, décider comment réagir devient urgent.

— Charles, s'il te plaît.

— Tu me joues quoi, Éric ? Le rôle du pauvre mec qui souhaite rester dans le noir pour se lamenter sur son sort ? Cliché !

Charles avait le don de trouver les mots capables d'énerver Éric et de l'obliger à la confrontation, donc à la discussion.

Mais Suma ne réagit pas. Car la présence de son vieux confrère à l'intelligence vive pouvait, en définitive, l'aider à y voir clair.

— Ils cherchent à me ridiculiser.

— O.K., ça, c'est la première hypothèse. Postulat de base : ils rêvent de se venger. Voilà dix ans, tu as pris la défense de cet homme et ils t'en veulent.

Il marqua un temps d'arrêt, puis continua.

— Mais tu avoueras que ça ne tient pas debout. Ton avis, les terroristes, ils s'en foutaient à l'époque. Alors dix ans après...

— Ils désirent simplement joindre l'utile à l'agréable, énonça Éric avec un sourire triste. Ils ont perdu dix ans à le retrouver, réclament du fric et décident de passer par moi pour aller au bout des choses. Ils gagnent ainsi sur tous les terrains.

— Déclinaison de l'hypothèse numéro un. Déjà plus crédible. Je pourrais y croire à condition que tu sois toujours présentateur du journal de France 6. Mais là, si leur objectif c'est le fric ou l'envie d'abattre l'otage après avoir suscité l'attention de la population, ils ont couru un sacré risque en s'adressant à une chaîne située en queue de peloton.

Éric réfléchit.

— Pourtant, c'est bien à moi qu'ils envoient leur message.

— Hypothèse numéro deux : ils réclament que nous, représentants de l'Occident, jugions l'assassin de leur leader spirituel. Et ils te choisissent comme arbitre impartial des débats. Du fait de tes anciennes prises de position, personne ne peut te suspecter de sympathie envers leur mouvement. Tu avais pris la défense du preneur d'otage, vanté son courage, sa capacité à se substituer à une justice inefficace. Ils se trouvent aujourd'hui dans la même position et te mettent au pied du mur.

L'idée parut plausible à Suma

— Peut-être... Mais je ne pense pas qu'ils m'offrent le rôle de l'animateur d'un débat. En agissant ainsi, ils m'accusent. Ils m'associent au crime de Daniel Léman et souhaitent que je sois, comme lui, jugé par l'opinion. Nous sommes tous les deux sur le banc des accusés, lui en tant que tueur, moi en tant que complice... Je vais être obligé de revenir sur les événements d'il y a dix ans et, du coup, laisser remonter à la surface les conditions dans lesquelles cette affaire s'est déroulée et la manière dont je l'ai traitée.

Charles soupira.

— Tu tiens tant à endosser le rôle de victime, à te mortifier en permanence ? Tu sais pertinemment que tes propos de l'époque n'étaient pas si révoltants. Tu n'as pas été insultant. L'affaire a été montée en épingle par une certaine presse, poussée par des confrères jaloux de ta réussite et, d'une certaine manière, tu as déjà été jugé par l'opinion et châtié. Pourquoi ces ravisseurs voudraient-ils t'enfoncer plus ? Nous sommes soit face à une revendication idéologique – et, dans ce cas, ils souhaitent récréer les conditions du débat –, soit face à un rapt crapuleux – et là, ils cherchent uniquement la publicité et le fric. Ou une position intermédiaire qui leur permet de brouiller les cartes et de rendre la situation illisible.

— Dans ce cas, c'est une réussite.

— Qu'en pensent le ministre et ses gens ?

— Ils ont eux aussi balayé toutes ces hypothèses. Plus une : la demande de rançon s'adresse à moi.

— C'est-à-dire ?

— Ce serait à moi que les ravisseurs réclament quelque chose.

— Ridicule. Tu n'as pas les moyens de payer, ils le savent.

— Bien entendu, mais ils veulent que je sois leur contact, leur porte-parole, peut-être même celui qui leur remettra l'argent.

— Et comment les flics envisagent-ils que tu gères l'histoire ?

— En jouant mon rôle de présentateur, mais en tempérant mes interventions.

Charles s'insurgea.

— Tempérer tes interventions ? Même si je leur donne raison sur le fond, nous n'avons aucun ordre à recevoir du pouvoir en place !

Éric haussa les épaules.

— J'ai envie de tout arrêter, Charles. J'ai voulu frimer avec cette histoire, revenir au premier plan. Mais j'ai agi comme un con, en considérant seulement mon intérêt personnel. Je suis face à ma prétention et pas très fier de moi.

— Tu divagues ! Nous nous sommes prêtés au jeu médiatique et ça a été facile, amusant, grisant même. Mais c'est maintenant que tout commence. C'est maintenant que nous allons pouvoir réellement faire notre job...

Charles, porté par son enthousiasme, se leva et traversa la pièce en agitant les bras. Il souhaitait communiquer à Éric son optimisme, la passion qui le gagnait.

— C'est-à-dire ? questionna Éric.

— Nous allons ouvrir le débat, questionner les téléspectateurs, interpeller les intellectuels.

Éric afficha une moue dubitative.

— Je ne te suis pas.

— La question est « quelle est la valeur de cet homme ? », n'est-ce pas ? Jusqu'à maintenant, nous avons interrogé l'opinion publique sur la valeur d'un otage SDF. Désormais nous allons la questionner sur la valeur de Daniel Léman ! Lui demander de le juger : « Mesdames et messieurs, cet homme avait-il le droit de venger la mort de son fils ? » Tu vas poser le problème clairement, tout dire : que les terroristes t'ont désigné à cause de tes prises de position anciennes, que tu en as payé les conséquences mais qu'aujourd'hui encore tu t'interroges sur la légitimité de tes propos.

— Je ne m'interroge pas, Charles. J'ai parlé avec conviction ce jour-là. J'ai dit ce que je pensais car j'étais écœuré de l'hypocrisie des dirigeants, de la versatilité de l'opinion. Je ne regrette rien.

— Eh bien tu le diras ! Nos confrères vont te tomber dessus mais, au moins, tu revendiqueras tes opinions, réclameras les leurs, provoqueras les débats... Avec une question sous-jacente, celle qui était la tienne voilà dix ans et qui revient sur le tapis : devons-nous faire le jeu de la terreur, courber le dos devant la force, négocier avec des terroristes ?

Éric se sentit galvanisé par cette perspective. Elle lui permettrait de régler ses comptes, de faire valoir son point de vue. Pourtant, il se rembrunit un instant.

— La Place Beauvau ne va pas apprécier. On va se faire laminer.

— Peut-être. Mais au moins nous allons sortir de notre rôle de relais de l'info pour devenir de vrais agitateurs d'idées. Nous en subirons les conséquences ? Peu importe. Si nous devons être éjectés, ce sera en beauté. Une belle fin, non ?

Il tendit la main à Éric.

— O.K. On fonce, lui dit-il en la serrant.

Le générique de fin du journal venait de défiler.

La chemise d'Éric était trempée de sueur. Allant au bout de ses idées, le présentateur avait exposé la situation dans les moindres détails, contenant son émotion pour qu'elle filtre uniquement à travers ses mots ou l'intensité de son regard.

Il avait commencé par révéler l'identité de l'otage.

« Daniel Léman. Souvenez-vous, c'était il y a dix ans... »

Un reportage avait illustré le portrait et permis aux téléspectateurs de se remémorer l'homme et son histoire : la mort de son fils dans un attentat, le kidnapping de cheikh Fayçal, le soutien de l'opinion qui l'avait considéré comme un héros, la découverte du corps du prédicateur extrémiste, le désaveu du pouvoir, la mise à mort des médias, le revirement du public.

Il avait ensuite rappelé avoir, d'une certaine manière, soutenu Daniel et se l'être vu reprocher par ses confrères et par certains élus.

« Cela m'a coûté ma place. Contrairement à ce que j'avais déclaré à l'époque, mon départ ne relevait en rien du choix professionnel. J'ai été poussé vers la sortie pour avoir donné mon avis sur la situation et avoir notamment défendu Daniel Léman, compris son geste désespéré. »

Enfin, un sujet avait retracé les exactions des terroristes : ils avaient retrouvé et séquestré l'assassin de leur leader, puis envoyé à Éric Suma l'étrange message.

Alors, Éric avait regardé intensément la caméra. Il ne jouait pas. Car jamais de toute sa carrière il ne s'était senti autant porté par son sujet. Il fixait l'objectif en pensant aux centaines de milliers de personnes qui l'écoutaient. Il voulait tellement les toucher, les amener à sortir du confort de leur salon, de la torpeur de la fin de soirée pour l'entendre, le comprendre.

« Mesdames et messieurs, je vous pose la question : quelle est la valeur de cet homme ? Non sa valeur financière mais sa valeur humaine, morale ? Débarrassons-nous des considérations politiques, sécuritaires, médiatiques. Balayons nos peurs, échappons à nos préjugés et interrogeons-nous en toute sincérité. »

Le visage de Daniel apparut à l'écran.

« Cet homme apeuré, amaigri, devenu SDF, mérite-t-il son sort ? Mérite-t-il d'être martyrisé puis bientôt exécuté par des kidnappeurs ? N'a-t-il pas été trop rapidement condamné par le pouvoir et les médias voilà dix ans ? Et sur quels critères de jugement ? La peur des terroristes ? La volonté d'éviter des représailles ? Pour, il y a dix ans, avoir insinué cela et m'être insurgé contre le lynchage médiatique dont il était l'objet, j'ai été cloué au pilori.

« Sans doute ma prise de position était-elle alors exagérée. Peut-être même me sera-t-il cette fois encore reproché d'en faire trop, de sortir de mon rôle de journaliste. Je m'en moque !

« Car l'enjeu, ici, est majeur. Cette histoire interroge notre société sur ses valeurs, sa capacité à les défendre contre ceux qui les nient et jouent avec nos frayeurs comme avec les failles de notre système. »

La tension était perceptible sur le plateau. Les techniciens et journalistes, silencieux, immobiles, avaient conscience de vivre un moment historique. Jamais Éric ne leur avait paru aussi sincère, transcendé par son sujet. Les vibrations qui portaient sa voix retentissaient dans leurs esprits, procurant à tous l'étrange sensation de faire corps avec ce collègue.

« Ce que je réclame aujourd'hui, c'est simplement votre avis. Votre jugement. Quelle est la valeur de cet homme ? Comprenez-vous la douleur qui l'a poussé à traquer l'un des responsables de la mort de son fils, à le kidnapper puis... à le tuer ?

« Il ne s'agit pas de le disculper, de l'affranchir de son meurtre. Et s'il sort vivant du lieu dans lequel il est retenu prisonnier, il devra répondre de son acte. Non, ce que je souhaite en posant cette question, c'est qu'il soit jugé dans une atmosphère assainie de toute perversité politique et médiatique. Ce dont je rêve, c'est que nous échappions à la peur que les terroristes cherchent à nous imposer. Que nous n'entrions pas dans leur jeu. Car que réclament-ils à travers leur étrange message ? Que nous établissions sa valeur pécuniaire ? Que nous leur expliquions qu'il ne vaut rien ? Que nous le condamnions ? »

Éric s'interrompit un instant pour reprendre sa respiration. Il balaya du regard le plateau et comprit que sa fougue électrisait chacun.

« Beaucoup d'entre vous pensent avoir déjà répondu en faisant un don pour la libération de cet otage. Mais il n'était alors pour nous tous qu'un sans-abri, une victime innocente. Nous avons en somme cédé à une compassion vide de sens. »

Suma hocha la tête, comme s'il regrettait ces paroles. Sa voix devint grave.

« Mieux, je me dois d'être sincère avec vous. Télé 8 a utilisé cette histoire pour vous émouvoir et gagner des parts d'audience. Nous nous sommes servis de votre humanité pour vendre nos journaux. La compassion... cet élan du cœur qui ne sollicite pas la raison. Et en agissant ainsi, nous avons fait le jeu des terroristes. Cette fois, comme toutes les autres fois : ils créent le produit, nous en assurons la promotion. Et comme la promotion fonctionne bien, ils inventent d'autres produits, toujours plus forts, plus chers. Ils nous ont confié des images, un message, nous les avons diffusés. Sûrement avons-nous même été plus loin que ce qu'ils attendaient de nous, dociles et chevronnés attachés de presse de la terreur.

« Que voulaient-ils à travers leur mystérieuse question ? Nous ne le savons pas précisément. Et nous devons nous en moquer ! Car nous importe surtout de répondre aux vraies questions : quelle valeur accordons-nous à cet homme ? Que voulons-nous pour lui ? Devons-nous exiger sa libération ? Quelle doit être notre attitude face à des preneurs d'otages qui sèment la terreur et la mort pour faire valoir leurs idéologies ? »

Éric avait élevé la voix. Il avait senti des perles de sueur couler dans son dos, sur ses tempes. Isabelle lui avait fait un signe. Ils devaient rendre l'antenne.

« S'il faut verser une rançon, alors nous réclamerons que les négociations aient lieu au grand jour. Nous serons partie prenante dans ces pourparlers. Plus d'hypocrisie, de tractations secrètes, d'allégeance à la terreur, de somme versée confidentiellement pour laisser ensuite aux hommes politiques la possibilité de réciter un discours de fermeté. Au contraire, oui, des transactions ouvertes qui nous permettront de dire aux terroristes ce que nous pensons d'eux, d'afficher la fermeté de nos positions. Leur expliquer qu'ils ne sont pas les seuls à posséder de vraies valeurs. Et que si nous leur livrons de l'argent, ce n'est pas par compassion, mais parce que la justice, l'humanité, la solidarité ont guidé notre raison. Et si leur otage doit être jugé, il le sera selon nos lois et non par eux, les médias, le pouvoir ou une opinion publique apeurée et manipulée. »

Il aurait aimé prononcer une phrase de conclusion forte, intense, mémorable, mais il s'était contenté de baisser la voix et de remercier humblement les téléspectateurs de l'avoir écouté.

L'émission terminée, seul résonnait sur le plateau le bruit des magnétos, lecteurs DVD et caméras. Chacun demeurait immobile, figé, adressant un sourire doux à l'animateur, le soutenant du regard.

Charles apparut alors, une serviette à la main.

— Tiens, essuie-toi le visage, lui dit-il. Tu ne ressembles plus à rien.

Seul avec son conseiller en communication, le ministre laissa éclater sa colère.

— Cette histoire nous échappe totalement ! Ce petit con de Suma nous a doublés. Son pitoyable numéro de journaliste en proie à un brusque questionnement existentiel nous contraint à avancer à découvert. Il me le paiera !

Frédéric Lesne baissa les yeux. Les reproches de son patron lui étaient en partie destinés. Dommage collatéral et aspect pernicieux de son travail, il était responsable de la moindre atteinte à l'image du ministre. Et chaque problème lui revenait en boomerang à la figure : il aurait dû prévoir, deviner, faire jouer la part occulte de sa science. Mais comment anticiper quand on ne possède aucune carte du jeu ? Trop tard donc pour la prévention. Il restait juste à trouver une parade, à imaginer une manœuvre habile pour préserver la réputation de son patron.

— Je pense que nous pouvons tirer parti de la situation, hasarda-t-il.

Il laissa la remarque faire son effet. Le ministre le considéra avec circonspection.

— Suma nous a joué un sale tour en sortant cette affaire de ses seules dimensions policière et juridique pour la transformer en sujet de société sur les valeurs de notre système, la morale politique et notre approche de la sécurité. La presse se déchaîne. Les premières réactions laissent même penser que le débat va faire rage autour de l'affaire remontant à dix ans. Les responsables de l'époque et les médias vont être jugés sur leur objectivité. Or je n'ai aucun doute sur l'issue des discussions : tout le monde prendra le parti de Daniel Léman. Ce que personne ne voulait voir autrefois sera désormais présenté comme une vérité. Et ce fait divers, on le jugera avec plus d'objectivité. Et que constatera-t-on ? La présence, d'un côté, d'un pauvre homme en proie à la douleur qui tente de se faire justice. De l'autre, l'ignominie d'un leader islamiste suspecté d'avoir fomenté des attentats sauvages. Dès lors, quel camp choisirons-nous ?

— Mais le gouvernement ne peut pas prendre parti de la sorte ! Ce débat, qu'il soit bien fondé ou pas, nous place en très mauvaise posture. Suma nous contraignant à négocier au grand jour, comment agir désormais puisque la plupart des prises d'otages sont résolues après tractations et versement d'une rançon ?

— Et alors ? Aujourd'hui, ce n'est pas la libération de Léman qui est en cause, mais sa valeur. Et la nôtre. N'attendons donc pas d'être acculés pour réagir. Prenons position tout de suite. Démarquons-nous du pouvoir de l'époque. Nous avons tout à gagner en jouant le jeu de Suma et en entrant dans le débat avec la casquette de défenseurs d'une nouvelle morale politique. Disons haut et fort que nous reconnaissons les erreurs de nos prédécesseurs, affirmons que Léman a bien été victime d'un lynchage orchestré par des politiques couards obnubilés par des considérations sécuritaires, affichons que nous sommes prêts à négocier avec les terroristes au grand jour et que, s'ils refusent ou abattent Léman, nous oserons les affronter selon une ligne dure et inflexible !

— Mais enfin, les preneurs d'otages refuseront ! Ils tueront Léman et nous enverrons son cadavre...

— Peu importe, puisque tout le monde en sera responsable. Nous lancerons une opération d'envergure dans les milieux terroristes, nous participerons aux obsèques de Léman et nous targuerons de n'avoir pas cédé devant la terreur. Et puis, avons-nous le choix ? Non. Soit nous prenons les devants afin d'essayer de contrôler la situation, soit nous la subissons. Et dans ce cas, on ne reprendra jamais la main car nous aurons toujours le mauvais rôle : si Léman est libéré la gloire en reviendra à la presse et à l'opinion publique, s'il est tué on fustigera l'incapacité de nos services.

Le ministre prit le temps d'envisager les hypothèses avancées par son collaborateur.

— Très bien, admit-il. Je vais accorder une interview télévisée et m'exprimer dans ce sens.

— Je contacte Suma ?

— Non, TF1. Je vais faire payer son attitude à ce fouille-merde.

Perdu au cœur de son malheur, Daniel s'était d'abord recroquevillé sur sa douleur. Il refusait de réfléchir, d'envisager sa situation, de regarder l'écran. Et puis une question avait émergé : quel était le sens de son kidnapping ? Il rassembla sa lucidité pour essayer d'envisager cette perspective. Et ce fut comme si la nuit venait de se déchirer. La vérité qui lui apparut constituait un tel choc qu'elle pouvait éclairer tout son être, le réchauffer, lui redonner vie : ses geôliers n'étaient pas des kidnappeurs islamistes.

Mieux encore, ses geôliers ne voulaient pas sa mort.

Les événements de ces dernières heures l'attestaient.

Pourquoi des intégristes extrémistes auraient-ils cherché à le torturer mentalement ? Pour venger leur leader spirituel ? Non, cela ne menait à rien.

Si tel était le cas, ils l'auraient abattu avant de revendiquer l'acte.

Et s'ils voulaient simplement obtenir une rançon, leur comportement n'était pas plus cohérent.

Leur attitude, ces derniers jours, avait changé. Ils faisaient mine de l'ignorer mais l'observaient en cachette, se montraient attentifs à ses réactions.

Oui, c'est ça, ils voulaient le faire réagir.

Éric Suma réfléchissait dans son bureau, inquiet, quand il entendit taper à la porte.

Il ne broncha pas mais, deux secondes plus tard, le visage de Clara apparut.

— J'ai frappé mais...

Devant le visage fermé d'Éric, la journaliste fut embarrassée.

— Excuse-moi, je ne voulais pas te déranger.

— Non, entre. Un problème ?

Clara sentit son courage la lâcher.

— Euh, non, je voulais juste savoir comment tu allais.

— Je vais bien.

Elle inspira profondément, s'avança d'un pas décidé et s'assit face au présentateur.

— Tu sais les sentiments que j'ai pour toi. Et je comprends que tu ne te sentes pas prêt à entamer une histoire. Mais tu invoques de faux prétextes : la différence d'âge, le fait que nous travaillons ensemble... Le problème n'est pas là.

— Ah bon ? répondit Éric, amusé. Et où est-il le problème ?

— Dans une question d'estime personnelle. Tu te dévalorises. Comme tu as été écorché par différentes histoires, tu passes ton temps à lécher tes blessures plutôt qu'à regarder vers l'avant.

— Vers l'avant ? ironisa Suma, afin de masquer sa gêne. À mon âge, vois-tu, il est difficile de prêter plus d'attention à l'avenir qu'au passé.

— Conneries ! En fait, c'est l'histoire vieille de dix ans avec Léman qui te perturbe.

— Que sais-tu à ce sujet ? s'agaça Éric.

Clara haussa les épaules.

— J'ai tout entendu. Des choses plutôt contradictoires d'ailleurs. Il faut dire que, voilà dix ans, la plupart des journalistes de cette équipe se trouvaient encore à l'école. Peut-être pourrais-tu m'expliquer ?

Elle parut embarrassée de formuler cette requête.

Le présentateur lui sourit tristement.

— Soit. Il y a dix ans, j'étais présentateur du journal de France 6. Et je traversais une période de doute professionnel. Devenu une sorte de célébrité, j'avais tout connu : la gloire, le pouvoir, le fric, les femmes. Je commençais à être critiqué par mes confrères. Ma notoriété et ma vie de *people* les agaçait. Certains m'estimaient vide de toute substance. Ils n'avaient d'ailleurs pas entièrement tort ; j'étais l'un des maillons d'une organisation huilée dont le rôle se résumait à lire un prompteur ! Je cirais les pompes des représentants du pouvoir, des stars du show-business..., les recevais dans mon journal avec déférence. Et comme j'en prenais conscience, je le vivais mal. C'est alors que l'affaire Léman s'est présentée. Tu en connais le principe : un père fou de douleur traque celui qu'il estime le meurtrier de son fils, l'enlève et le garde en otage dans la banlieue londonienne. À ce stade-là, les médias le décrivent tel qu'il apparaît : un homme meurtri, révolté par l'impunité dont jouissent certains suppôts des mouvements islamistes durs. L'opinion le comprend et commence à le transformer en héros. Tout le monde pensait qu'il en resterait là, jusqu'au jour où la nouvelle tombe : l'otage a été assassiné.

Moi, quand j'ai appris la mort du cheikh, j'ai d'abord pensé « bien fait, ce n'est que justice ». Et puis je m'en suis voulu. Je n'avais pas le droit de me réjouir du décès de cet homme. Le chef religieux avait été retrouvé criblé de plusieurs balles, les pieds et poings liés, les yeux bandés. Les images étant terribles, j'ai tout de suite compris que Léman ne serait plus longtemps un héros. Les jours qui ont suivi ont confirmé mes craintes : des politiques, des journalistes, des spécialistes du terrorisme et quelques intellectuels se sont mis à lui tomber dessus à bras raccourcis. On le traitait d'irresponsable. On disait que sa douleur l'avait rendu fou et qu'il avait agi sans penser aux conséquences dramatiques de son acte. On ajoutait qu'il avait sauvagement assassiné un être sans défense, dans des conditions inhumaines, donc qu'il n'était pas meilleur que ceux qu'il haïssait.

En vérité, la question posée n'était pas celle de son acte. Les hommes politiques avaient surtout peur des répercussions de son geste. Et lui en voulaient d'avoir, indirectement, dénoncé leur inertie. Les journalistes ne montrèrent pas plus de discernement. J'avais d'ailleurs déjà remarqué la tendance pernicieuse qui consistait, pour certains d'entre eux, à compatir au sort des victimes et à faire du misérabilisme l'angle d'attaque de leurs sujets. Tiens, j'en ai même entendu un, un jour, présenter un terroriste qui s'était fait exploser dans un bus comme un homme « poussé par la détresse à se donner la mort ». Donc, pour certains, la victime c'était le cheikh, puisque c'est lui qui était mort. Une logique uniquement liée à l'émotion.

— Et personne ne disait le contraire ?

— Si, quelques esprits critiques tentaient de raisonner sur les événements et essayaient de comprendre ce père sans le condamner, d'appréhender la situation comme une conséquence de la violence des terroristes et de l'inefficacité des gouvernants à la juguler, et non l'inverse. Mais leurs arguments ont rapidement été balayés par le concert outragé des bien-pensants. Et quand l'enterrement du cheikh donna lieu à des scènes d'hystérie de ses partisans, quand des drapeaux britanniques et français furent brûlés devant des caméras occidentales, ce fut l'explosion. Car à Paris et Londres, peu de journalistes osèrent s'en offusquer. Leurs commentaires attribuaient les injures et les menaces à la tristesse éprouvée par ces hommes et ces femmes devant la perte de leur « leader spirituel ». Voilà ce qu'était devenu le cheikh en mourant : un « leader spirituel ». Quelques élus envoyèrent même un message de condoléances à ses proches.

— Et toi ?

— Si j'avais été téléspectateur, je me serais contenté d'exprimer ma colère en maugréant devant mon poste. Mais j'étais acteur de l'information. Un acteur complice car passif. Alors j'ai craqué. Après la mort du cheikh, j'ai reçu le ministre de l'Intérieur de l'époque dans mon journal. Il s'est lancé dans une diatribe contre Daniel Léman, expliquant que la douleur d'un père ne justifiait aucun acte inconsidéré. Et il a fini par déclarer que Daniel était devenu un terroriste. « Un terroriste est un homme qui tue des innocents pour être entendu et servir sa cause », a-t-il osé dire. Je n'ai pas pu accepter la perfidie de cette remarque. J'ai lancé : « Mais celui que l'on présente aujourd'hui comme un leader spirituel était-il innocent ? » Ma question a surpris tout le monde. J'ai perçu un mouvement sur le plateau. Dans l'oreillette, le rédacteur en chef m'a interpellé : « Éric, fais attention ! Ta question est ambiguë. »

— Elle l'était, osa Clara.

— Non, elle ne l'était pas. Car c'était celle que se posaient les autorités et l'opinion avant que le cheikh Fayçal soit enlevé et assassiné. « Votre question me surprend, a toutefois répondu le ministre. Il n'a jamais été mis en cause. Et je pense qu'il convient de ne pas faire insulte à la mémoire de ce chef spirituel alors que sa tombe est encore fraîche. »

Tu vois l'hypocrisie !

— Et tu as fait quoi ?

— J'ai réattaqué : « L'enquête concernant l'attentat de la ligne 83 n'a-t-elle pas été trop rapidement menée ? Le cheikh n'était-il pas un des suspects les plus vraisemblables ? Ses déclarations avant et après l'attentat étaient claires : il soutenait les terroristes, ne serait-ce que... spirituellement.

— Je vous laisse la responsabilité de vos allégations, a répondu le ministre, agacé. Pour l'heure, le seul terroriste avéré est Daniel Léman. »

Cette réponse m'a révolté, même si, dans les faits, elle n'était pas entièrement fausse. « Ne pensez-vous pas que vous auriez été capable d'agir de la sorte si votre fils avait été déchiqueté par une bombe ? » lui ai-je demandé, pour l'acculer, l'obliger à prendre une position plus franche. Le ministre a alors eu un geste d'impatience. Il a levé les yeux vers la régie. Le rédac' chef m'a intimé immédiatement l'ordre de cesser mes provocations. Le ministre n'a pas voulu perdre la face et m'a dit : « Non. Quand chacun agit selon ses désirs sans se préoccuper des lois, cela s'appelle l'anarchie. Et l'anarchie c'est la barbarie. Il n'y a que la démocratie pour donner à l'homme la pleine mesure de son humanité », puis, excédé de s'être laissé entraîner dans une interview qui le poussait dans ses retranchements, il m'a retourné la question : « Mais, cela veut-il dire que vous, M. Suma, vous auriez été capable d'agir de la même manière ? » Tout le stress cumulé durant les derniers jours, le ras-le-bol d'être obligé de servir les plats et son sourire narquois m'ont conduit à lui répondre avec sincérité : « Non. Je n'aurais pas pu. Parce que je n'ai pas le courage de cet homme. »

— Ouah...

— Et c'est à ce moment que ma carrière de présentateur vedette sur l'une des plus grandes chaînes de télévision française s'est terminée. Pas tout de suite après l'interview, non. Il y a eu d'abord les réactions des hommes politiques et de mes confrères. La chaîne a fait mine de me soutenir un moment, afin de ne pas donner l'image d'un média aux ordres du pouvoir. Et puis, il y avait aussi l'usure du temps, j'étais contesté, critiqué... J'ai eu des torts dans cette affaire, je le sais. Le plus grand a été de m'emporter, de ne plus mesurer mes propos, d'aller au-delà de ce qu'il convenait d'exprimer dans un journal tel que celui-ci.

Clara hocha la tête.

— Tu as été honnête, sincère.

Éric se tut pour détailler le visage de la journaliste. Celui-ci avait abandonné son expression séductrice pour laisser apparaître une tendre empathie. Il eut envie de la prendre dans ses bras, de l'embrasser, mais il se contenta de tendre la main et de caresser ses pommettes saillantes, de passer un doigt sur ses lèvres épaisses.

— Si seulement j'en étais certain ! J'ai peut-être simplement voulu répondre à mes détracteurs, leur montrer que je n'étais pas un cire-pompes. Et pour être réellement honnête, je me demande si ce n'est pas après la notoriété que je courais. D'ailleurs, ces derniers jours, je me suis rendu compte que la célébrité me manquait, alors j'ai foncé dans cette nouvelle histoire afin de prouver aux autres que j'existais, que je n'étais pas fini.

Clara baissa la tête, embarrassée par la confidence, ne sachant pas quoi répondre.

— Nous faisons tous ça, finit-elle par admettre. Comme nous exerçons un métier difficile, notre gratification vient de la reconnaissance de nos pairs et du public. Avons-nous tort de lui courir après ?

Suma haussa les épaules.

— Oui, si nous courons seulement pour nous. Oui, si cette reconnaissance est fondée sur les artifices de la gloire, si dans les yeux de nos confrères et du public nous voyons seulement de l'envie et de la jalousie pour notre position, notre fric, notre pouvoir. Non, si la reconnaissance désigne notre courage, notre professionnalisme. Mais, aujourd'hui, seule la notoriété compte. Peu importe comment on l'acquiert. Ce que cette histoire m'a appris, c'est que la valeur d'un homme est celle du temps qu'il passe à aimer les siens et à recueillir leur amour en retour.

Clara lui prit la main et la serra.

— Le moment est peut-être venu d'appliquer cet enseignement ? murmura-t-elle.

Boris Debruyne faisait face à ses hommes. Frédéric Lesne s'était installé en retrait, préférant le rôle d'observateur plutôt que de participer à une réunion qui, de toute façon, ne lui apprendrait rien de neuf.

— Vous ne les trouvez pas ? s'énerva le patron de la SOC.

Samuel Merle fit un geste signifiant son impuissance.

— Non, monsieur. Sa famille a disparu. Nous avons perquisitionné leur domicile, interrogé leurs voisins, ses collègues de travail à elle. Ils se sont évanouis dans la nature.

— Pensez-vous qu'ils ont été enlevés ? demanda-t-il, inquiet.

— C'est possible. Leur disparition semble remonter à trois jours avant que les images de Daniel Léman parviennent à Télé 8. Elle ne s'est pas présentée à son travail. Et nous n'avons relevé aucune trace de lutte à leur domicile. S'ils ont été kidnappés, c'est sur la route.

— Qu'avez-vous appris à leur sujet ?

— Ils mènent une vie tranquille, discrète. Elle n'a quasiment pas de fréquentations, hormis quelques anciens amis qui passent la voir de temps à autre. Lui vit toujours avec elle. C'est un garçon brillant mais réservé, secret. Il est étudiant en psychologie. Ses seuls amis sont des jeunes de son âge rencontrés quand il était enfant, après la mort de son frère, au sein d'une association d'aide aux victimes d'attentat. On dit que, depuis quelques années, il se consacre à la recherche de son père.

Boris Debruyne se perdit en conjectures.

— Cette histoire est complètement absurde ! S'ils ont été enlevés, pourquoi les ravisseurs ont-ils uniquement revendiqué le kidnapping de Daniel ?

Jean-François Gonzales intervint.

— Ils ne voulaient pas que nous identifiions l'homme tout de suite. Ils souhaitaient d'abord nous surprendre, accéder à une large audience. Ou alors, autre hypothèse : ils ont enlevé la famille de Daniel Léman pour lui montrer combien ils étaient maîtres du jeu, le contraindre à les suivre ou à parler. Peut-être même les ont-ils abattus après les avoir utilisés.

— Hypothèse par-ci, hypothèse par-là, vous n'avez que ça à m'offrir ! s'emporta Debruyne. Pas une seule piste tangible !

— Cette affaire défie toute logique terroriste ou crapuleuse, se défendit Jean-François Gonzales.

— En effet, surenchérit Samuel Merle, nous n'avions rien de concret jusqu'à aujourd'hui. Mais maintenant que nous connaissons les noms du, voire des otages et le mobile, nous allons pouvoir mener une vraie enquête.

— Je vous le conseille, rétorqua Debruyne. Nous devons rapidement reprendre le contrôle de la situation, le ministre est furax.

Il clôtura la réunion et les hommes se retirèrent.

— Qu'allez-vous faire de cette info ? demanda le patron de la SOC à Lesne.

— La position du ministre est claire : donner l'impression que nous sommes maîtres du jeu. Donc on se tait et on attend que vos hommes retrouvent la trace des ravisseurs. Ou que les preneurs d'otages dictent leurs conditions.

— Mais s'ils balancent un message mentionnant qu'ils retiennent aussi la famille de Daniel Léman, on nous reprochera de ne pas nous en être rendu compte ou, plus grave, de l'avoir su et de l'avoir caché. Et s'ils les ont abattus et que les corps sont découverts ? Ou s'ils négocient pour Léman seulement et gardent en otage sa famille ?

Ces idées firent frémir le conseiller en communication.

— Il n'est pas de mon ressort de décider. J'informe le ministre et vous tiens au courant.

Lagdar se penchait sur Daniel lorsqu'il perçut sa présence et se réveilla.

— Qui êtes-vous et que me voulez-vous ? demanda-t-il.

Lagdar l'observa quelques secondes sans broncher.

— Vous n'êtes pas des extrémistes islamistes, je le sais.

Daniel crut déceler un rapide sourire glissant sur le visage du geôlier.

— Qu'attendez-vous de moi ?

Lagdar prit une chaise et s'assit face à son otage.

— Vous ne voulez pas me tuer et vous ne voulez pas de rançon, j'en suis certain. Alors... pourquoi me torturer... mentalement ?

— Et toi ? Pourquoi as-tu fait souffrir ta femme et ton fils ? Pourquoi les as-tu plongés dans un tel cauchemar ?

Ces questions agirent comme un choc et un déclic.

— Il fallait que j'agisse. Qu'est-ce que tu aurais fait dans la même situation ? Imagine qu'un jour un homme tue ton enfant pour une cause quelconque. Imagine que ce crime reste impuni. Pire même, imagine qu'on en minimise l'importance pour ne pas exciter l'assassin ! Tu resterais tranquillement assis à attendre qu'il soit châtié par Dieu ? Je ne suis pas un lâche ! Je n'ai pas appris à m'aplatir devant la force et la terreur ! C'était une question d'honneur ! De survie, même...

— Quitte à laisser ta femme et ton fils sombrer dans le désespoir une nouvelle fois ?

— La vie, la mort, ça n'avait plus de sens pour moi, confia Daniel d'une voix lasse. J'avais l'impression d'être déjà parti. J'étais comme un zombie. Seul mon instinct et mon obsession me guidaient. Perdre mon fils dans de telles circonstances m'avait projeté dans un monde parallèle, un monde aux logiques différentes.

— Tu utilises les mêmes arguments que les terroristes : en disant ça, tu défends la cause de celui que tu as tué.

La remarque blessa Daniel.

— Je n'ai *pas* tué le cheikh, se contenta-t-il d'expliquer pour s'extraire de l'impasse dans laquelle Lagdar l'acculait. Dans mes délires d'alcoolique, j'ai parfois failli me convaincre de l'inverse. Mais non, je ne l'ai pas tué. Je n'en ai pas eu le courage. Je n'étais pas un assassin. J'ai renoncé et n'ai eu ensuite qu'une envie, retrouver ma femme, mon fils et pleurer avec eux la mort de Jérôme. Mais les choses ne se sont pas passées comme prévu. Tout le monde m'a pris pour un criminel. J'ai été insulté, traîné dans la boue par la presse, par l'opinion. Et les hommes du cheikh allaient se lancer à ma poursuite. Je devais fuir, disparaître, me faire oublier. Ne jamais revenir. C'était la seule issue pour ne nuire ni à ma femme ni à mon fils.

— Je sais.

Daniel releva la tête.

— Tu sais ? Mais merde, qui es-tu ? Qui êtes-vous ? Et qui est votre chef ? Pourquoi dissimule-t-il toujours son visage ?

Lagdar plongea ses prunelles sombres vers le visage de Daniel, à la recherche d'une information.

— Je pense que tu as compris. À moins que tu ne veuilles pas encore envisager la vérité.

Et, brusquement, il se leva et quitta la pièce.

Un homme entra. S'agissait-il d'Akim ? Le contre-jour empêchait Daniel de le voir distinctement mais il reconnut la stature de celui qu'ils désignaient comme leur chef. Pour la première fois, il ne portait pas de cagoule. Les contours de son visage disparaissaient dans l'éclat incandescent de la lumière du jour.

L'homme fit un pas et planta ses yeux dans ceux de l'otage.

Daniel fut d'abord surpris par l'intensité de ce regard. Puis, il parcourut les traits de ce visage et vacilla.

— J'arrête.

Charles parcourait la revue de presse du matin. Il releva la tête, surpris par le ton d'Éric. Une tonalité qu'il ne lui connaissait pas, n'appelant ni la discussion, ni la polémique, ni l'aide.

— C'est-à-dire ?

— Une fois que nous connaîtrons le dénouement de cette affaire, je partirai.

Charles eut un sourire narquois.

— Ton vieux rêve. Plaquer tout en pleine gloire ?

— Ne me cherche pas. Oui, j'ai aimé la notoriété. Passionnément. Aveuglément. Mais aujourd'hui je ne sais même plus qui je suis, ce que je vaux, en tant que journaliste, en tant qu'homme.

— La valeur d'un homme... soupira Charles, pensif. Qu'est-ce qui la définit ?

— J'ai longtemps confondu la mienne et celle des courbes de l'audimat. Malgré de brefs moments de lucidité où je percevais la futilité de cette mascarade, tel un camé je replongeais, je me brûlais à nouveau aux feux du pouvoir, de la renommée... Je n'ai même pas su voir le mal que je faisais aux miens, tu te rends compte ? Je n'ai pas su retenir ma femme, Charles. La valeur d'un homme, je crois, est définie par ceux et celles auxquels son destin est lié.

— Mais justement Éric, ton destin était lié aux médias pour lesquels tu as travaillé, à tes collaborateurs, aux téléspectateurs...

— Non, Charles. Ils définissent une valeur marchande. Mes proches, eux, peuvent définir ma valeur d'homme. Et à leurs yeux, je ne vaux plus grand-chose, je t'avoue.

— Nous en sommes tous là, Éric. Ma femme aussi m'a quitté. Nous pratiquons un métier de solitaires. Le taux de divorce est plus élevé chez les journalistes que dans la plupart des professions.

— Je ne te parle pas de ça, Charles. Je n'ai pas sacrifié ma vie familiale sur l'autel de la passion du métier, mais sur celui de l'orgueil.

— Tu es simplement à cran. Cette affaire est difficile et...

— Non, l'interrompit Éric, cette affaire m'a au contraire fait un bien fou. Je sais enfin qui je ne veux plus être.

— Tu ne veux plus être journaliste, c'est ça, ta conclusion ?

— J'aurais aimé l'être. Je comprends aujourd'hui que je ne l'ai jamais vraiment été. Sauf peut-être le jour où j'ai voulu placer les politiques devant leur responsabilité, leur conscience. Et, ce crime de lèse-majesté, je l'ai payé très cher. Car voilà ce que nous sommes : les valets du roi et les bouffons de la cour.

Charles hocha la tête.

— Moi aussi, j'ai ruminé ces idées-là, je me suis posé des questions sur la déontologie, mes relations avec le fric, le pouvoir... Et j'ai même refusé de faire face à certaines réponses. Mais contrairement à ce que j'ai longtemps cru, j'apprends encore mon métier, j'apprends encore à me connaître. Et, aujourd'hui, je pense être plus fort qu'hier. Et j'essaierai encore de progresser. On peut changer et faire changer les choses, Éric.

— Toi peut-être, car tu as su garder une part de droiture, quelques-unes de tes certitudes, une position, une attitude. Tu as su rester le même. J'aurais d'ailleurs aimé te ressembler. Quand tu m'as fait entrer dans le métier, tu étais mon modèle. Mais je m'en suis trouvé d'autres.

— J'ai trahi beaucoup de mes idéaux Éric, crois-moi... Pas plus tard que ces derniers jours. Pourtant, j'ai envie de continuer. Que veux-tu, il me reste encore quelques petites années à travailler. Et je désire me parfaire. M'enrichir encore et, pourquoi pas, renouer un jour avec mes idéaux.

— Ce n'est pas ici que je me retrouverai, Charles. Je ne sais encore ni où, ni comment, mais pas ici.

— Plus rien ne t'intéresse donc dans ce job ?

— Non, plus rien. Plus rien ne m'intéresse du tout d'ailleurs.

Ils se turent un instant.

— Si, une chose. Cet homme, Daniel Léman. J'aimerais le connaître. C'est aujourd'hui le seul type qui excite encore ma curiosité, que j'aie envie d'aider. Sincèrement. Un père capable de tout perdre et de tout laisser pour donner un sens à la mort de son fils..

— C'est comme ça que se définissent de nombreux terroristes.

— Lui a seulement voulu s'en prendre à celui qu'il tenait pour responsable de la disparition de son gamin. Pas à des innocents.

— C'est aussi ce qu'ils disent. Ils utilisent seulement une autre grille de lecture, une définition différente de la responsabilité, de l'innocence.

— Peut-être. Alors disons que ce n'est pas la mienne. Mes valeurs me conduisent à prier pour la libération de Daniel Léman, mais il est foutu. Il ne s'en sortira pas. Ils l'abattront. Et s'ils le libèrent, les autorités le jugeront, l'enfermeront... Peut-être même nous sentirons-nous complices de son châtiment. En prêtant notre voix aux terroristes, nous l'avons condamné.

— Il l'était déjà.

Pierre et Daniel étaient assis dans le jardin, les yeux posés sur la campagne, silencieux.

Pierre avait déjà raconté sommairement comment lui, ses deux amis, mais aussi Salomon et les autres, avaient élaboré ce scénario. Mais Daniel exigeait plus de précisions. Il avait besoin de comprendre, d'entendre ce qui les avait conduits à choisir cette voie plutôt qu'une autre. Tout lui paraissait absolument insensé.

— Il faut que tu saches que je t'ai toujours cherché. C'est ce qui donnait un sens à ma vie. J'avais perdu mon frère, puis mon père. Ma mère, elle, se laissait dériver. Je ne pouvais plus rien pour Jérôme, alors j'ai grandi en imaginant que je parviendrais un jour à te retrouver, te sauver, amener le monde à reconnaître ses torts et à prendre conscience de ta valeur. Et à faire que ma mère sourie à nouveau. Je me sentais responsable de notre malheur. C'est parce qu'il a fallu m'amener chez ce médecin que Jérôme a pris le bus. C'est parce que Jérôme est mort que tu as disparu. J'en voulais à la société de t'avoir traité comme un assassin. J'ai grandi avec une telle soif de revanche que j'ai imaginé les scénarios les plus dingues pour te récupérer et ensuite les obliger à s'excuser, à reconnaître leur erreur.

— Mais tu t'es mis en danger...

— Qu'avais-je à perdre ? Plus rien. Te retrouver était une obsession. Je ne vivais que pour ça. Je voulais être à la hauteur, être digne de toi, de ce que tu avais fait. Et quand nous avons fini par te localiser, j'ai eu l'idée de ce plan. Ton projet avait été fou. Ambitieux et héroïque mais fou. Le mien s'imposait les mêmes limites. Pour moi, ce sont ceux qui avaient tué mon frère qui étaient déments, ceux qui t'avaient jugé qui étaient fous. Moi, j'étais dans le vrai, dans la recherche du sens. Comme toi. Et, comme toi, je n'avais pas droit à l'erreur.

— Mais pourquoi cette mise en scène ?

— Parce que c'était le seul moyen de te ramener à la vie. Nous avons réussi à retrouver ta trace et quand je t'ai vu allongé sur ces cartons, ivre mort... J'ai eu envie de te serrer dans mes bras. J'avais attendu si longtemps ce moment-là ! Mais j'ai compris que je ne pourrais pas me tenir devant toi, te dire : « Viens, papa, c'est fini, on rentre à la maison », et te conduire simplement chez nous. Tu avais sombré dans tes délires. Tu avais perdu ta dignité. Je devais te rendre ta raison, ta fierté d'homme.

— Tu étais certain que ça marcherait ?

— J'étudie la psychologie, tu sais... Je me suis fié à une méthode, la T.C.C., thérapie cognitivo-comportementale. Et je suis parti de cette approche pour mettre au point un traitement qui te ferait affronter tes peurs et revenir par paliers successifs à un état dit normal. Il me fallait te faire prendre le chemin inverse de celui qui t'avait conduit au délabrement psychique. Je n'étais sûr de rien, mais je n'avais pas le choix. J'ai laissé à mes amis le soin d'appliquer ce... traitement, en n'apparaissant que quand il le fallait vraiment, parce que je savais que je n'aurais pas eu la force d'aller jusqu'au bout, de t'infliger tout ça. C'était tellement dur de te voir souffrir... Mais, là encore, je n'avais rien à perdre, juste un père à gagner. Il fallait entrer dans ta folie et aller t'y chercher, valider tes fantasmes. Puis te faire peur pour te faire douter de vouloir mourir. Te sevrer et ensuite t'amener à t'inquiéter à nouveau pour les tiens afin de recréer les liens d'affection qui t'unissaient à nous. Pour que tu renonces à la mort, que tu veuilles vivre pour maman et moi.

Il se leva et fit quelques pas.

— Tous les moments où je te voyais souffrir, lutter contre le manque d'alcool, la folie... ont été insupportables. Et cette peur panique lorsque tu t'es jeté dans l'eau ! Mais tu devais connaître l'enfer pour retrouver l'envie de vivre.

Daniel sentit des larmes glisser sur ses joues.

— Pour Jérôme, je ne pouvais plus rien faire. Mais pour mon père...

Un silence s'installa, puis Pierre reprit :

— Tu sais, ton carnet... Les premières lignes disaient que tu l'avais écrit pour maman et moi. Alors je l'ai lu. J'ai appris pas mal de choses sur ta vie. Mais l'essentiel, je le savais déjà. Ton amour pour maman, pour tes fils... ta valeur. Ça m'a permis de tenir, d'aller jusqu'au bout, de croire en mon idéal.

Une question me tourmentait.

— Ta mère est-elle au courant de ce que tu as fait ?

— Je ne lui ai pas tout dit. J'ai juste raconté que je t'avais retrouvé, que j'allais m'occuper de toi et qu'une fois guéri et en sécurité, je te ramènerais auprès d'elle. Elle n'aurait pas accepté que je te fasse endurer ce traitement, ni que je prenne tant de risques.

— Où est-elle ?

— Dans le Sud, avec Salomon. Tes amis nous ont protégés durant toutes ces années. Ils m'ont aidé à te retrouver puis à monter ce plan. Quand j'ai confié mon idée à Salomon, il n'était pas d'accord. Il voulait aller te chercher et te ramener. « Quelques grandes baffes dans sa gueule, ça lui remettra les idées en place... » Selon lui, je suis aussi stupide et têtu que toi.

Ils se sourirent.

— Maman t'a attendu durant toutes ces années. Elle n'a jamais cessé de penser à toi. Elle a participé à ta recherche et a même recruté des détectives pour te retrouver.

Ces révélations bouleversèrent Daniel.

— Comment pouvez-vous ne pas m'en vouloir de tant de souffrance ?

— Parce qu'on a compris que tu avais fait ça pour nous. Tu as voulu tuer cet homme pour nous permettre de ne pas succomber au poids de cette injustice qu'était la mort de Jérôme.

— Jérôme... Tu sais que j'ai cru le voir et lui parler, après l'attentat ?

Pierre baissa la tête, triste.

— Qu'est-ce que tu as prévu maintenant ? s'enquit Daniel. Partir ? Fuir ?

— Non, il n'y a aucune dignité dans la fuite.

— Mais tu sais que la police me recherche, que l'opinion m'a déjà jugé.

— Oui, mais si tu as été condamné en première instance, on t'a acquitté en appel.

Daniel leva un sourcil.

— Je ne saisis pas.

— Je t'ai dit que mon plan devait te permettre de retrouver ta dignité. Toute ta dignité. Je t'ai dit aussi que j'avais passé des années à l'élaborer dans un seul but : amener les uns et les autres à reconnaître leur erreur.

Pierre saisit les journaux posés sur la table en fer qui rouillait depuis des années dehors.

« Un homme de valeurs » titrait un quotidien, affichant la photo de Daniel. « La liberté et la justice pour Léman » réclamait un autre.

L'ex-otage parcourut rapidement les articles.

— Bon sang, Pierre, tu te rends compte que c'est toi que la police doit maintenant poursuivre !

— Non, ils recherchent des extrémistes religieux. On a pensé chaque détail pour que les flics se perdent. On a juste cru qu'ils avaient repéré notre première planque. D'où notre déménagement.

À ce moment, Lagdar et Akim apparurent. Akim portait un plateau sur lequel du café fumait dans l'air frais de la matinée.

Daniel porta sur eux un regard nouveau, admiratif.

— Je n'ai pas besoin de te présenter...

— Si, au contraire.

— Ils sont pour moi ce que Salomon, Vitto, Nabil, Bartholo ou Rémi sont pour toi : des amis. De vrais amis.

Lagdar posa une tasse devant Daniel. Akim s'assit près de lui.

— Akim a perdu sa famille dans un attentat en Irak. La sœur de Lagdar était dans le même bus que Jérôme. On s'est rencontrés dans une association d'aide aux enfants victimes de la guerre et du terrorisme. Une psychologue m'y avait envoyé.

— Et vous, vous avez accepté de jouer à ce jeu dangereux ? demanda Daniel à ses deux geôliers.

— Qu'est-ce qu'on avait à perdre ? répondit Akim en trempant ses lèvres dans le café. Les gens comme nous ont besoin de s'accrocher à un idéal, de croire que tout n'est pas pourri en ce bas monde. À nos yeux, cette histoire est pleine de sens.

— Je vous ai tellement maudits !

— Je joue assez bien la comédie, reconnut Akim, goguenard. Il faut dire que j'étais motivé ! Je ne supportais pas de vous voir vous complaire dans la douleur. D'un autre côté, je vous admirais... Mais c'était mon rôle. Moi, j'ai perdu toute ma famille, donc j'enrageais de vous voir sombrer dans la folie et l'alcool alors qu'un fils et une femme vous attendaient. Je voulais coûte que coûte vous faire réagir, vous ramener à la vie.

Ils restèrent tous silencieux, appréciant ces minutes de bonheur retrouvé.

— Et maintenant ? demanda Daniel.

— L'opinion t'avait condamné, nous avons obtenu ta réhabilitation. Mais notre satisfaction n'est pas totale. Nous ne voulons pas d'un délibéré fondé sur la pitié. Nous avons remporté une bataille, maintenant nous gagnerons la guerre : faisons casser le jugement.

— Oui, nous revendiquons le non-lieu, annonça Lagdar, hâbleur.

— Mais comment ?

Akim montra un paquet et un appareil photo.

— Il reste un coup à jouer.

Éric Suma roulait avec prudence sur la nationale qui le conduisait au lieu de rendez-vous indiqué dans la lettre reçue le matin même.

Il avait scrupuleusement suivi les indications. Quitter le bureau en passant par le sous-sol, laisser sa voiture, prendre le métro, puis le RER. En prenant soin de changer de rames plusieurs fois pour vérifier qu'il n'était pas suivi. Au sortir du RER, trouver la voiture mentionnée dans le courrier et les clefs cachées dans la boîte à gants. Puis se rendre au point de rencontre.

Il n'ignorait pas que son attitude pouvait être qualifiée d'irresponsable. Il avait d'ailleurs hésité un moment après avoir lu les quelques lignes. C'est la photo de Daniel Léman, installé sur une chaise en plein soleil, qui l'avait décidé. Elle était récente, comme en attestaient les journaux posés près de lui. Sur cette image, il paraissait détendu. Fatigué certes, mais paisible. Que signifiait cette mise en scène ? Que lui voulaient les preneurs d'otages ? Le capturer ? Négocier avec lui ? Il avait évalué les risques mais les avait rapidement balayés d'un revers de conscience. S'il pouvait entreprendre quelque chose pour Daniel Léman, il n'hésiterait pas. Et s'il s'agissait d'un piège destiné à l'appâter par la promesse d'un scoop, il accepterait son sort. C'était pour lui une question de survie. Se prouver qu'il valait plus et mieux que sa propre image.

Le GPS le conduisit à destination. Il stoppa la voiture, coupa le contact et attendit quelques minutes sur l'aire de repos déserte. La nature froide et austère le rendit fébrile. La peur, bien entendu, mais également cette excitation particulière seulement connue durant ses premières années de carrière, lorsqu'il se mettait en danger pour obtenir une bonne information, coulaient avec passion dans ses veines.

Les ravisseurs étaient sans doute en train de l'observer pour s'assurer qu'il n'était pas suivi. Après un bon quart d'heure de patience, une camionnette apparut sur la route. Quand elle ralentit à son niveau, deux hommes l'observèrent. L'utilitaire s'arrêta quelques mètres plus loin et un homme en descendit.

Un frisson parcourut Éric Suma.

L'homme s'approcha et lui tendit la main.

— Merci d'être venu, dit-il simplement.

Il ne devait pas avoir plus de vingt ans. Et affichait une attitude rassurante.

— Je m'appelle Pierre.

— Éric Suma, répondit le journaliste.

Pierre sourit.

— Oui, je sais.

— Qui êtes-vous ? Qu'avez-vous à voir avec cette affaire ? Et que me voulez-vous ?

— Ne soyez pas inquiet. J'ai uniquement de bonnes intentions à votre égard.

— Je ne suis pas inquiet. Juste curieux et... surpris.

— Je suis le fils de Daniel Léman. Et le chef du commando qui l'a kidnappé. Venez, ne restons pas là.

Pierre avait raconté toute l'histoire à Éric dans l'atmosphère embuée de la camionnette. Celui-ci avait écouté la folle aventure, abasourdi. Chaque phrase, chaque révélation l'avait obligé à revoir sa propre perception des faits. Il était à la fois ému de l'acte d'amour d'un fils pour son père et vexé d'avoir été utilisé à son insu.

— Bref, vous m'avez manipulé, dit-il d'une voix qui ne voulait pas laisser paraître la pointe d'amertume puérile et déplacée qu'il ressentait malgré lui.

— Vous pouvez le voir ainsi. Mais vous pouvez également penser que je vous ai choisi parce que je vous estime seul capable de porter ce message.

— De l'estime ? répéta Éric, bien qu'il devinât déjà les raisons de ce choix.

— Oui, pour votre attitude lorsque mon père a été présenté comme un assassin. J'avais alors dix ans. J'étais un petit garçon qui venait de perdre son frère et dont le père était traîné dans la boue. Je vous ai entendu le défendre. Vous étiez le seul. Vous l'avez payé cher.

Éric fut flatté de savoir qu'un jeune homme aussi courageux, capable d'entreprendre de si grandes choses par amour paternel, lui vouait une telle reconnaissance.

— Je dois être honnête avec vous. Si, à l'époque, j'ai pris parti pour Daniel, c'était aussi pour des raisons... de contexte. Je ne pense donc pas mériter votre reconnaissance.

Pierre rit.

— Le contexte entre toujours en ligne de compte, dans nos décisions, mais jamais il ne nous oblige à les prendre. Ce sont les valeurs qui ont le dernier mot. Et j'ai apprécié les vôtres. D'ailleurs, vous êtes là parce que je pense que nous en partageons certaines et que je peux vous faire confiance. J'ai pris des risques en proposant ce rendez-vous. Vous auriez pu livrer l'info aux flics et débarquer avec une équipe pour filmer l'arrestation des dangereux terroristes. Mais vous ne l'avez pas fait. Ce qui prouve que vous n'êtes pas un homme prêt à tout pour assouvir son intérêt personnel. Vous aussi vous avez osé braver le danger en venant. M. Suma, je ne crois pas m'être beaucoup trompé sur l'homme que vous êtes.

— Vous ne m'avez tout de même pas fait venir ici pour me raconter l'histoire ou éprouver ma bravoure ?

Pierre laissa jaillir un autre petit rire.

— Non, en effet. Pas seulement du moins, car s'il était important que vous sachiez la vérité, je voulais que cette vérité soit totale.

— C'est-à-dire ?

— Mon père n'a pas tué le cheikh.

Éric Suma, interloqué, dévisagea son interlocuteur.

— Et qui l'a assassiné alors ?

— Je ne sais pas. Ses propres hommes vraisemblablement.

— Mais pour quelles raisons ? Avez-vous des preuves de l'innocence de votre père ?

— Des preuves ? Pas vraiment. Mais une vidéo qui atteste qu'il n'était pas dans son intention de l'exécuter. Tenez, dit Pierre en tendant un DVD au journaliste. Sur ce document on voit mon père lui faire croire qu'il va le tuer. Leur conversation est édifiante. Bien entendu, certains pourront dire qu'il a assassiné Fayçal après avoir tourné la scène, mais à mon sens les propos du cheikh conduiront tous les hommes de bon sens à en douter.

Éric saisit le DVD.

— Mais qui était en possession de cet élément ? Et pourquoi ne pas l'avoir produit avant ?

— L'homme qui était avec lui ce jour-là le conservait précieusement. C'est une copie du film envoyé aux hommes du prédicateur pour le discréditer auprès de son organisation. Et ce qui lui a sans doute valu d'être assassiné. Cet homme n'a pas voulu le divulguer avant d'avoir retrouvé mon père. Parce qu'il ne constituait pas une preuve en soi et aurait conforté les membres de l'organisation terroriste dans leur volonté de retrouver Daniel et de l'abattre pour qu'il ne parle jamais.

— Et le complice de votre père... pourquoi n'a-t-il pas parlé ?

— Qui l'aurait cru ? Et puis il aurait fait courir un risque important aux autres participants, des hommes dont la mission était de nous protéger, ma mère et moi. Non, la seule solution était de retrouver mon père avant de dévoiler ce que nous savions. Simplement, nous ne pensions pas que ce serait si long...

Éric fut ébranlé par ces dernières révélations.

— Donc... votre père a vécu cet enfer... pour rien. Il a été injustement calomnié.

Un silence pesant s'installa entre les deux hommes. Chacun laissait les images suscitées par ces propos défiler dans son esprit.

— Comment va votre père, aujourd'hui ?

— Disons que c'est un miraculé. Il aura besoin de repos et de tout notre amour pour se remettre.

— Pourquoi ne se livre-t-il pas ?

— Je vous l'ai dit : devant la justice, la vidéo ne constituerait pas une preuve. Et je refuse qu'il subisse des interrogatoires, endure un jugement, il n'en a pas la force. De toute façon, ce n'est pas la justice qui lui rendra son honneur. Alors je veux que l'opinion publique ait tous les éléments en main pour le juger. Et je sais qu'elle comprendra la véritable valeur de mon père.

— Qu'allez-vous faire ?

— Les flics vont nous rechercher, nous traquer. Nous allons donc partir loin. Nous réinventer une vie.

Éric pesa ces paroles, ému. Puis une idée le fit sourire.

— Je crois avoir les moyens de freiner leurs ardeurs, dit-il, malicieux.

Pierre le considéra avec étonnement.

— Je vais présenter les images au journal, raconter ce que vous m'avez appris de l'histoire. Ensuite, je proposerai un marché au ministre de l'Intérieur, le convaincre de croire en ma version et de ne rien mettre en œuvre pour vous retrouver.

— Pourquoi accepterait-il ?

- Parce que moi, je connais sa valeur, rit Éric. Il préférera abonder dans le sens de l'opinion si cela sert son intérêt. Et parce que je possède, moi aussi, un enregistrement qui pourrait le mettre très mal à l'aise. Un enregistrement qui prouve que sa fameuse éthique s'arrête là où commence son ambition.

— Vous jouez avec le feu.

— Pas tant que ça. De toute manière, ce sera ma dernière affaire. Je vais quitter ce métier. Comme je lui ai sacrifié ma vie, je vais maintenant penser à moi.

En prononçant ces paroles, il songea à Clara et se résolut à l'appeler dès son retour.

Les deux voitures s'arrêtèrent devant le portail.

La portière s'ouvrit et Betty apparut.

Elle resta immobile un instant. Debout dans le jardin, Daniel la regarda.

Intimidés, interdits, ils n'osèrent marcher l'un vers l'autre. Trop de choses devaient se reconstruire, de paroles se prononcer.

Dans les véhicules, Salomon, Nabil, Rémi, Vitto et Bartholo observaient Daniel avec émotion et retenue. Un tel moment fort ne leur appartenait pas. Pas encore.

À l'étage, derrière une fenêtre, Pierre contemplait la scène.

Puis Betty s'avança lentement, d'une démarche hésitante.

Daniel voulut marcher à sa rencontre, mais ses jambes se dérobèrent. Il se contenta de l'attendre, voyant à chaque pas s'affiner les contours de sa silhouette, les traits changés, plus marqués, de son visage, jusqu'à découvrir son sourire et la flamme dans son regard.

Un sourire triste, un regard en paix.

Il leva les bras pour l'accueillir, maladroit dans ses gestes, ignorant des jours qui les attendaient, mais heureux de pouvoir la serrer contre lui.

ÉPILOGUE

Papa, maman, Pierre, de là où je suis, je vous regarde et vous aime.

La mort n'est qu'un mot qui raconte une absence. Et la douleur que vous a causée mon départ trop rapide prend sa substance dans la valeur du temps qui nous sépare.

Mais sachez que ce temps n'a pas la même signification pour vous et moi.

Pour vous, il est une réalité cruelle qui nous éloigne. Une suite d'heures, de jours et d'années.

Pour moi, il se résume à un instant fugace, aussi court qu'une nuit traversée des songes merveilleux que je vous confierai un jour, quand vous m'aurez rejoint.

Je ne suis pas très loin de vous. Je vous observe d'ici et me sens grandi par les sentiments nobles qui vous unissent désormais.

Ce sont ces émotions, cette vérité, qui me permettent de m'élever plus haut encore, d'approcher des lumières célestes au sein desquelles la valeur d'un homme apparaît dans sa plus pure vérité.

C'est là que je vous attendrai, me réjouissant de vous voir vieillir et vous aimer.

Prenez tout votre temps. Le temps nécessaire pour parfaire vos âmes et leur procurer le souffle qui les portera jusqu'à moi.

Ne pensez à moi que pour m'aimer plus encore et vous réjouir de me savoir heureux de vous attendre.

Mais ne vous pressez pas. Le temps n'est rien pour moi.

Il est une nuit.

Des songes merveilleux.

Et demain, vous serez là, à mes côtés.

REMERCIEMENTS

Je remercie ceux et celles déjà cités sur mon premier roman car toujours présents à mes côtés

Également,
Roland Cohen, mon frère, pour son militantisme

Ma grande famille d'ici et d'ailleurs : Rosine Dasilva, Jacky, Michel et Léon Azoulay, Maud Benhamou, Claude Cohen, Armand Cohen, Estelle et Dove Cohen, the Gottferstein Family, the Polowin Family.

Ma nouvelle famille, lectrices et lecteurs de la première heure pour leurs messages enthousiastes et souvent touchants et leur volonté de partager mon aventure :
Sonia Lamazière, Nadine Revert, Aurélie Capasso, Vincent Sherer, Christine Georges, Corine Bonnot, Nicky et Brice D.. Mickaël Lumbroso, Fanny Rozet, Sophie Bonvino et Sylvie, Marc Bouquette, Mégane Dreyfuss, Sophie Masurel, Emeline Montialoux, Aurélie Barbe, Vanessa De Jesus, Valérie Condette-Robin, Hélène Atger, Marc Fournier, Éric Masse, Michel Vanesse, Géraldine Busson et les nombreux autres que je ne peux citer faute d'avoir conservé leurs noms et prénoms et qui m'en voudront sans doute.

Mon éditeur, Thierry Billard, pour avoir su instaurer une relation riche, efficace et agréable.

Cet ouvrage a été imprimé par

C P I
Firmin Didot
Mesnil-sur-l'Estrée

pour le compte des Éditions Flammarion
en février 2009

Imprimé en France
Dépôt légal : mars 2009
N° d'édition : L.01ELKN000221.N001 – N° d'impression : 93997